검토에 적극 참 … 지적 사항을
최대한 … 니다.
본 교재에 대한 많 … 정리했습니다.
도움을 주신 선생님들께 감사드립니다.

학기 중 진도 교재로 사용하고 있습니다. 하위권 및 중위권 학생들의 보충 교재 및 계산력 강화 교재로 참 좋습니다.

–인수학학원 **김상현** 선생님

선행 진도 나간 다음에 학생들 스스로 내용 정리를 할 수 있고, 바로 오답노트 정리가 가능해서 정말 마음에 드는 교재입니다.

–구로루트 **이인수** 선생님

학기 중 부교재로 사용하는데 난이도도 적당하고 문항수도 알맞아 보입니다. 그리고 디자인이 심플해서 마음에 들고 시험에 나오는 유형들로 구성되어 있어서 좋습니다. –KCIS롱맨영수학원 **이설웅** 선생님

학기 교재로 따로 진도를 나가고 본 교재는 시험 기간 2주 정도 중간고사 범위 정도 풀어보니 문항수도 난이도도 중위권 학생들이 쓰기에 적당했습니다. 무엇보다 문항 옆에 따로 노트할 수 있는 부분이 있어서 유용하게 사용하였습니다. –탑학원 수학강사 선생님

선행 준비하는 교재나 시험 기간 중 정리 교재로 적당한 것 같습니다. 양이 약간 적기는 하지만 부담이 없어서 평균 정도의 학생에게 좋다고 생각합니다. –제3교실 수학강사 선생님

교재의 문항 수는 좀 적어 보여서 조금 더 문항 수가 많았으면 좋겠습니다. 마무리 점검용으로 잘 나온 것 같습니다. 학생들과 마무리 교재로 잘 사용하고 있습니다. –더클래스학원 **탁언숙** 선생님

선행 진도 교재나 학기 중 진도 교재로 사용하기 좋겠습니다. 기존 문제집 형태에서 벗어나 오답노트가 같이 붙어 있어서 정말 좋습니다. 수학 오답노트가 생각보다 정착되기 쉽지 않은데 책에서 같이 편성되어 있어 많이 편리합니다. –수방사수학전문학원 **오주영** 선생님

선행 진도 교재로 사용하고 있는데요. 교재의 난이도도 적당합니다. 문제 수는 좀 많아 보이는데 교과서 정리용으로 적당한 교재로 보입니다. –로뎀나무수학전문학원 **민병훈** 선생님

교재의 문제수가 조금 더 많았으면 좋겠습니다. 그리고 난이도가 조금 더 높았으면 좋을 것 같습니다. –강남탑아카데미 **강민우** 선생님

학기 중 부교재로 사용하고 있습니다. 내신 시험에서 출제율 높은 문제들이 많이 수록되어 있고 디자인이 깔끔해서 좋습니다.
교재의 분량이 적당해서 좋습니다. 수학의 기본 공식을 단원별로 요약해서 암기할 수 있도록 유도한다면 더 좋겠습니다.

–연향학원 **정상혁** 선생님

난이도 구성도 적절하여 선행 진도 교재로 좋습니다. 다만 기초가 약한 학생들은 어려워해서 난이도를 조금만 낮추면 어떨까 합니다.

–홍선생수학원 **홍영상** 선생님

학기 중 부교재로 사용합니다. 문항수도 적당하고 분량도 알맞습니다. 디자인도 세련되고 깔끔해 보입니다. 수업 중 부교재로 사용하기에 이만한 교재도 없는 것 같습니다. –삼성영어쎈수학작전학원 **성영희** 선생님

학기 중 부교재나 문제 풀이용으로 사용하기에 좋습니다. 문제 유형을 조금 더 자세하게 나눠주면 더 좋지 않을까 싶습니다.

–신사고수학학원 **안길홍** 선생님

중하위권 학생들에게 학기 중 진도 교재로 사용하고 싶은데 문제 수가 좀 적은 것 같아서 더 많았으면 좋겠습니다. 교과서에서 요구하는 기본 개념을 반복학습하기에 좋은 교재입니다.

–아람입시학원 **박찬호** 선생님

선행 진도 교재로 수업을 해 보았는데 난이도가 낮아서 학생들이 재미있게 풀이를 할 수 있었습니다. 선행 교재로 적절합니다. 초등 교재와 구성이 비슷해서 학생들의 거부감이 덜한 것 같습니다.

–김샘학원 김선옥 선생님

학기 중 부교재로 사용하고 있습니다. 디자인도 예쁩니다. 상하권의 분량은 비슷했으면 좋겠고 무엇보다 상하권 모두 좀 더 빨리 출간되었으면 합니다. –장현진수학학원 양경실 선생님

개편이 이루어진다면 초등학교 6학년 여름방학 시작 전까지는 출간되는 게 좋을 듯합니다. 학생들이 노트 없이 바로 책에서 풀이를 할 수 있도록 해 주어서 정말 좋습니다. –현대학원 김은희 선생님

선행 진도 교재로 사용하고 싶습니다. 초등부는 학생들에게 맞는 재미있는 표지 디자인이 필요하지만 중학교 책은 디자인보다는 내용이 좋아야 합니다. 너무 조잡하지 않을 정도의 현 디자인이 좋은 것 같습니다. –뉴탑보습학원 유성희 선생님

문제가 쉬워서 선행할 때 부교재로 부담 없이 수업을 진행할 수 있어 좋습니다. 문항수가 조금 더 많으면 좋을 듯합니다.

–미퍼스트학원 오광재 선생님

선행 부교재로 사용할 수 있겠습니다. 특히 초등학교 6학년 학생에게 이 책을 사용한다면 좋은 결과가 있을 것으로 생각됩니다.

–최상위학원 방선주 선생님

이 책에 도움을 주신 선생님들

강갑신 (청람학원)
강민우 (강남탑아카데미)
강병헌 (강박사수학)
강상도 (알찬학원)
강성현 (위드클래스)
강효선 (두드림수학학원)
고경희 (경인학원)
권도형 (K2에듀학원)
권미진 (예일학원)
권주희 (동일학원)
권혜정 (패턴수학학원)
김규엽 (플랜더학원)
김나영 (U&I학원)
김남국 (연세월학원)
김도완 (하브르수학학원)
김동우 (김동우학원)
김동현 (아이네트학원)
김명옥 (1.2.3학원)
김명옥 (멘토0816학원)
김병주 (루트엠수학학원)
김상기 (디딤돌학원)
김상윤 (한빛학원)
김상현 (인수학학원)
김상훈 (아이탑스쿨학원)
김선영 (일원학원)
김선옥 (김샘학원)
김성연 (김선생수학학원)
김순조 (페르마학원)
김승우 (YM학원)
김옥희 (좋은입시학원)
김용복 (MS학원)
김용원 (비탑학원)
김윤희 (일등급학원)
김익성 (서대문페르마학원)
김인규 (MBT생수학)
김일심 (BMI수학학원)
김일용 (서전학원)
김일융 (서전학원)
김장현 (김장현수학학원)
김정선 (대현학원)
김정암 (정암수학학원)
김정애 (메가브레인)
김정연 (외대어학원)
김정준 (매쓰맨토수학학원)
김정희 (일원학원)
김조현 (왕수학학원)
김종리 (최선생학원)
김지권 (진영학원)
김지현 (신정진단과학원)
김진희 (계몽학원)
김창호 (세엘학원)
김혜민 (웅비아카데미)
김혜진 (KSM학원)
김화정 (김샘학원)
남상욱 (해운대성문학원)
남지민 (더프라임학원)
노광주 (대치동수스터디)
도인규 (김샘학원)
마창영 (매쓰드학원)
문병욱 (수학의흐름학원)
문주아 (엘리트학원)
문지영 (문샘학원)
문희경 (한결학원)
민광석 (민수학학원)
민병훈 (로뎀나무수학전문학원)
민상기 (한뜻학원)
박강우 (김은옥영어박강우수학학원)
박경화 (투비스마트학원)
박미현 (훈장님수학학원)
박상빈 (우리학원)
박상준 (지오엠수학전문학원)
박선형 (파인만학원)
박수한 (서구대성학원)
박영선 (GH영재학원)
박원규 (한오름학원)
박원일 (마이엠수학학원)
박은주 (이탑학원)
박재춘 (제크아카데미)
박정선 (1%하이스트학원)
박정호 (베리타스)
박정훈 (신현대학원)
박종화 (파스칼수학학원)
박준자 (일신학원)
박찬호 (아람입시학원)
박창용 (송설학원)
방선주 (최상위학원)
방지윤 (눈높이(용호))
변주현 (일등학원)
서경애 (큰나무학원)
서금실 (서선생수학학원)
서문소영 (지오수학학원)
서창호 (에이스학원)
서춘경 (스피드학원)
석지현 (더베스트수학학원)
설성환 (더옳은수학학원)
손기정 (JC학원)
손민근 (MSG학원)
손정욱 (강남리더스학원)
손한나 (서연학원)
송은화 (헤르메스학원)
승태욱 (SM뉴런)
신경철 (신강남학원)
신문교 (SM학원)
신용하 (공감학원)
신은경 (스터디멘토학원)
신정석 (정석학원)
신혜영 (경기학원)
심석보 (대림학원)
안길홍 (신사고수학학원)
안상숙 (오디세이학원)
안지영 (모두의 수학)
양경실 (장현진수학학원)
양은선 (태림학원)
여순태 (성문학원)
오가을 (이카루스수학학원)
오광재 (미퍼스트학원)
오미영 (이엠아카데미)
오주영 (수방사수학전문학원)
오중식 (방선생수학학원)
오태경 (올라학원)
오현대 (페르마학원)
우명식 (상상학원)
우명식 (수학의샘입시학원)
유경이 (한매쓰학원)
유미자 (서경학원)
유영수 (이지매쓰수학학원)
유정숙 (동부주산학원)
유종렬 (종로엠스쿨)
유혜종 (멘토링학원)
유홍식 (교육최상학원)
윤석영 (강남현대에이플러스)
윤재준 (교하비상아이비츠)
윤진숙 (진솔학원)
이강화 (강승학원)
이강훈 (이수학원)
이경희 (수현영수전문학원)
이관희 (앙오상록학원)
이권 (명성영재사관)
이기호 (코넬아카데미)
이다혜 (다수인학원)
이도윤 (수학인학원)
이미경 (주관영수학원)
이미량 (제니스학원)
이민구 (최상학원)
이상호 (S-Top학원)
이상희 (참좋은학원)
이선미 (얼음수학학원)
이설웅 (KCIS롱맨영수학원)
이승우 (새교육학원)
이승한 (멘토학원)
이영식 (아이윌학원)
이영실 (관저아이스학원)
이왕근 (프라임학원)
이용석 (가람스마트)
이원진 (학문당)
이윤영 (윤앤영학원)
이은재 (이은재 맵수학학원)
이인수 (구포루트)
이정미 (똑소리학원)
이정임 (뉴탑보습학원)
이종혁 (매크로학원)
이주민 (대성제넥스)
이준철 (신의한수학원)
이지연 (예스수학학원)
이창승 (꿈이공학원)
이해경 (으뜸학원)
이현정 (엘수학학원)
이형욱 (하이탑학원)
이형욱 (해얼학원)
이형주 (대명EMS학원)
이희경 (강수학)
임명진 (서연고학원)
임선주 (온누리입시학원)
임수정 (해오름학원)
임지혜 (통달할달수학학원)
장경자 (엘리트학원)
장석필 (플래너학원)
장현주 (서진학원)
전영선 (비상스카이학원)
전은실 (프라이머리수학학원)
정구은 (정구은학원)
정상혁 (연향학원)
정선화 (JS아카데미)
정유진 (김예찬영수학원)
정재성 (참된학원)
정재현 (율사학원)
정태용 (공감영수학원)
정현진 (수박사학원)
정현호 (호매실이룸학원)
조민정 (조민정아카데미)
조봉규 (드림학원)
조정환 (프라임학원)
조태재 (TJ학원)
조현미 (강남인재학원)
조현석 (대신학원)
조혜원 (에듀포인트학원)
차진경 (대현학원)
채웅기 (KCT학원)
채장기 (대치M수학학원)
최경욱 (경성학원)
최명임 (청어람학원)
최명훈 (엘교이수학원)
최수성 (하이츠수학학원)
최슬기 (튼튼영어학원)
최인찬 (와이즈만)
탁언숙 (더클래스학원)
하희경 (명지학원)
한명희 (비상아이비츠학원)
한빛찬 (지금학원)
한희광 (성신학원)
허균정 (이화수학)
허세영 (감전고려학원)
현진령 (신명학원)
홍기택 (가우스학원)
홍영상 (홍선생수학원)
황경숙 (수리수리수학학원)
황정심 (동성수학학원)
황지성 (진솔수학학원)
황하기 (지엔탑학원)

Mathematics
교과서
노트
중학 수학 1 (하)

구성과 특징

교과서 노트는 어떤 교과서에나 공통적으로 나오는 문제들로 구성하였습니다. 각 단원마다 알아야 할 기본 개념과 출제 가능성이 매우 높은 문제들을 엄선하였기 때문에 중간 · 기말고사를 대비하는 데 좋은 교재입니다.

우리가 수학문제를 풀 때 가장 많이 느끼는 어려움은 분명히 풀어봤던 유형인 것 같은데 풀이 과정 중에 하나 또는 두 개 정도의 풀이과정이 추가되게 되면 풀 수가 없다는 것일 것입니다. 노트 형식으로 구성한 이 "교과서 노트"는 기본 필수 예제를 풀이 과정을 하나하나 쫓아가며 풀 수 있기 때문에 수학 문제 풀이에 대한 두려움이라든가, 오답노트를 따로 만들어가며 풀어야 하는 귀찮음을 해소할 수 있습니다.

1

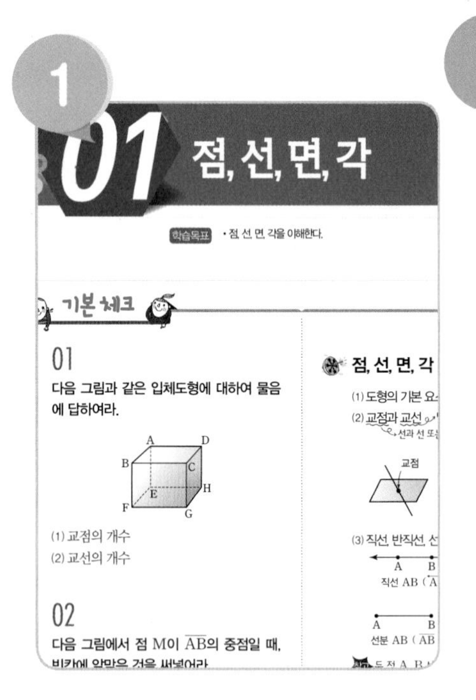

학습목표

소단원의 성격을 잘 드러내도록 구성하였습니다.

학습목표는 우리가 시험에서 만날 문제들의 성격을 대표적으로 설명하는 부분입니다. 학습목표를 잘 읽어보면 그 단원에서 가장 기본이 되고 제일 중요한 것이 무엇인지 알 수 있게 됩니다.

2

기본체크와 핵심정리

교과서 개념을 주제별로 구성하여 자세하고 깔끔한 개념만을 모아모아 문제 풀이에 적용하기 쉽게 정리하였습니다. 교과서 노트의 핵심정리는 정말 중요한 것만 콕콕 찍어서 단계적으로 정리하여 보기도 쉽고, 이해하기도 좋게 구성하였습니다.

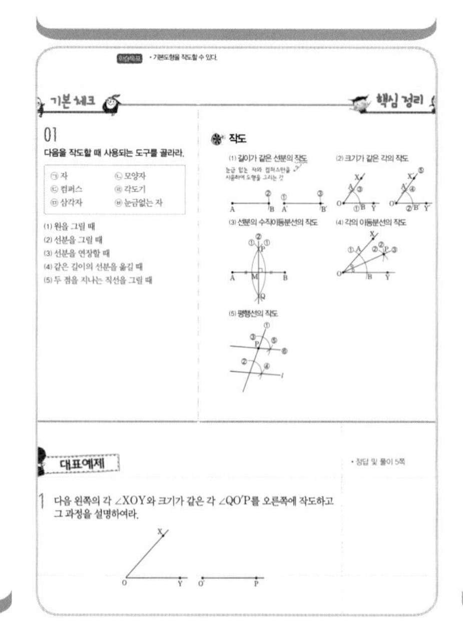

3

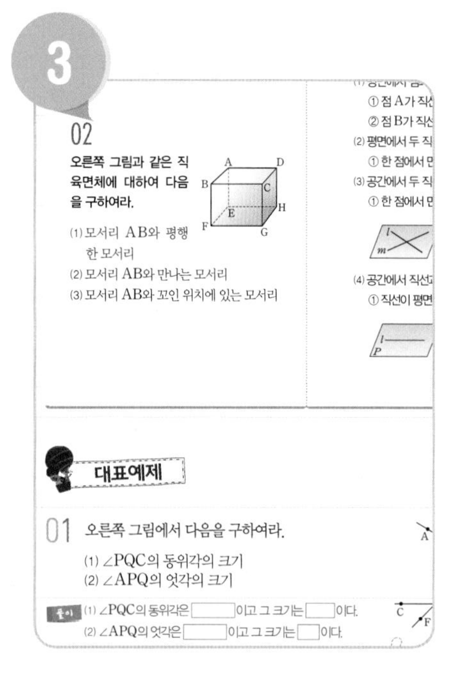

대표 예제

단순히 개념만 안다고 모든 문제를 해결할 수는 없습니다. 핵심은 바로 개념을 이용한 문제해결력을 키워야 합니다. 그래서 중학 교과서 속 핵심 예제를 개념을 익히기 위한 필수 문제로 구성하였습니다. 시험과 동떨어진 매우 기초가 되는 쉬운 문제가 아니고, 시험에 나올 법한 유형의 문제 중 기본이 되는 문제로 구성했으며 빈칸 채우기 식의 문제 풀이를 통해 풀이 과정을 한 눈에 볼 수도 있어서 "내가 어디서 실수를 했는지" 쉽게 찾을 수 있습니다. 또한, 문제 풀이에 꼭 필요한 개념들을 친절하게 첨삭 설명하였습니다.

4

어떤 교과서에나 나오는 문제

코너 이름 그대로, "어느 교과서에나 등장하는" 유형의 문제들로 구성하였습니다. 교과서 기본문제와 연습문제를 분석하여 만든 이 문제들로 기초 실력을 탄탄히 다지고 연습할 수 있으며, 시험에 꼭 나오는 유형이니만큼 시험 대비하기에 좋습니다. 노트 형식의 디자인은 문제 옆에 바로 풀이를 할 수 있어서 풀이 가운데 틀린 부분을 체크하기 쉽게 하며, 오답노트로 활용할 수도 있습니다.

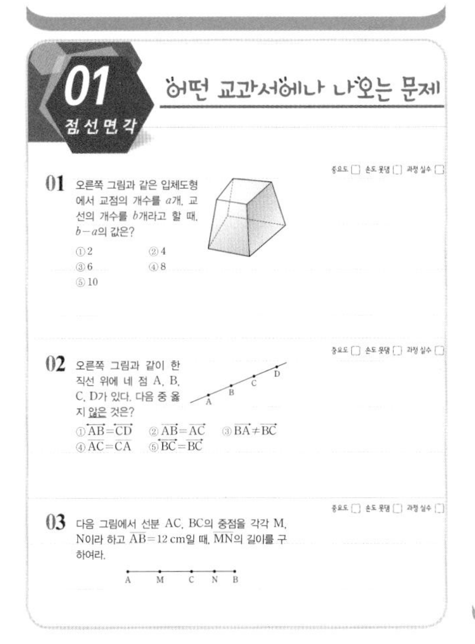

5

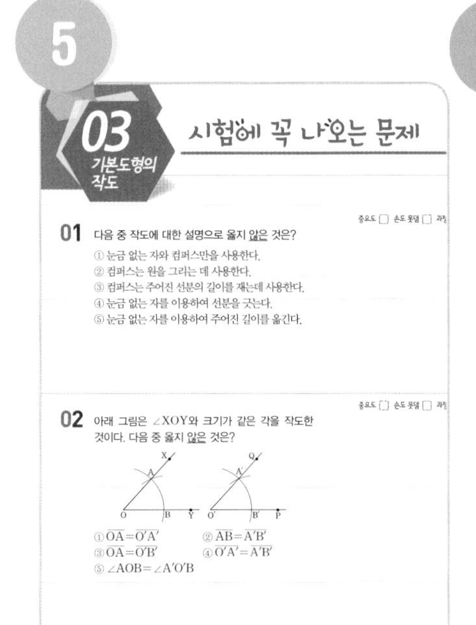

시험에 꼭 나오는 문제

교과서의 중단원평가와 대단원평가를 분석하여 공통적으로 등장하는 유형의 문제를 변형하여 실어놓았습니다. 시험에 꼭 나오고, 반드시 알아두어야 할 문제들로 엄선했기 때문에 이 교재로 모의시험을 치면, 시험에 임하게 되었을 때 나의 취약한 부분을 미리 알 수 있게 됩니다. 이 코너 역시 노트 디자인으로, 문제풀이 복습 과정이 편리합니다.

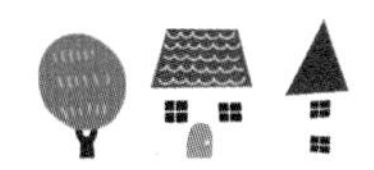

6

단원종합문제

대단원이 하나씩 끝날 때마다 제공되는 단원종합문제는 실제 시험을 보는 것 같이 풀 수 있도록 구성하였습니다. 출제 가능성이 매우 높은 문제들로 구성하여서 중간고사나 기말고사 대비용으로 활용하기 좋으며, 어느 정도 난이도가 높은 문제들과 서술형 문제도 다루어 보면서 완벽하게 실전에 대비합니다.

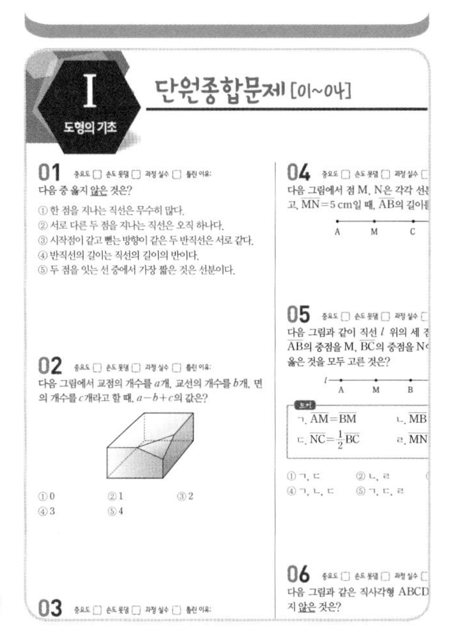

7

책속의 책 : 정답 및 풀이

- 친절하고 깔끔한 풀이가 내가 틀린 문제에 대한 문제 풀이의 이해를 돕습니다.
- 맞은 문제도 풀이 책을 보면서 문제풀이 과정이 옳았는지 확인해 볼 수 있습니다.
- 다른 풀이를 통해 여러 가지 풀이 방법을 제시하였습니다.

차 례 Contents

Ⅰ. 도형의 기초

Ⅱ. 평면도형

Ⅲ. 입체도형

Ⅳ. 자료의 정리와 해석

이 책의 활용법

1. 학습목표를 여러 번 읽어 보며 개념이 어떻게 문제로 표현될지 생각해 본다.
2. 핵심 정리를 보며 내가 올바르게 소단원의 개념을 이해하고 있는지 확인한다.
3. 체크 문제를 풀어보고 각 소단원에 해당하는 기본 개념이 제대로 잡혀 있는지 확인한다.
4. 대표 예제를 통해 기본 문제를 이해한다.
5. 〈어떤 교과서에나 나오는 문제〉 코너와 〈시험에 꼭 나오는 문제〉 코너의 문제를 풀이한 뒤, 풀이 과정까지 옳게 되었는지 확인한다. ▶ 틀린 유형의 문제는 여러 번 풀어본다.
6. 단원종합문제 풀이를 실제 시험처럼 시간을 정해 두고 푼다. ▶ 출제 가능성 높은 문제들로 구성하였기 때문에 틀린 문제는 반드시 다시 풀어서 실제 시험에서는 틀리지 않도록 오답노트를 만든다.

오답노트 - 활용tip

중요도 ☐ 손도 못댐 ☐ 과정 실수 ☐ 틀린 이유 :

중요도 ★ 중요도는 문제를 풀 때 선생님이 중요하다고 했던 문제이거나, 본인이 생각하기에 중요한 문제에 별표를 그려서 시험 보기 전, 파이널 정리할 때 한 눈에 확인하기 좋습니다.

손도 못댐 ☑ 손도 못댐은 문제를 풀 때, 어떠한 과정이나 식이 필요한지 감도 잡히지 않아 막막했던 문제를 체크하여 모르는 문제를 다시 확인할 수 있게 합니다.

과정 실수 ☑ 문제를 풀 때 풀이 과정에서 실수했다면 체크를 하고, 옆의 틀린 이유란에 실수한 이유나, 몰랐던 부분에 대해 써 넣어 다음에 볼 때 같은 부분을 틀리는지 아닌지 확인합니다.

예 과정 실수 ☑ 틀린 이유 : $a=-3$인데, $a=3$으로 놓고 풀었음

01 점, 선, 면, 각

학습목표 • 점, 선, 면, 각을 이해한다.

기본 체크

01

다음 그림과 같은 입체도형에 대하여 물음에 답하여라.

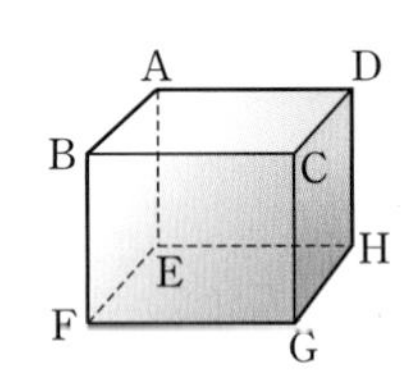

(1) 교점의 개수

(2) 교선의 개수

02

다음 그림에서 점 M이 $\overline{AB}$의 중점일 때, 빈칸에 알맞은 것을 써넣어라.

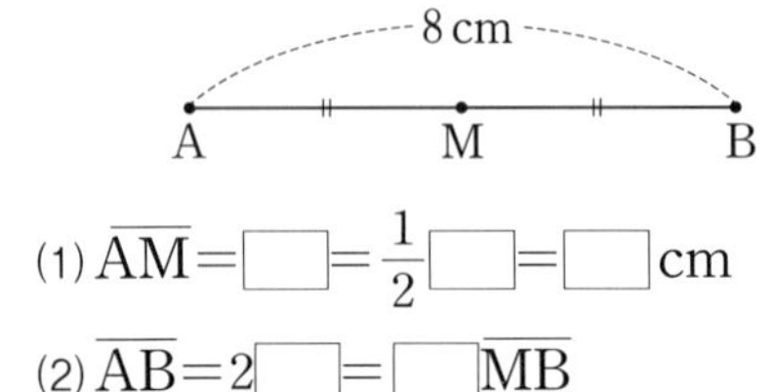

(1) $\overline{AM}=\square=\frac{1}{2}\square=\square$ cm

(2) $\overline{AB}=2\square=\square\overline{MB}$

03

오른쪽 그림에서 $\angle a$, $\angle b$, $\angle c$의 크기를 각각 구하여라.

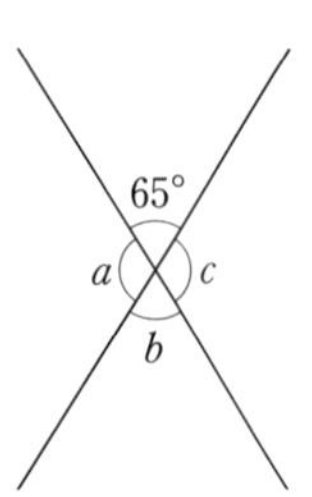

핵심 정리

점, 선, 면, 각

(1) 도형의 기본 요소 : 점, 선, 면

(2) 교점과 교선 (교선: 면과 면이 만나서 생기는 선 / 교점: 선과 선 또는 선과 면이 만나서 생기는 점)

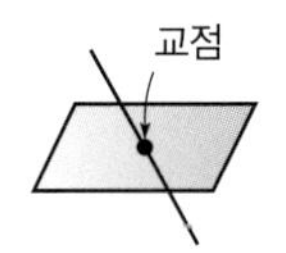

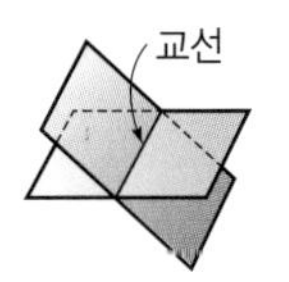

(3) 직선, 반직선, 선분

A B
직선 AB ($\overleftrightarrow{AB}$)

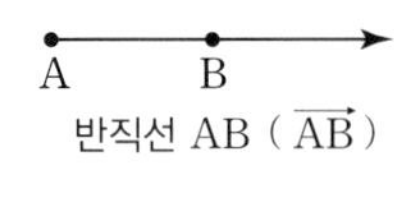

반직선 AB ($\overrightarrow{AB}$)

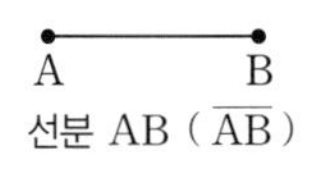

선분 AB ($\overline{AB}$)

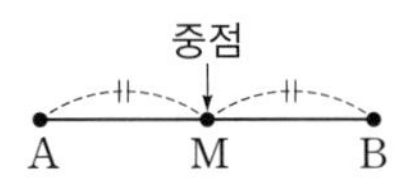

참고 두 점 A, B 사이의 거리 : 서로 다른 두 점 A, B를 잇는 여러 가지 선 중 길이가 가장 짧은 선분 AB의 길이

(4) 각

① 각 AOB : 한 점 O에서 시작하는 두 반직선 OA, OB로 이루어지는 도형

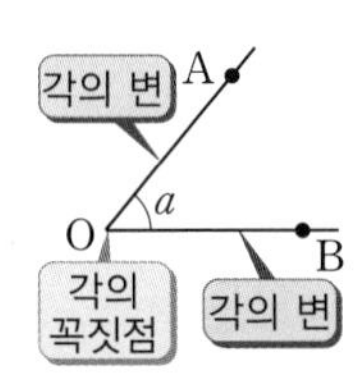

참고 $\angle AOB$, $\angle BOA$, $\angle O$, $\angle a$로 나타낼 수도 있다.

② 맞꼭지각 : 두 직선이 한 점에서 만날 때, 서로 마주 보는 두 각

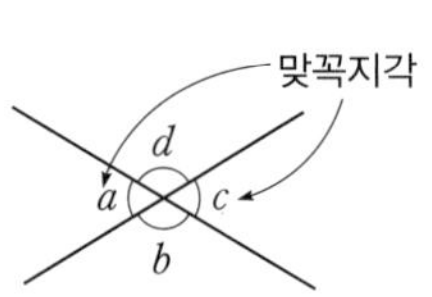

(5) 수직과 수선

① 직교 : 두 직선의 교각이 직각일 때, 이들 두 직선은 직교한다고 한다. ⇨ $\overline{PH}\perp l$

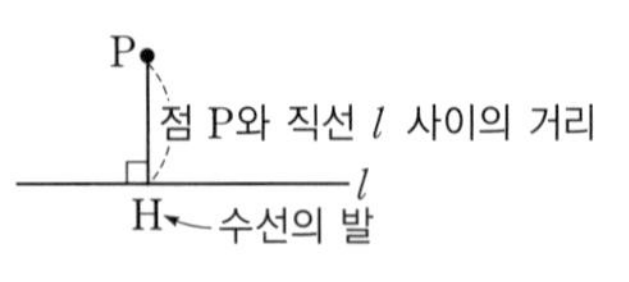

② 수선의 발 : 직선 l 위에 있지 않은 점 P에서 직선 l에 그은 수선과 직선 l이 만나서 생기는 교점 H

• 정답 및 풀이 12쪽

01 다음 도형을 기호로 나타내어라.

(1) A———B (2) A———B→ (3) ←A———B→ (4) ←A———B

풀이 (1) 두 점 A, B를 포함하여 점 A에서 점 B까지의 부분, 즉 선분이므로 ☐

(2) 시작점이 A이고 점 B를 지나 뻗어나가는 반직선이므로 ☐

(3) 점 A, B를 지나 양쪽으로 뻗어나가는 직선이므로 ☐

(4) 점 B에서 시작해 점 A를 지나 뻗어나가는 반직선이므로 ☐

> $\overleftrightarrow{AB}$와 $\overleftrightarrow{BA}$는 서로 같은 직선, $\overline{AB}$와 $\overline{BA}$는 서로 같은 선분이지만 $\overrightarrow{AB}$와 $\overrightarrow{BA}$는 시작하는 점이 다르고 뻗어 나가는 방향도 다른 반직선이다.

02 다음 그림에서 점 M, N은 각각 $\overline{AB}$, $\overline{AM}$의 중점일 때, $\overline{AM}$, $\overline{NM}$의 길이를 각각 구하여라.

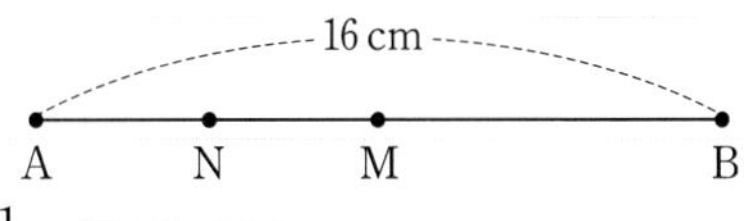

풀이 $\overline{AM}=\overline{BM}=\frac{1}{2}\overline{AB}=\frac{1}{2}\times☐=☐(\text{cm})$

$\overline{NM}=\frac{1}{2}☐=\frac{1}{2}\times☐=☐(\text{cm})$

> 선분의 중점은 선분의 양 끝점에서 같은 거리에 있는 점이다.

03 다음 그림을 보고 $\angle x$의 크기를 구하여라.

(1)

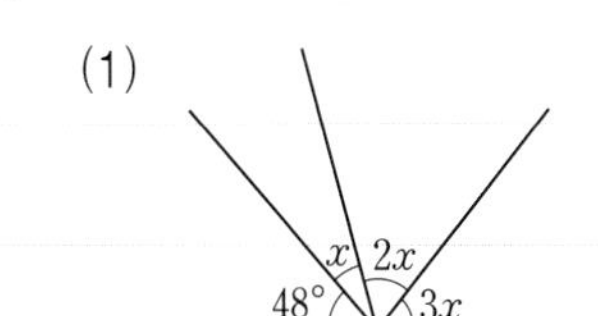

(2) $2x+15°$, $5x-45°$

풀이 (1) $48°+\angle x+2\angle x+3\angle x=☐$에서

$6\angle x=☐$ $\therefore \angle x=☐$

(2) 맞꼭지각의 크기는 같으므로

$2\angle x+15°=5\angle x-45°$

$3\angle x=☐$ $\therefore \angle x=☐$

> 평각의 크기는 180°이다.

> 두 직선이 한 점에서 만날 때, 맞꼭지각의 크기는 서로 같다.

04 다음 그림에서 점 P와 직선 l 사이의 거리를 구하여라.

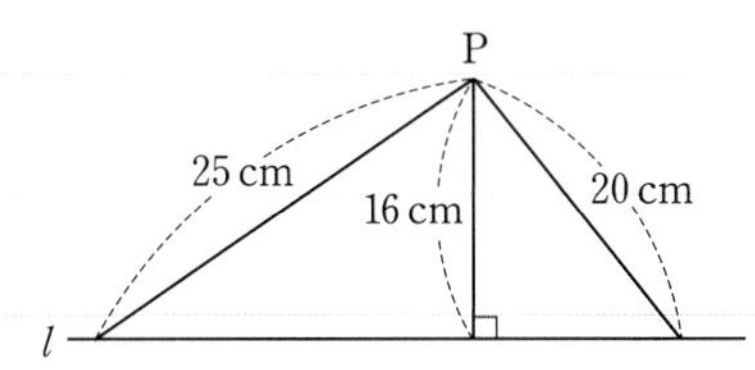

풀이 점 P와 직선 l 사이의 거리는

점 P에서 직선 l에 내린 ☐까지의 길이이므로 ☐cm이다.

> 점과 직선 사이의 거리는 수선의 발까지의 길이이다.

실생활에서의 직교의 이용

그래프를 그릴 때 사용하는 모눈종이의 모든 선분이 서로 수직이다. 또, 창문에 설치하는 방충망도 가로와 세로의 철사가 서로 수직이다.

01 점, 선, 면, 각

어떤 교과서에나 나오는 문제

중요도 ☐ 손도 못댐 ☐ 과정 실수 ☐ 틀린 이유:

01 오른쪽 그림과 같은 입체도형에서 교점의 개수를 a개, 교선의 개수를 b개라고 할 때, $b-a$의 값은?

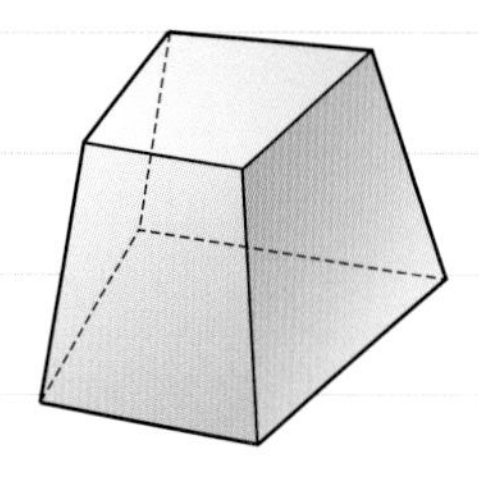

① 2 ② 4
③ 6 ④ 8
⑤ 10

중요도 ☐ 손도 못댐 ☐ 과정 실수 ☐ 틀린 이유:

02 오른쪽 그림과 같이 한 직선 위에 네 점 A, B, C, D가 있다. 다음 중 옳지 않은 것은?

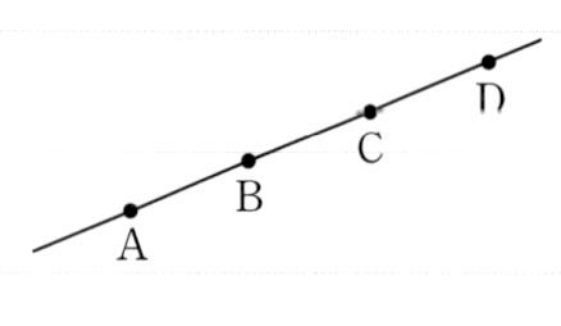

① $\overleftrightarrow{AB}=\overleftrightarrow{CD}$ ② $\overrightarrow{AB}=\overrightarrow{AC}$ ③ $\overrightarrow{BA}\neq\overrightarrow{BC}$
④ $\overline{AC}=\overline{CA}$ ⑤ $\overleftrightarrow{BC}=\overrightarrow{BC}$

중요도 ☐ 손도 못댐 ☐ 과정 실수 ☐ 틀린 이유:

03 다음 그림에서 선분 AC, BC의 중점을 각각 M, N이라 하고 $\overline{AB}=12$ cm일 때, $\overline{MN}$의 길이를 구하여라.

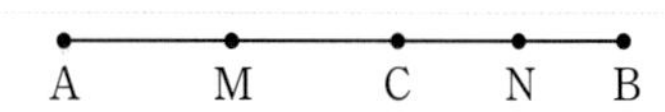

중요도 ☐ 손도 못댐 ☐ 과정 실수 ☐ 틀린 이유:

04 다음 그림에서 $\angle a$의 크기를 구하여라.

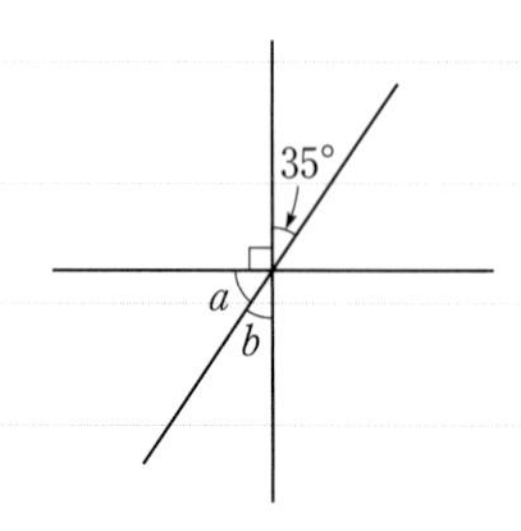

중요도 ☐ 손도 못댐 ☐ 과정 실수 ☐ 틀린 이유:

05 다음 그림에서 $\angle x$, $\angle y$의 크기를 각각 구하여라.

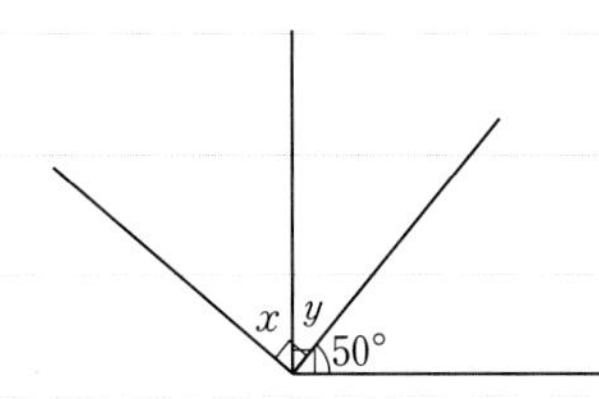

중요도 ☐ 손도 못댐 ☐ 과정 실수 ☐ 틀린 이유:

06 다음 그림에서 $\angle x$의 크기는?

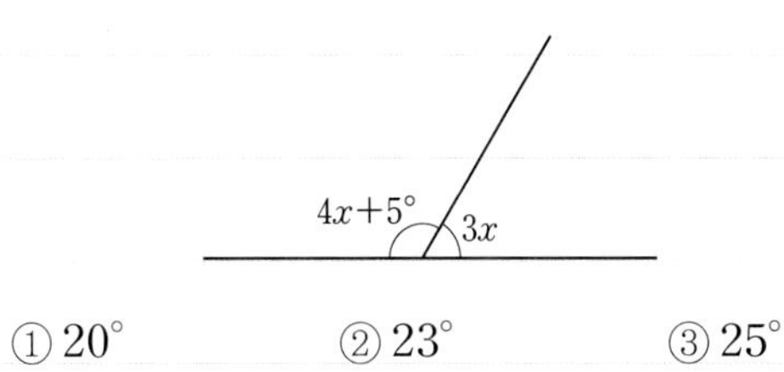

① $20°$ ② $23°$ ③ $25°$
④ $27°$ ⑤ $30°$

중요도 ☐ 손도 못댐 ☐ 과정 실수 ☐ 틀린 이유:

07 오른쪽 그림과 같은 사다리꼴 ABCD에 대하여 다음을 구하여라.

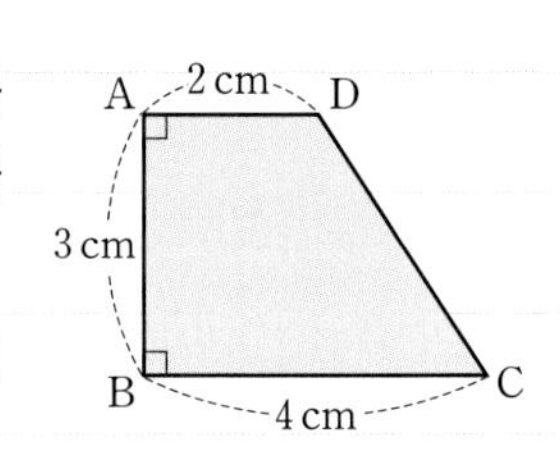

(1) 점 C에서 $\overline{AB}$에 내린 수선의 발
(2) 점 D와 $\overline{BC}$ 사이의 거리
(3) $\overline{BC}$의 수선
(4) 서로 수직으로 만나는 두 선분을 모두 찾아 기호로 나타내어라.

01 점, 선, 면, 각

시험에 꼭 나오는 문제

중요도 ☐ 손도 못댐 ☐ 과정 실수 ☐ 틀린 이유:

01 다음 그림에서 교점의 개수를 a개, 교선의 개수를 b개라고 할 때, $a+b$의 값은?

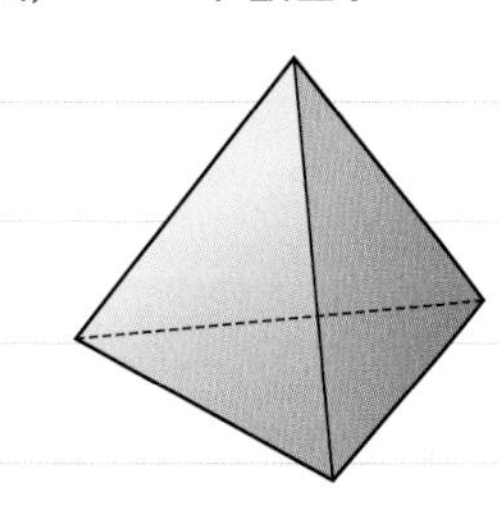

① 4 ② 6 ③ 8
④ 10 ⑤ 12

중요도 ☐ 손도 못댐 ☐ 과정 실수 ☐ 틀린 이유:

02 그림과 같이 다섯 개의 점 A, B, C, D, E가 한 직선 위에 있을 때, 다음 중 $\overrightarrow{BD}$와 같은 것은?

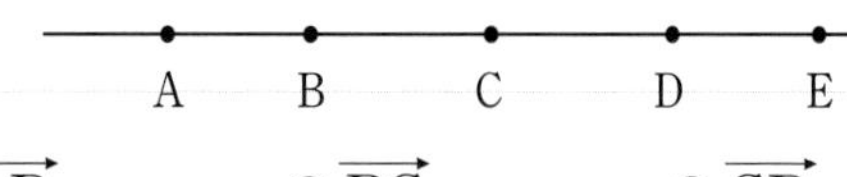

① $\overrightarrow{AD}$ ② $\overrightarrow{BC}$ ③ $\overrightarrow{CD}$
④ $\overrightarrow{CE}$ ⑤ $\overrightarrow{DE}$

중요도 ☐ 손도 못댐 ☐ 과정 실수 ☐ 틀린 이유:

03 다음 그림과 같이 직선 l 위에 세 점 A, B, C가 있고 직선 l 밖에 한 점 P가 있다. 이 네 점 중 2점을 골라 만들 수 있는 직선, 반직선, 선분의 개수를 각각 a, b, c라고 할 때, $a+b-c$의 값은?

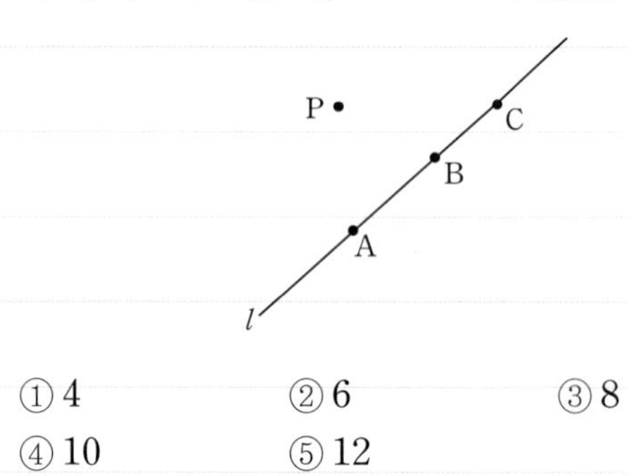

① 4 ② 6 ③ 8
④ 10 ⑤ 12

• 정답 및 풀이 2쪽

중요도 ☐ 손도 못댐 ☐ 과정 실수 ☐ 틀린 이유:

04 다음 그림에서 점 M이 선분 BC의 중점일 때, ☐ 안에 알맞은 것을 써넣어라.

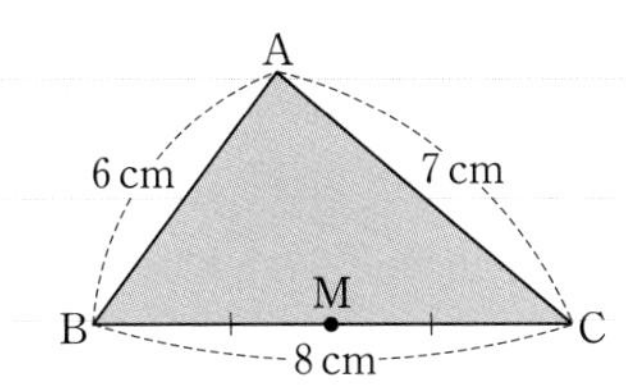

(1) 두 점 A와 B 사이의 거리는 $\overline{\mathrm{AB}}=$ ☐ cm

(2) 두 점 B와 C 사이의 거리는 ☐ $=8$ cm

(3) 두 점 A와 C 사이의 거리는 ☐ $=$ ☐ cm

(4) $\overline{\mathrm{BM}}=$ ☐ $=\frac{1}{2}$ ☐ $=$ ☐ cm

중요도 ☐ 손도 못댐 ☐ 과정 실수 ☐ 틀린 이유:

05 그림에서 점 M은 선분 AB의 중점이고 $\overline{\mathrm{AM}}=3$ cm일 때, 다음을 구하여라.

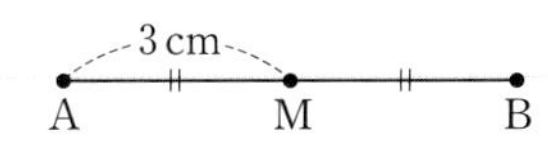

(1) $\overline{\mathrm{BM}}$

(2) $\overline{\mathrm{AB}}$

중요도 ☐ 손도 못댐 ☐ 과정 실수 ☐ 틀린 이유:

06 아래 그림에서 두 점 M, N은 선분 AB의 삼등분점이다. 점 O가 선분 AB의 중점일 때, 다음 중 옳지 않은 것은?

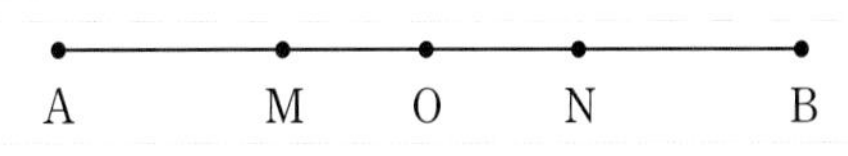

① $\overline{\mathrm{AO}}=2\overline{\mathrm{BN}}$ ② $\overline{\mathrm{MO}}=\frac{1}{2}\overline{\mathrm{MN}}$

③ $\overline{\mathrm{AN}}=\overline{\mathrm{BM}}$ ④ $\overline{\mathrm{MN}}=\frac{1}{2}\overline{\mathrm{AN}}$

⑤ $\overline{\mathrm{AB}}=3\overline{\mathrm{AM}}$

시험에 꼭 나오는 문제

[07~08] 다음 그림에서 $\angle x$, $\angle y$의 크기를 각각 구하여라.

07

중요도 ☐ 손도 못댐 ☐ 과정 실수 ☐ 틀린 이유:

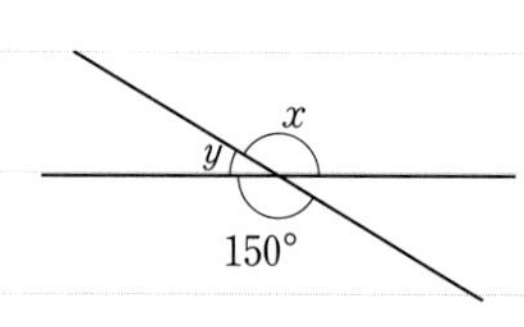

08

중요도 ☐ 손도 못댐 ☐ 과정 실수 ☐ 틀린 이유:

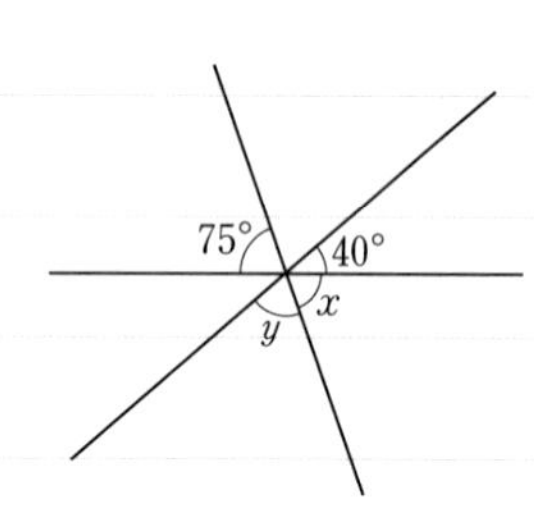

[09~10] 다음 그림에서 $\angle x$의 크기를 구하여라.

09

중요도 ☐ 손도 못댐 ☐ 과정 실수 ☐ 틀린 이유:

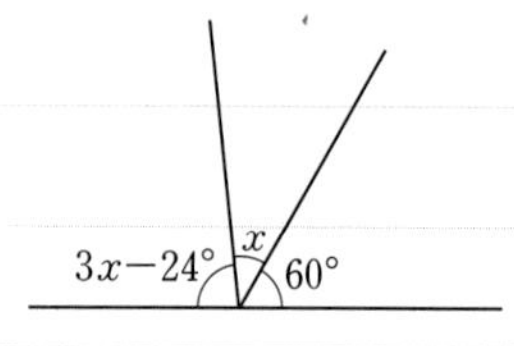

10

중요도 ☐ 손도 못댐 ☐ 과정 실수 ☐ 틀린 이유:

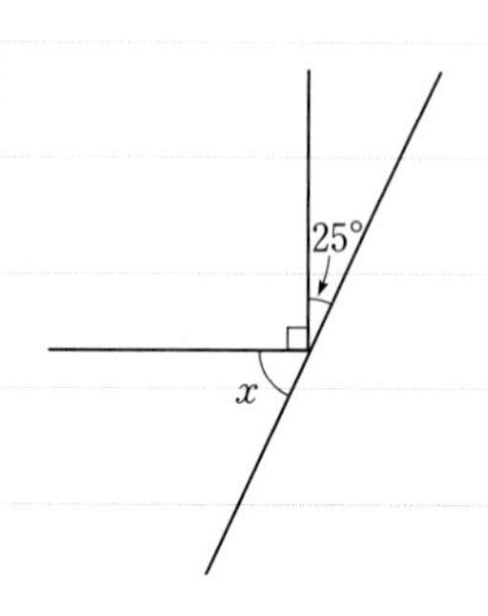

중요도 ☐ 손도 못댐 ☐ 과정 실수 ☐ 틀린 이유:

11 다음 그림에서 $\angle x$의 크기를 구하여라.

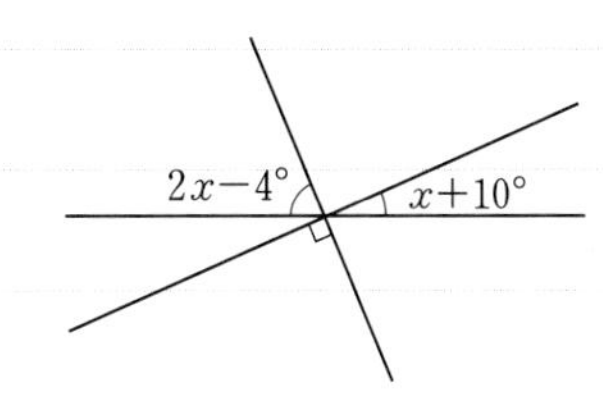

중요도 ☐ 손도 못댐 ☐ 과정 실수 ☐ 틀린 이유:

12 다음 그림에서 $\angle a$의 크기를 구하여라.

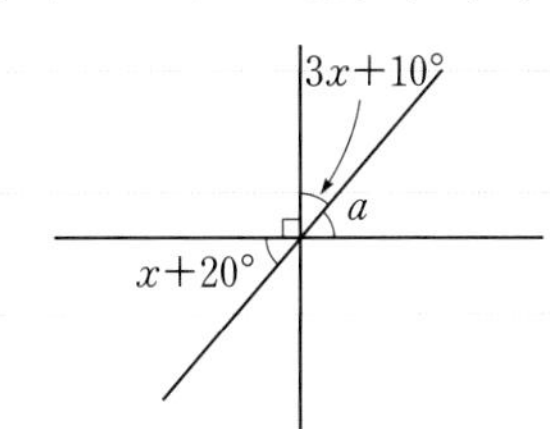

중요도 ☐ 손도 못댐 ☐ 과정 실수 ☐ 틀린 이유:

13 오른쪽 그림에 대한 다음 설명 중에 옳지 않은 것은?

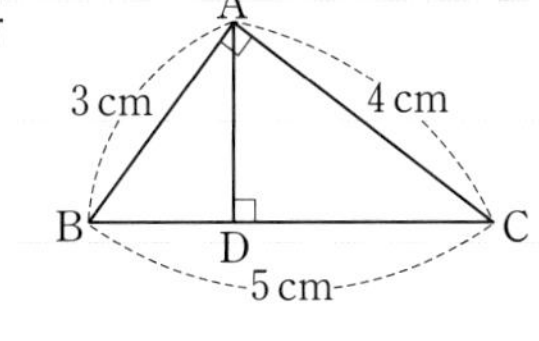

① $\angle ADC=\angle BAC=90°$이다.
② $\overline{AB}\perp\overline{AC}$
③ $\overline{AD}$의 수선은 $\overline{BC}$이다
④ 점 A에서 $\overline{BC}$에 내린 수선의 발은 점 D이다.
⑤ 점 C와 $\overline{AB}$와의 거리는 5 cm이다.

중요도 ☐ 손도 못댐 ☐ 과정 실수 ☐ 틀린 이유:

14 오른쪽 그림과 같은 직육면체에 대한 설명으로 옳지 않은 것은?

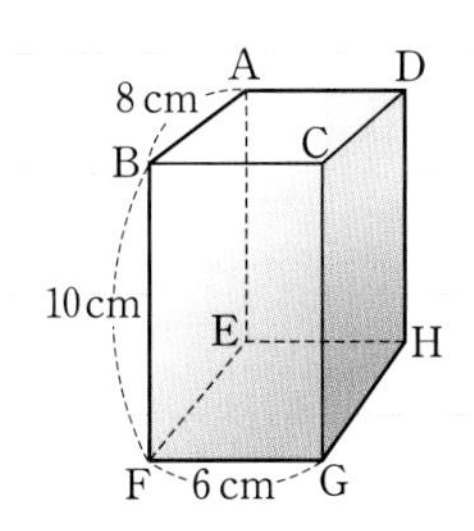

① 점 A와 모서리 CD와의 거리는 6 cm이다.
② 점 C에서 면 EFGH에 내린 수선의 발은 점 G이다.
③ 모서리 CG는 모서리 AB의 수선이다.
④ 모서리 BC 위의 한 점에서 모서리 FG까지의 거리는 10 cm이다.
⑤ 모서리 EH의 수선은 모두 4개이다.

02 위치 관계

학습목표
- 점, 직선, 평면의 위치 관계를 설명할 수 있다.
- 평행선에서 동위각과 엇각의 성질을 이해한다.

기본 체크

01

$l \mathbin{/\!/} m$일 때, $\angle x$, $\angle y$의 크기를 구하여라.

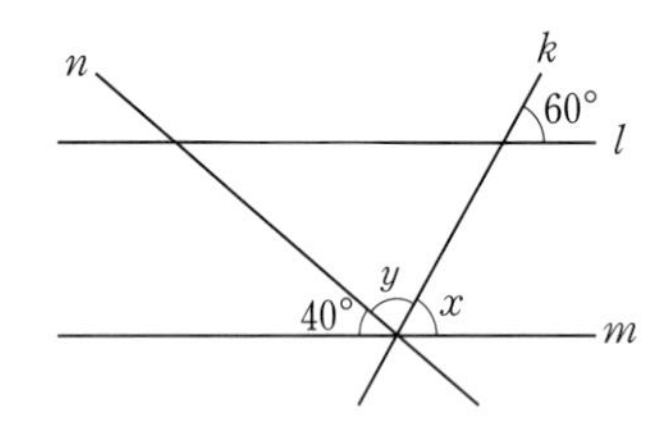

02

오른쪽 그림과 같은 직육면체에 대하여 다음을 구하여라.

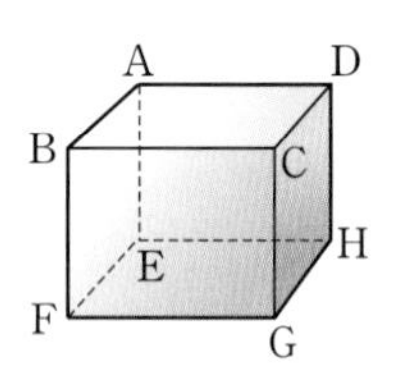

(1) 모서리 AB와 평행한 모서리

(2) 모서리 AB와 만나는 모서리

(3) 모서리 AB와 꼬인 위치에 있는 모서리

핵심 정리

동위각과 엇각

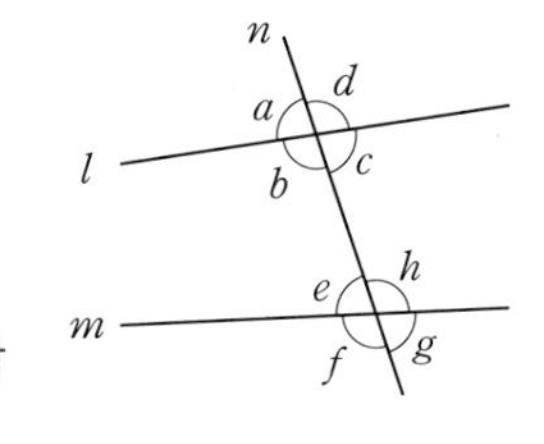

(1) 동위각 : 같은 위치에 있는 각
$\angle a$와 $\angle e$, $\angle b$와 $\angle f$, $\angle c$와 $\angle g$, $\angle d$와 $\angle h$

(2) 엇각 : 서로 엇갈린 위치에 있는 각
$\angle b$와 $\angle h$, $\angle c$와 $\angle e$

(3) 평행선의 성질 : 두 직선이 평행하면 동위각과 엇각의 크기가 서로 같다.

위치 관계

(1) 평면에서 점과 직선의 위치 관계
① 점 A가 직선 l 위에 있다.
② 점 B가 직선 l 위에 있지 않다.

(2) 평면에서 두 직선의 위치 관계
① 한 점에서 만난다. ② 평행하다. ③ 일치한다.

(3) 공간에서 두 직선의 위치 관계
① 한 점에서 만난다. ② 평행하다. ③ 꼬인 위치에 있다.
(꼬인 위치: 공간에서 두 직선이 만나지도 않고 평행하지도 않은 상태)

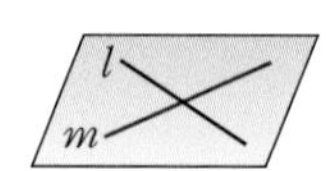

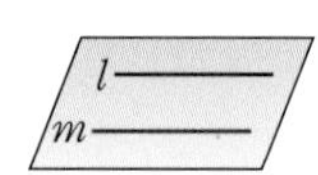

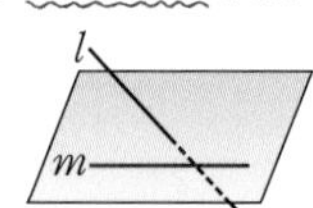

(4) 공간에서 직선과 평면의 위치 관계
① 직선이 평면에 포함된다. ② 한 점에서 만난다. ③ 만나지 않는다.

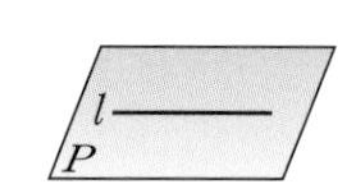

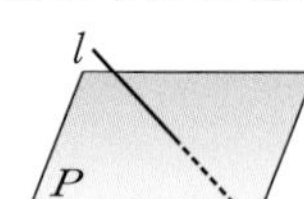

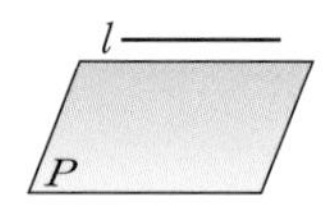

대표예제

• 정답 및 풀이 3쪽

01 오른쪽 그림에서 다음을 구하여라.

(1) $\angle$PQC의 동위각의 크기
(2) $\angle$APQ의 엇각의 크기

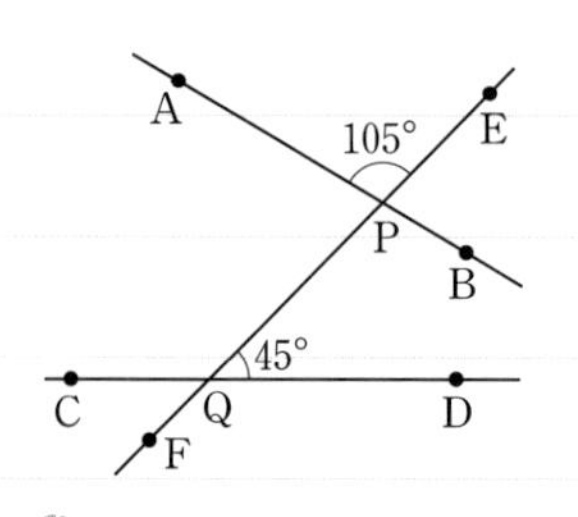

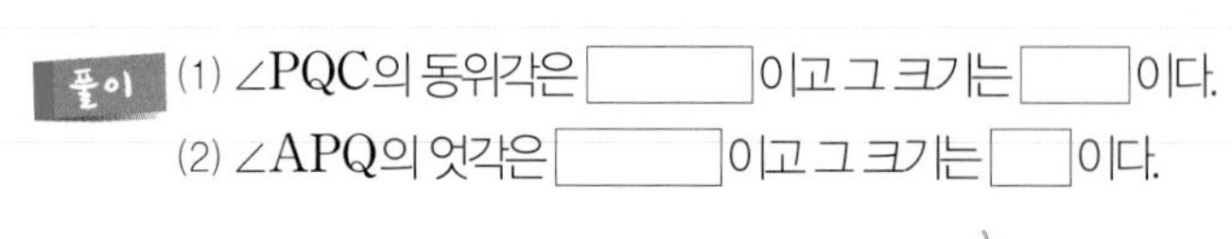

풀이 (1) $\angle$PQC의 동위각은 ☐이고 그 크기는 ☐이다.
(2) $\angle$APQ의 엇각은 ☐이고 그 크기는 ☐이다.

두 직선이 다른 한 직선과 만날 때, 같은 쪽에 위치한 각이 동위각이고 엇갈린 쪽에 위치한 각이 엇각이다.

02 다음 그림에서 $l /\!/ m$일 때, $\angle x$의 크기를 구하여라.

(1)

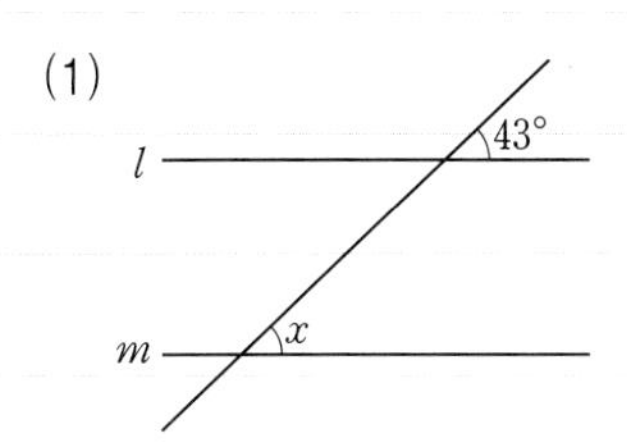

(2)

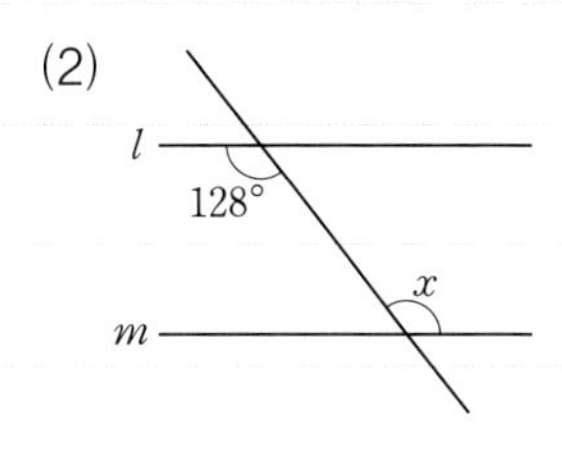

풀이 (1) 두 직선이 평행하면 □의 크기가 같으므로 $\angle x =$ □

(2) 두 직선이 평행하면 □의 크기가 같으므로 $\angle x =$ □

두 직선이 평행하면 동위각과 엇각의 크기가 서로 같다.

03 오른쪽 그림에서 $l /\!/ m$일 때, $\angle x$의 크기를 구하여라.

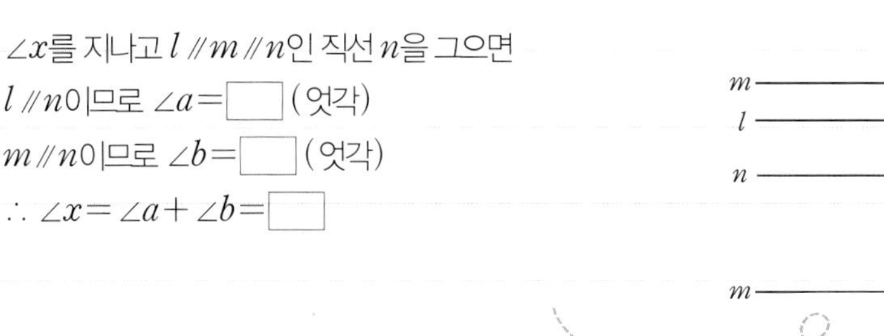

풀이 $\angle x$를 지나고 $l /\!/ m /\!/ n$인 직선 n을 그으면

$l /\!/ n$이므로 $\angle a =$ □ (엇각)

$m /\!/ n$이므로 $\angle b =$ □ (엇각)

$\therefore \angle x = \angle a + \angle b =$ □

평행한 두 직선이 다른 한 직선과 만날 때, 동위각과 엇각의 크기는 서로 같다.

04 오른쪽 그림과 같은 직육면체에서 모서리 AB와 평행한 면의 개수를 a개, 수직인 면의 개수를 b개라고 할 때, $a+b$의 값을 구하여라.

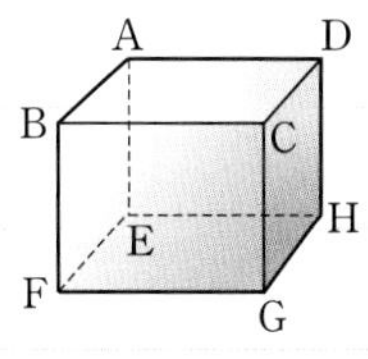

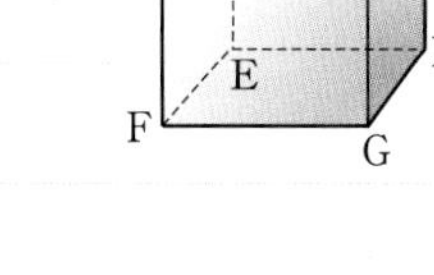

풀이 모서리 AB와 평행한 면은 □ 이므로 $a =$ □

수직인 면은 □ 이므로 $b =$ □

$\therefore a+b =$ □

※ 직선과 평면의 수직
직선 l이 평면 P와 한 점 H에서 만나고 점 H를 지나는 평면 P 위의 모든 직선과 수직일 때, 직선 l과 평면 P는 수직이라고 한다.
⇨ $l \perp P$

동측내각

서로 다른 두 직선이 다른 한 직선과 만나서 생기는 각 중에서 같은 쪽에 있는 안쪽 각을 동측내각이라고 한다.
즉, 오른쪽 그림에서 $\angle b$와 $\angle e$, $\angle c$와 $\angle h$가 동측내각이다. 또, 평행선에서는 동측내각의 합이 180°이다.

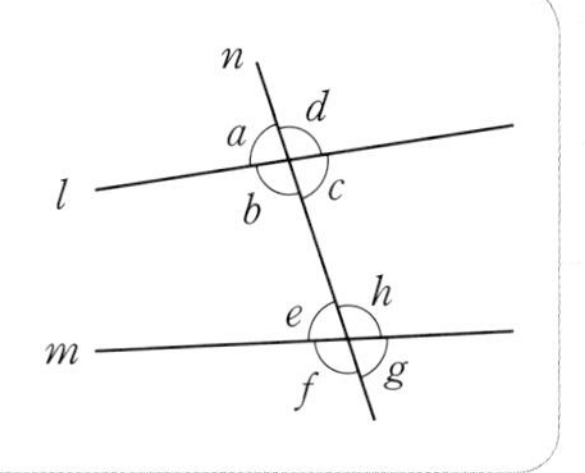

어떤 교과서에나 나오는 문제

중요도 ☐ 손도 못댐 ☐ 과정 실수 ☐ 틀린 이유:

01 오른쪽 그림에서 $\angle b$와 동위각인 것을 모두 고른 것은?

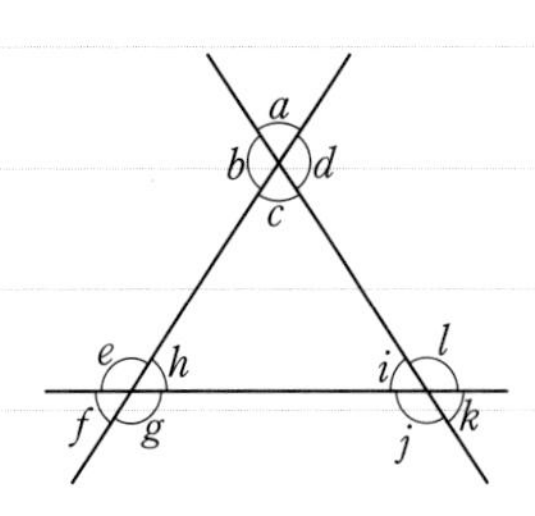

① $\angle e$, $\angle i$
② $\angle e$, $\angle l$
③ $\angle f$, $\angle i$
④ $\angle f$, $\angle k$
⑤ $\angle h$, $\angle k$

중요도 ☐ 손도 못댐 ☐ 과정 실수 ☐ 틀린 이유:

02 오른쪽 그림에서 $l /\!/ m$일 때, $\angle x$의 크기는?

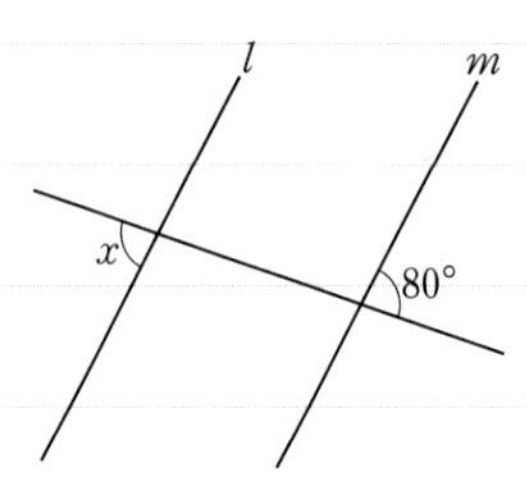

① 70° ② 80°
③ 90° ④ 100°
⑤ 110°

중요도 ☐ 손도 못댐 ☐ 과정 실수 ☐ 틀린 이유:

03 오른쪽 그림에서 $l /\!/ m$일 때, $\angle a$의 크기는?

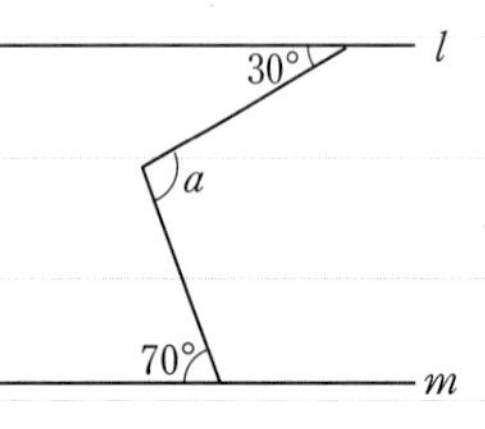

① 40°
② 70°
③ 90°
④ 100°
⑤ 110°

중요도 ☐ 손도 못댐 ☐ 과정 실수 ☐ 틀린 이유:

04 오른쪽 그림과 같이 폭이 일정한 종이를 선분 AB를 따라 접었을 때, $\angle x$의 크기는?

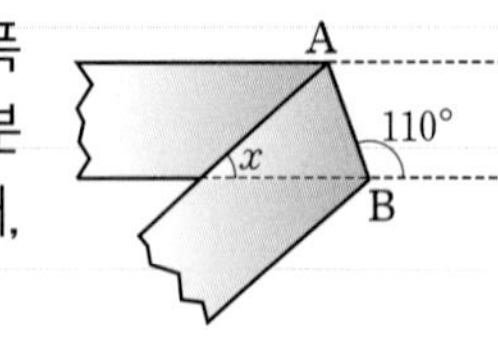

① 35° ② 40° ③ 45°
④ 50° ⑤ 55°

• 정답 및 풀이 3쪽

중요도 ☐ 손도 못댐 ☐ 과정 실수 ☐ 틀린 이유:

05 한 평면 위에 있는 서로 다른 세 직선 l, m, n에 대하여 $l \perp m$, $m /\!/ n$일 때, 두 직선 l과 n의 위치 관계는?

① l과 n은 일치한다.
② $l \perp n$
③ $l /\!/ n$
④ 한 점에서 만난다.
⑤ 꼬인 위치에 있다.

중요도 ☐ 손도 못댐 ☐ 과정 실수 ☐ 틀린 이유:

06 오른쪽 그림의 정육각기둥에 대하여 다음을 구하여라.

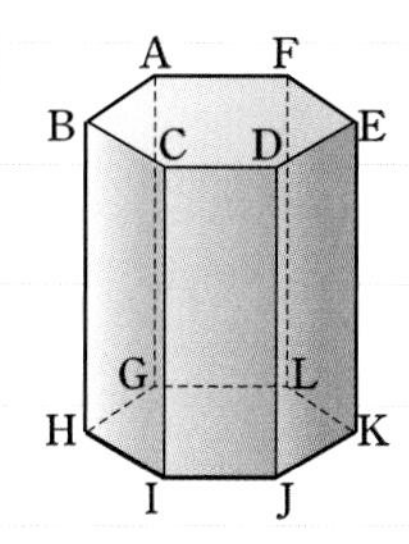

(1) 면 ABCDF와 수직인 모서리
(2) 면 CIJD와 평행한 모서리
(3) 모서리 BH와 평행한 면
(4) 모서리 DJ와 수직인 면

중요도 ☐ 손도 못댐 ☐ 과정 실수 ☐ 틀린 이유:

07 오른쪽 그림의 삼각기둥에 대한 설명으로 옳지 <u>않은</u> 것은?

① $\overline{BC} \perp \overline{CF}$
② 모서리 AC와 꼬인 위치에 있는 모서리는 모두 2개이다.
③ 모서리 AB와 수직으로 만나는 모서리는 모두 2개이다.
④ 면 ABC와 평행한 면은 1개이다.
⑤ 모서리 BE와 수직인 면은 모두 2개이다.

02 시험에 꼭 나오는 문제

위치 관계

중요도 ☐ 손도 못댐 ☐ 과정 실수 ☐ 틀린 이유:

01 오른쪽 그림에서 다음 각의 크기를 구하여라.

(1) $\angle a$의 동위각

(2) $\angle b$의 엇각

(3) $\angle c$의 엇각

(4) $\angle f$의 동위각

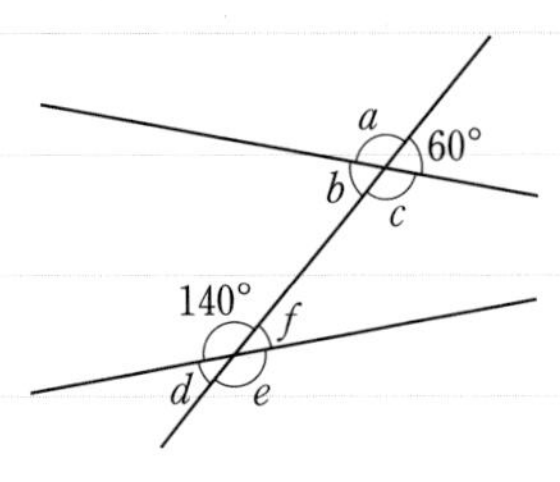

중요도 ☐ 손도 못댐 ☐ 과정 실수 ☐ 틀린 이유:

02 오른쪽 그림에서 $\angle x$의 모든 엇각의 크기의 합은?

① $125°$

② $165°$

③ $180°$

④ $195°$

⑤ $235°$

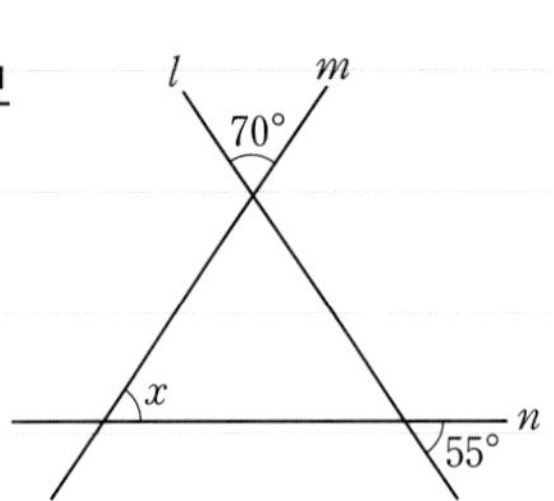

중요도 ☐ 손도 못댐 ☐ 과정 실수 ☐ 틀린 이유:

03 다음 그림에서 $l /\!/ m$일 때, $\angle x$의 크기는?

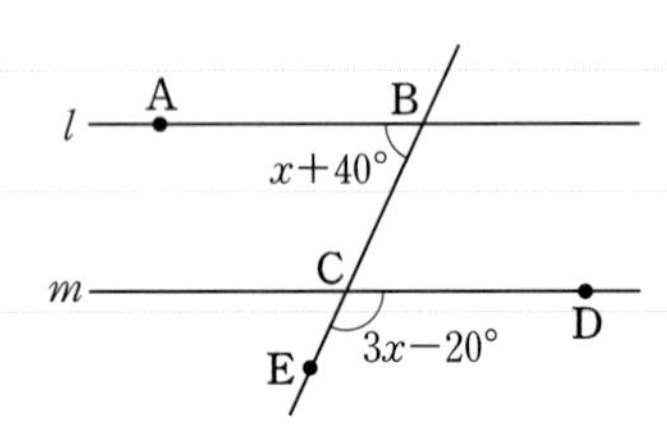

① $10°$ ② $20°$ ③ $30°$

④ $40°$ ⑤ $50°$

중요도 ☐ 손도 못댐 ☐ 과정 실수 ☐ 틀린 이유:

04 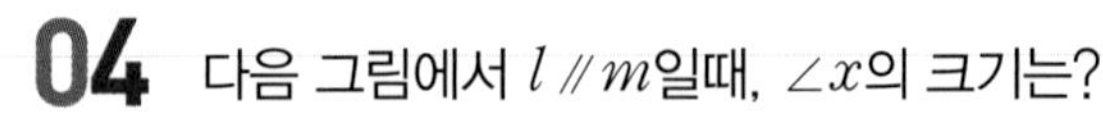
다음 그림에서 $l /\!/ m$일때, $\angle x$의 크기는?

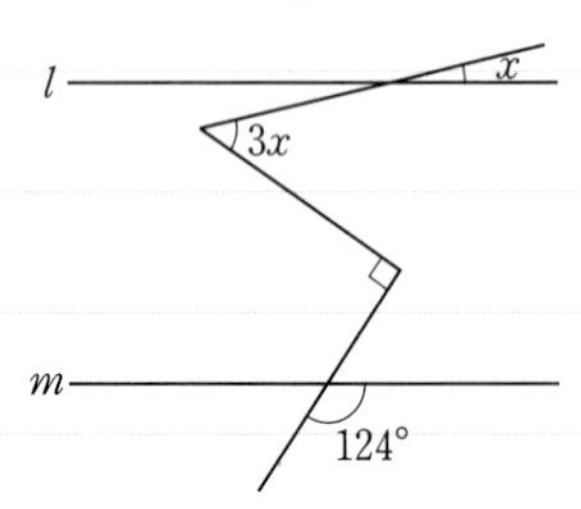

① $17°$ ② $21°$ ③ $24°$

④ $29°$ ⑤ $34°$

• 정답 및 풀이 4쪽

중요도 ☐ 손도 못댐 ☐ 과정 실수 ☐ 틀린 이유:

05 다음 그림에서 $m /\!/ n$일 때, $\angle a$의 크기는?

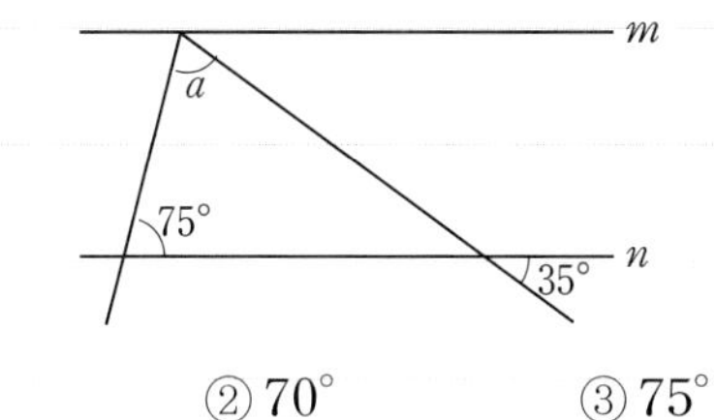

① 65° ② 70° ③ 75°
④ 80° ⑤ 85°

중요도 ☐ 손도 못댐 ☐ 과정 실수 ☐ 틀린 이유:

06 다음 그림과 같은 직사각형 모양의 종이를 접었을 때, $\angle x$의 크기를 구하여라.

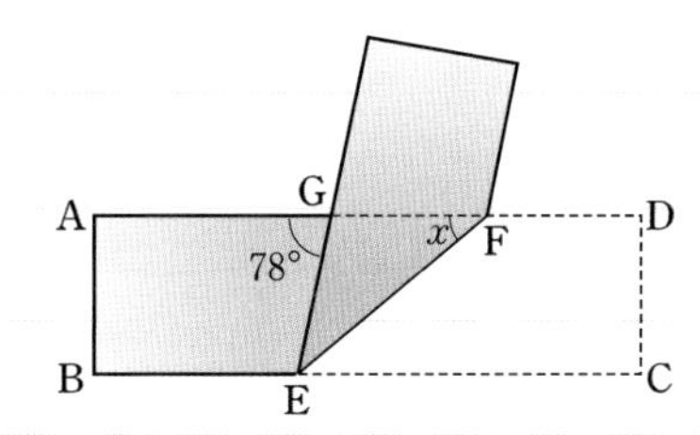

중요도 ☐ 손도 못댐 ☐ 과정 실수 ☐ 틀린 이유:

07 오른쪽 그림과 같은 정육각형에서 각 변을 포함하는 직선을 그을 때, $\overleftrightarrow{AB}$와 한 점에서 만나는 직선의 개수는?

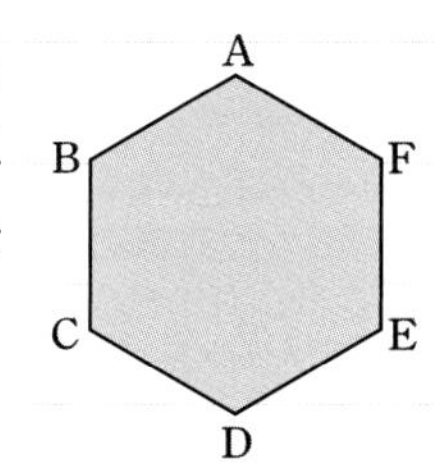

① 1개 ② 2개
③ 3개 ④ 4개
⑤ 5개

시험에 꼭 나오는 문제

중요도 ☐ 손도 못댐 ☐ 과정 실수 ☐ 틀린 이유:

08 다음 중 한 평면 위에 있지 <u>않은</u> 것은?

① 한 직선 위에 있지 않은 서로 다른 세 점
② 한 점에서 만나는 두 직선
③ 서로 평행한 두 직선
④ 한 직선과 그 직선 밖에 있는 한 점
⑤ 꼬인 위치에 있는 두 직선

중요도 ☐ 손도 못댐 ☐ 과정 실수 ☐ 틀린 이유:

09 공간에서 서로 다른 세 직선 l, n, m과 서로 다른 두 평면 P, Q에 대하여 다음 중 옳은 것은?

① $l /\!/ m$, $l \perp n$이면 $m \perp n$이다.
② $P \perp l$, $P /\!/ m$이면 $l /\!/ m$이다.
③ $P \perp l$, $P \perp m$이면 $l /\!/ m$이다.
④ $P /\!/ l$, $P /\!/ m$이면 $l /\!/ m$이다.
⑤ $P \perp l$, $P \perp Q$이면 $Q \perp l$이다.

중요도 ☐ 손도 못댐 ☐ 과정 실수 ☐ 틀린 이유:

10 오른쪽 그림의 직육면체에 대한 설명으로 옳은 것을 모두 고르면? (정답 2개)

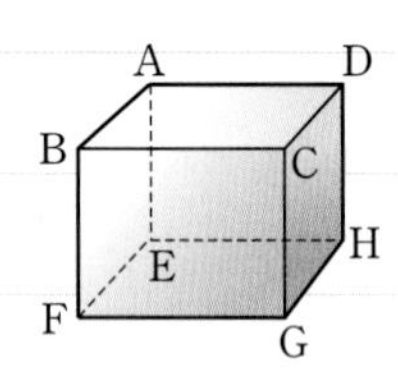

① 모서리 AB와 모서리 CD는 한 점에서 만난다.
② 모서리 BC와 모서리 FG는 평행하다.
③ 모서리 BF와 모서리 EH는 꼬인 위치에 있다.
④ 모서리 CD와 모서리 DH는 꼬인 위치에 있다.
⑤ 모서리 AB와 모서리 GH는 한 점에서 만난다.

• 정답 및 풀이 4쪽

중요도 ☐ 손도 못댐 ☐ 과정 실수 ☐ 틀린 이유:

11 오른쪽 그림과 같은 직육면체에서 $\overline{AC}$와 꼬인 위치에 있는 모서리의 개수는?

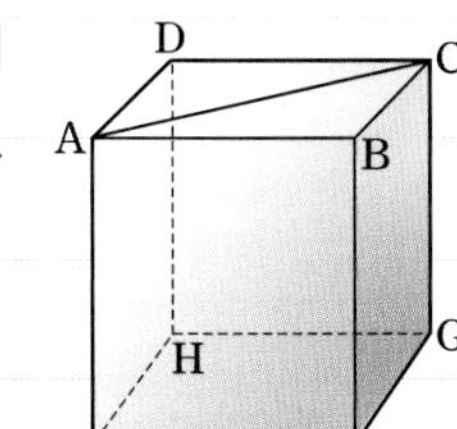

① 3개 ② 4개
③ 5개 ④ 6개
⑤ 7개

중요도 ☐ 손도 못댐 ☐ 과정 실수 ☐ 틀린 이유:

12 오른쪽 그림의 정오각기둥에 대한 설명으로 옳은 것은?

① $\overleftrightarrow{AB} /\!/ \overleftrightarrow{FJ}$
② 직선 AB와 직선 CD는 꼬인 위치에 있다.
③ 직선 GH는 면 BCHG에 포함된다.
④ 면 CDIH와 직선 AB는 꼬인 위치에 있다.
⑤ 면 ABCDE와 면 ABGF는 한 점에서 만난다.

중요도 ☐ 손도 못댐 ☐ 과정 실수 ☐ 틀린 이유:

13 오른쪽 그림과 같이 정육면체의 일부분을 잘라낸 입체도형에서 $\overline{AB}$에 대하여 평행한 모서리의 개수를 a개, 만나는 모서리의 개수를 b개, 꼬인 위치에 있는 모서리의 개수를 c개라고 할 때, $a+b-c$의 값을 구하여라.

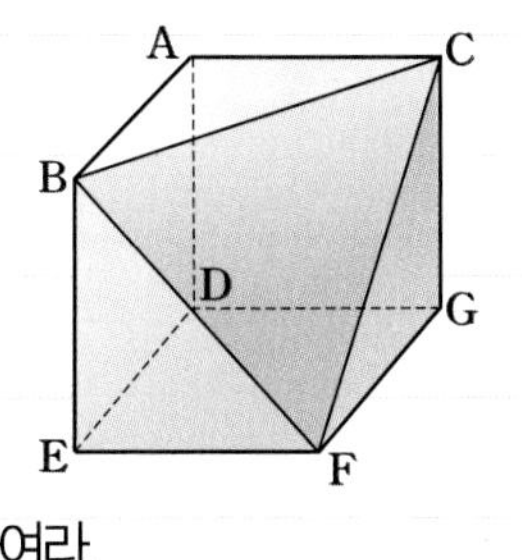

03 기본도형의 작도

학습목표 • 기본도형을 작도할 수 있다.

기본 체크

핵심 정리

01

다음을 작도할 때 사용되는 도구를 골라라.

㉠ 자	㉡ 모양자
㉢ 컴퍼스	㉣ 각도기
㉤ 삼각자	㉥ 눈금없는 자

(1) 원을 그릴 때
(2) 선분을 그릴 때
(3) 선분을 연장할 때
(4) 같은 길이의 선분을 옮길 때
(5) 두 점을 지나는 직선을 그릴 때

작도

(1) 길이가 같은 선분의 작도

눈금 없는 자와 컴퍼스만을 사용하여 도형을 그리는 것

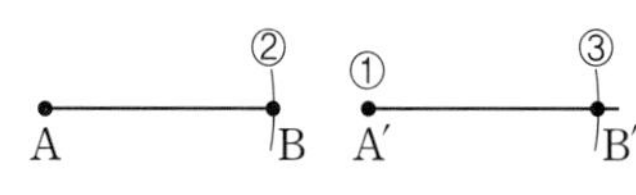

(2) 크기가 같은 각의 작도

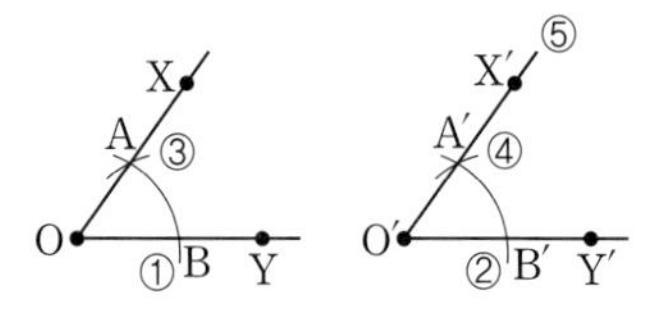

(3) 선분의 수직이등분선의 작도

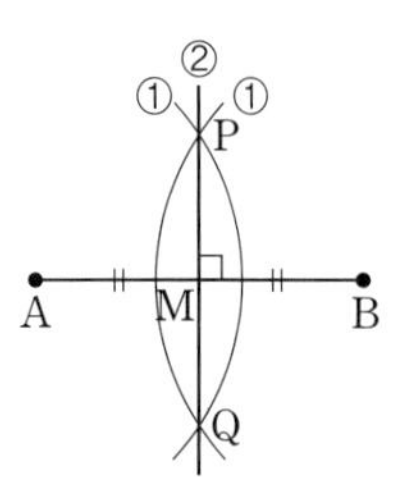

(4) 각의 이등분선의 작도

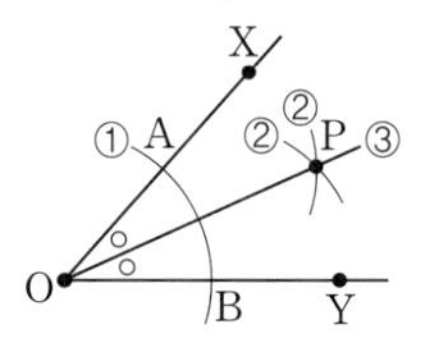

(5) 평행선의 작도

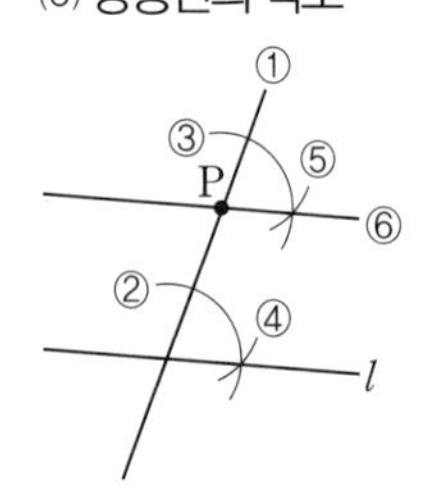

대표예제

• 정답 및 풀이 5쪽

01

다음 왼쪽의 각 $\angle XOY$와 크기가 같은 각 $\angle QO'P$를 오른쪽에 작도하고 그 과정을 설명하여라.

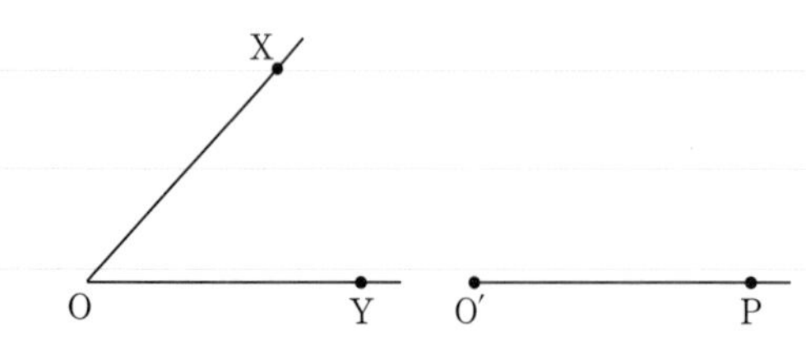

풀이

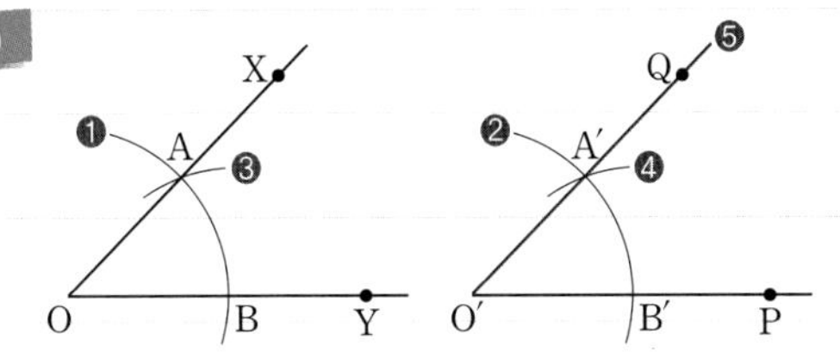

❶ 점 O를 중심으로 원을 그려 $\overrightarrow{OX}$, $\overrightarrow{OY}$와의 교점을 각각 A, B라고 한다.

❷ 점 O′을 중심으로 하고 ❶과 반지름의 길이가 같은 원을 그려 ☐와의 교점을 ☐이라고 한다.

❸ 점 B를 중심으로 하여 점 A를 지나는 원을 그린다.

❹ 점 ☐을 중심으로 하고 ❸과 반지름의 길이가 같은 원을 그려 ❷의 원과의 교점을 ☐이라고 한다.

❺ 점 O′과 ☐을 잇는다.

작도는 눈금이 없는 자와 컴퍼스만을 사용하여 도형을 그리는 것이다.

02 오른쪽 그림은 ∠XOY의 이등분선을 작도하는 과정이다. 작도 순서를 나열하고 그 과정을 설명하여라.

풀이 ㉢ → ☐ → ☐ 순으로 작도를 한다.

㉢ 점 O를 중심으로 원을 그려 $\overrightarrow{OX}$와 $\overrightarrow{OY}$와의 교점을 각각 ☐라고 한다.

☐ 점 A, B를 중심으로 반지름의 길이가 같은 두 원을 그려 그 교점을 P라고 한다.

☐ 점 O와 P를 이은 ☐를 긋는다.

각의 꼭짓점 O와 두 점 A, B에서 같은 거리에 있는 점 P를 이은 $\overrightarrow{OP}$가 각의 이등분선이다.

03 그림은 점 P를 지나고 직선 XY에 평행한 직선을 작도하는 과정이다. 빈칸에 알맞은 것을 써넣어라.

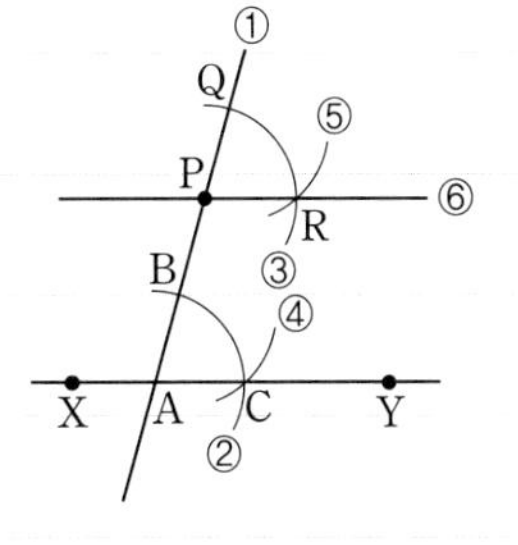

풀이 (1) $\overline{AB}=\overline{AC}=$ ☐ $=$ ☐

(2) $\overline{BC}=$ ☐

(3) ∠BAC= ☐

(4) 위의 작도는 평행선에서 ☐의 크기가 같다는 성질을 이용한 것이다.

서로 다른 두 직선이 한 직선과 만날 때 동위각 또는 엇각의 크기가 같으면 두 직선은 평행하다.

작도에 사용되는 도구

고대 그리스인들은 실용적인 부분보다는 논리적으로 정확해야 한다는 기본 정신을 바탕으로 도형을 가장 정확하게 표현하고, 그 성질을 연구하기 위해 작도를 활용하였다.

어떤 교과서에나 나오는 문제

중요도 ☐ 손도 못댐 ☐ 과정 실수 ☐ 틀린 이유:

01 아래 그림의 선분 AB를 점 B의 방향으로 연장하여 길이가 선분 AB의 2배가 되는 선분 AC를 작도할 때, 다음 중 옳지 않은 것은?

A　　　B

① 자로 $\overline{AB}$의 길이를 재어온다.
② 점 B를 중심으로 반지름의 길이가 $\overline{AB}$인 원을 그린다.
③ $\overrightarrow{AB}$와 ②에서 그린 원의 교점이 점 C이다.
④ $\overline{AB}=\overline{BC}$
⑤ $\overline{AC}=2\overline{AB}$

중요도 ☐ 손도 못댐 ☐ 과정 실수 ☐ 틀린 이유:

02 오른쪽 그림은 $\overline{AB}$의 수직이등분선을 작도한 것이다. 다음 빈칸에 알맞은 것을 써넣어라.

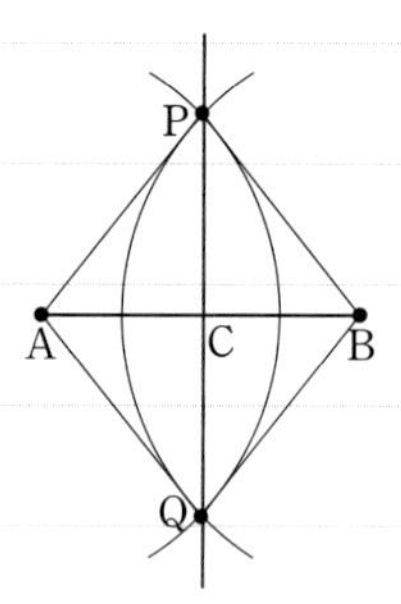

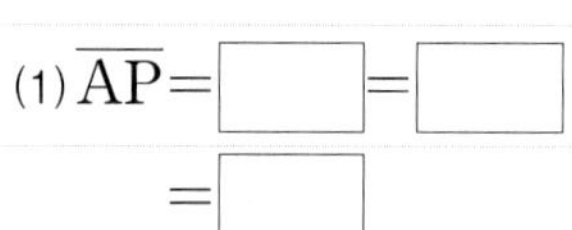

(1) $\overline{AP}=$ ☐ $=$ ☐ $=$ ☐

(2) $\overline{AC}=$ ☐

(3) $\overline{PC}=$ ☐

중요도 ☐ 손도 못댐 ☐ 과정 실수 ☐ 틀린 이유:

03 오른쪽 그림은 직선 l 위의 한 점 P에서 직선 l에 수직인 직선을 작도하는 과정을 나타낸 것이다. 작도 순서를 나열하여라.

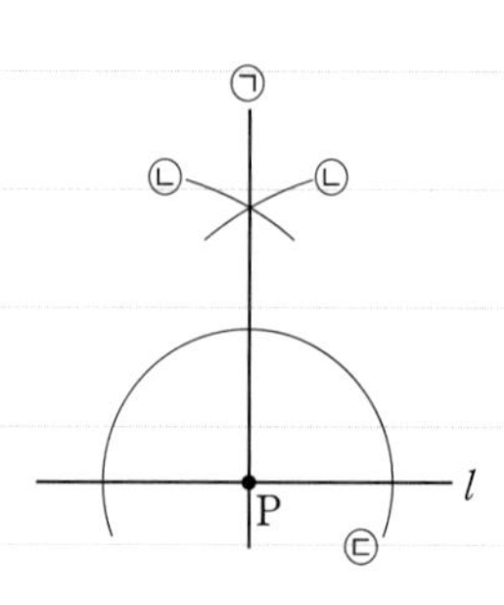

• 정답 및 풀이 5쪽

중요도 ☐ 손도 못댐 ☐ 과정 실수 ☐ 틀린 이유:

04 다음 그림은 $\angle XOY$의 이등분선을 작도한 것이다. 옳지 않은 것을 모두 고르면? (정답 2개)

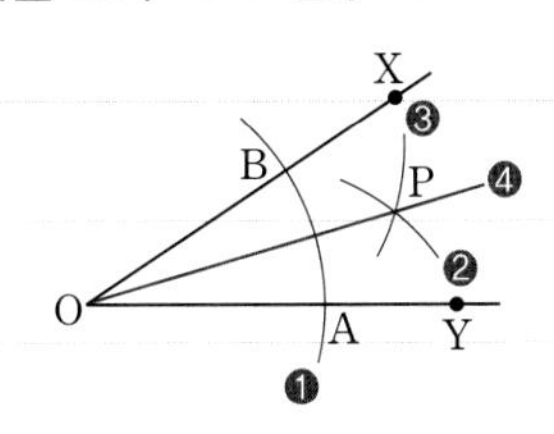

① $\overline{OA}=\overline{OB}$ ② $\overline{AP}=\overline{BP}$
③ $\overline{XP}=\overline{YP}$ ④ $\angle PXO=\angle PYO$
⑤ $\angle XOP=\angle YOP$

중요도 ☐ 손도 못댐 ☐ 과정 실수 ☐ 틀린 이유:

05 다음 중 작도할 수 있는 각은?

① 10° ② 22.5° ③ 35°
④ 40° ⑤ 80°

중요도 ☐ 손도 못댐 ☐ 과정 실수 ☐ 틀린 이유:

06 오른쪽 그림은 점 P를 지나면서 직선 l에 평행한 직선을 작도한 것이다. 작도 순서에 맞게 ㉠~㉥을 바르게 나열하고, 이때 이용된 평행선의 성질을 말하여라.

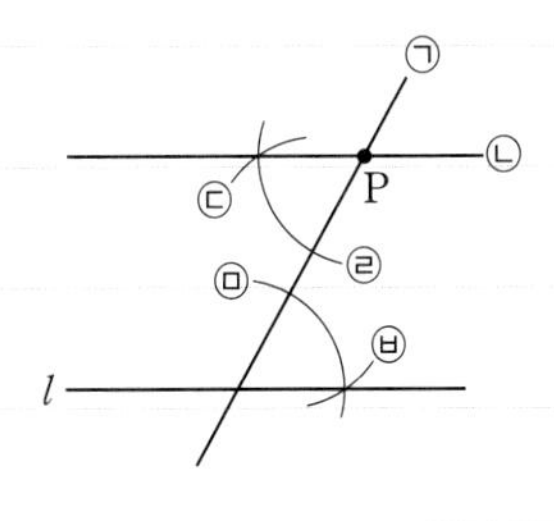

시험에 꼭 나오는 문제

중요도 ☐ 손도 못댐 ☐ 과정 실수 ☐ 틀린 이유:

01 다음 중 작도에 대한 설명으로 옳지 <u>않은</u> 것은?

① 눈금 없는 자와 컴퍼스만을 사용한다.
② 컴퍼스는 원을 그리는 데 사용한다.
③ 컴퍼스는 주어진 선분의 길이를 재는데 사용한다.
④ 눈금 없는 자를 이용하여 선분을 긋는다.
⑤ 눈금 없는 자를 이용하여 주어진 길이를 옮긴다.

02 아래 그림은 $\angle XOY$와 크기가 같은 각을 작도한 것이다. 다음 중 옳지 <u>않은</u> 것은?

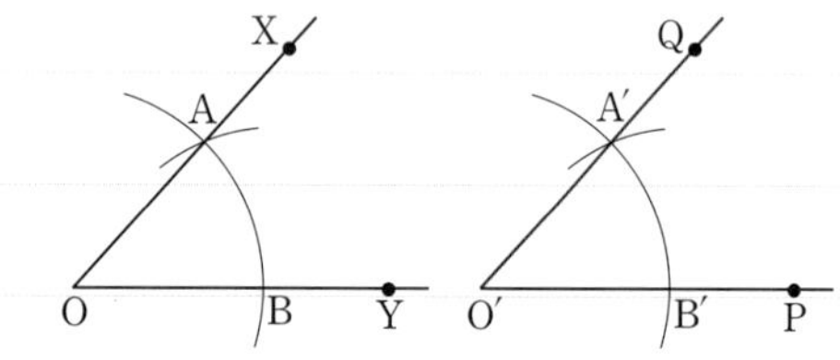

① $\overline{OA}=\overline{O'A'}$ ② $\overline{AB}=\overline{A'B'}$
③ $\overline{OA}=\overline{O'B'}$ ④ $\overline{O'A'}=\overline{A'B'}$
⑤ $\angle AOB=\angle A'O'B$

중요도 ☐ 손도 못댐 ☐ 과정 실수 ☐ 틀린 이유:

03 아래 그림은 선분 AB의 수직이등분선을 작도한 것이다. 다음 중 옳지 <u>않은</u> 것은?

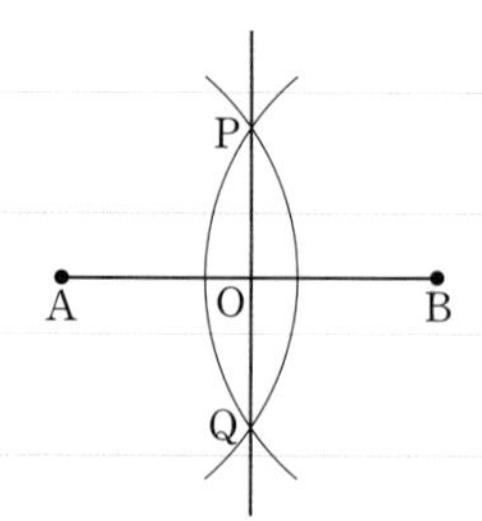

① $\overline{AP}=\overline{BP}$ ② $\overline{AP}=\overline{BQ}$ ③ $\overline{OA}=\overline{OB}$
④ $\overline{AB}=\overline{PQ}$ ⑤ $\angle AOP=90°$

• 정답 및 풀이 5쪽

중요도 ☐ 손도 못댐 ☐ 과정 실수 ☐ 틀린 이유:

04 다음 그림은 직선 l 위의 한 점 P를 지나면서 직선 l에 수직인 직선을 작도하는 과정이다. 작도 순서를 나열하여라.

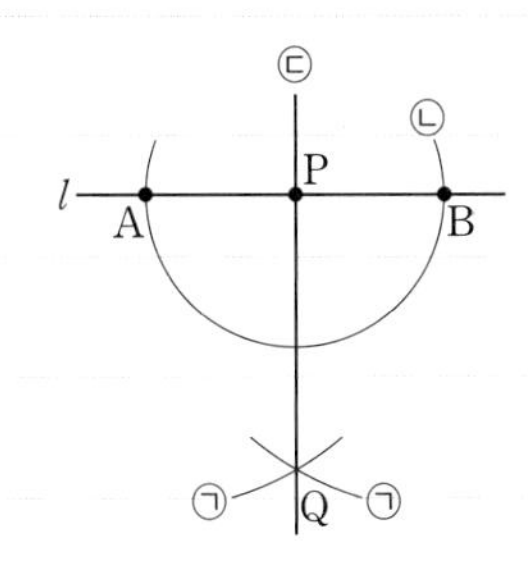

중요도 ☐ 손도 못댐 ☐ 과정 실수 ☐ 틀린 이유:

05 아래 그림은 직선 l 밖의 한 점 P에서 직선 l의 수선을 작도하는 과정이다. 다음 중 옳지 <u>않은</u> 것은?

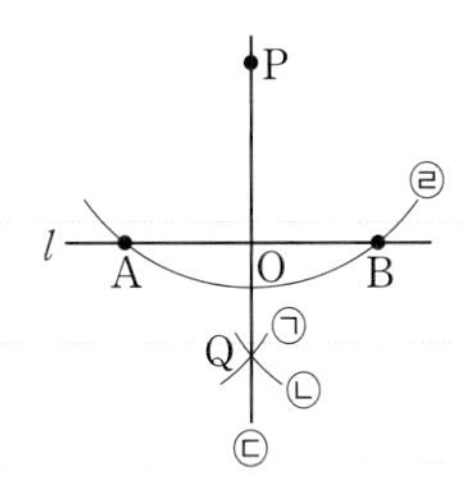

① $\overline{AO}=\overline{PO}$ ② $\overline{AQ}=\overline{BQ}$
③ $\angle AOP=90°$ ④ $\angle AOQ=\angle BOQ$
⑤ 작도 순서는 ㉣ → ㉠ → ㉡ → ㉢ (또는 ㉣ → ㉡ → ㉠ → ㉢) 순이다.

중요도 ☐ 손도 못댐 ☐ 과정 실수 ☐ 틀린 이유:

06 다음 중 선분을 4등분할 때, 이용되는 작도 방법은?

① 선분의 이동
② 크기가 같은 각의 작도
③ 정삼각형의 작도
④ 각의 이등분선의 작도
⑤ 선분의 수직이등분선의 작도

시험에 꼭 나오는 문제

[07~08] 오른쪽 그림은 직각인 ∠AOB를 삼등분하는 과정이다. 물음에 답하여라.

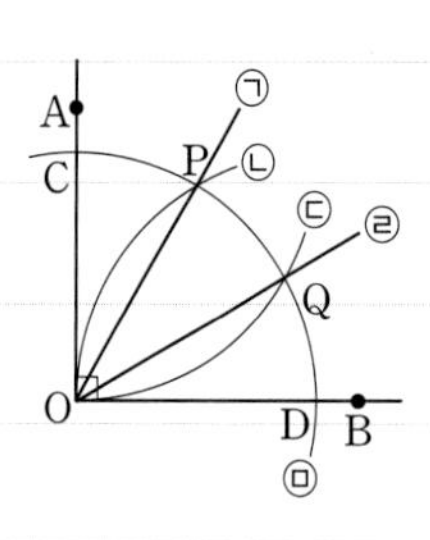

중요도 ☐ 손도 못댐 ☐ 과정 실수 ☐ 틀린 이유:

07

작도 순서로 옳지 않은 것은?

① ㉤ → ㉠ → ㉡ → ㉣ → ㉢
② ㉤ → ㉡ → ㉠ → ㉢ → ㉣
③ ㉤ → ㉡ → ㉢ → ㉠ → ㉣
④ ㉤ → ㉢ → ㉡ → ㉠ → ㉣
⑤ ㉤ → ㉢ → ㉣ → ㉡ → ㉠

중요도 ☐ 손도 못댐 ☐ 과정 실수 ☐ 틀린 이유:

08

다음 중 옳지 않은 것은?

① ∠COP=∠DOQ　② $\angle POQ=\frac{1}{3}\angle COD$
③ ∠POB=60°　④ $\overline{OP}=\overline{PD}$
⑤ $\overline{CD}=3\overline{CP}$

중요도 ☐ 손도 못댐 ☐ 과정 실수 ☐ 틀린 이유:

09

다음 〈보기〉에서 45°를 작도할 때 필요한 것을 모두 고른 것은?

보기
㉠ 선분의 수직이등분선의 작도
㉡ 크기가 같은 각의 작도
㉢ 각의 이등분선의 작도
㉣ 평행선의 작도
㉤ 선분의 길이를 옮기는 작도

① ㉠, ㉡　② ㉠, ㉢　③ ㉠, ㉤
④ ㉡, ㉢　⑤ ㉣, ㉤

중요도 ☐ 손도 못댐 ☐ 과정 실수 ☐ 틀린 이유:

10

다음 중 눈금 없는 자와 컴퍼스만으로 작도할 수 없는 각은?

① 30°　② 100°　③ 120°
④ 150°　⑤ 180°

[11~12] 오른쪽 그림은 점 P를 지나고 직선 AB에 평행한 직선을 작도한 것이다. 물음에 답하여라.

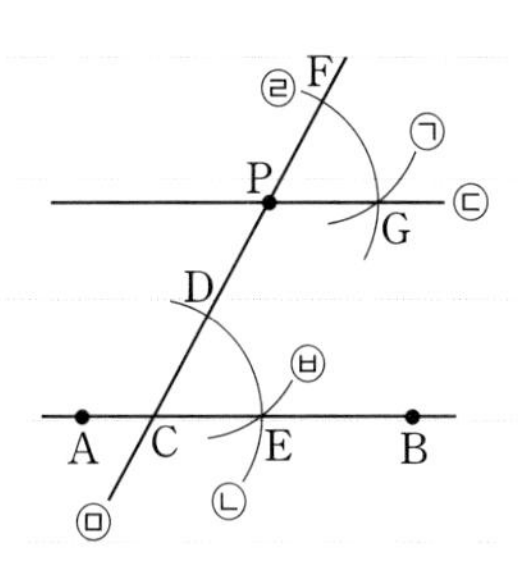

중요도 ☐ 손도 못댐 ☐ 과정 실수 ☐ 틀린 이유:

11 작도 순서로 옳은 것은?

① ㉤→㉡→㉣→㉥→㉠→㉢
② ㉤→㉡→㉥→㉣→㉠→㉢
③ ㉤→㉣→㉠→㉡→㉥→㉢
④ ㉤→㉣→㉠→㉥→㉡→㉢
⑤ ㉤→㉣→㉡→㉠→㉥→㉢

중요도 ☐ 손도 못댐 ☐ 과정 실수 ☐ 틀린 이유:

12 다음 중 옳지 않은 것은?

① $\overline{CE}=\overline{CD}$ ② $\overline{PF}=\overline{PG}$ ③ $\overline{CD}=\overline{PF}$
④ $\overline{DE}=\overline{FG}$ ⑤ $\overline{CD}=\overline{DE}$

중요도 ☐ 손도 못댐 ☐ 과정 실수 ☐ 틀린 이유:

13 다음 그림은 직선 l 밖의 한 점 P를 지나고 직선 l에 평행한 직선을 작도하는 과정이다. 이때 사용되는 평행선의 성질은?

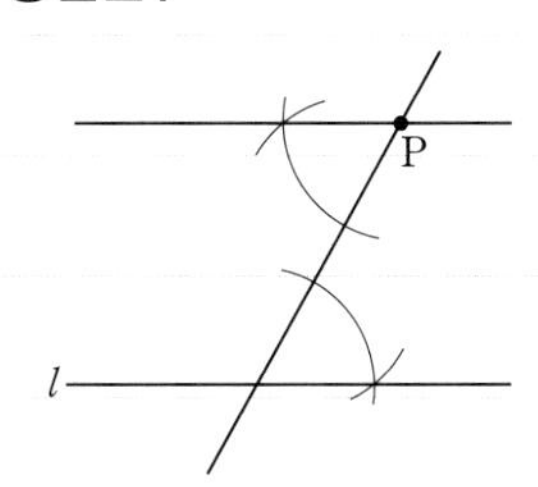

① 평행한 두 직선은 서로 만나지 않는다.
② 평행하지 않은 두 직선은 한 점에서 만난다.
③ 동위각의 크기가 같으면 두 직선은 평행하다.
④ 엇각의 크기가 같으면 두 직선은 평행하다.
⑤ 평행선의 성질을 사용하지 않는다.

04 삼각형의 작도와 합동 조건

학습목표
- 삼각형을 작도할 수 있다.
- 삼각형의 합동 조건을 이해하고, 이를 이용하여 두 삼각형이 합동인지 판별할 수 있다.

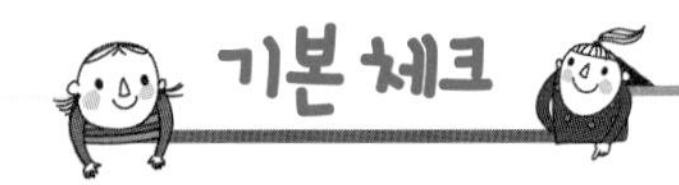

기본 체크

01

다음 두 사각형 ABCD와 EFGH가 서로 합동일 때, 물음에 답하여라.

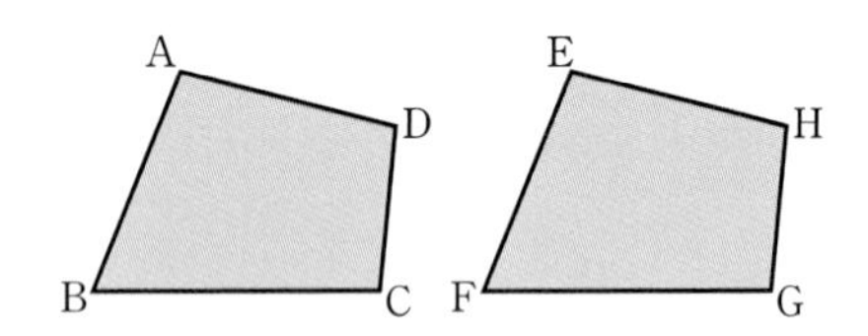

(1) 꼭짓점 A에 대응하는 꼭짓점
(2) 변 AD에 대응하는 변
(3) ∠B에 대응하는 각

02

다음 그림에서 두 삼각형은 서로 합동이다. 합동인 조건을 말하고 기호로 나타내어라.

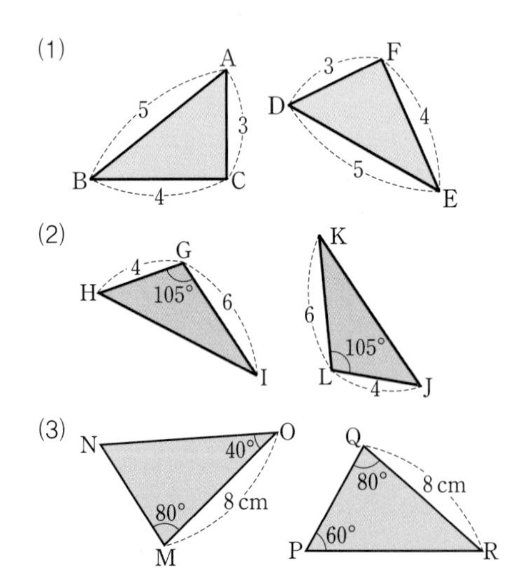

핵심 정리

삼각형의 작도

(1) 세 변의 길이가 주어진 경우

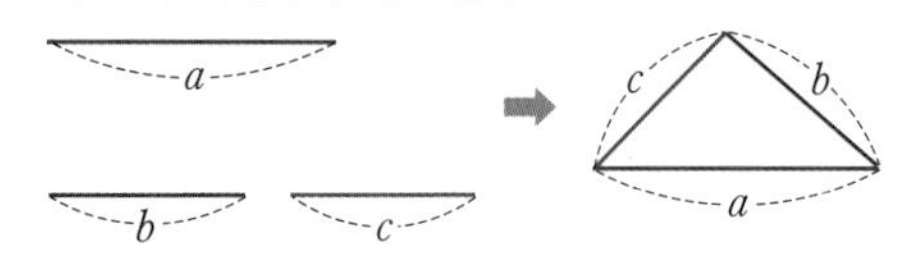

(2) 두변의 길이와 그 끼인각의 크기가 주어진 경우

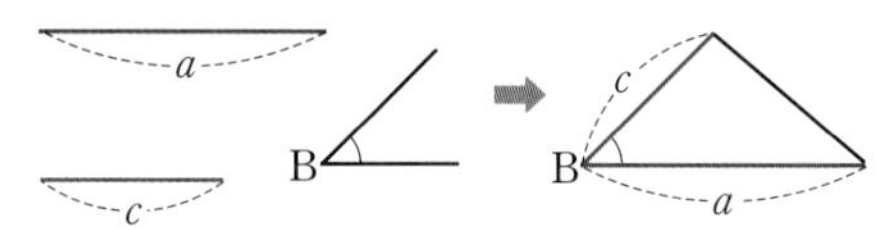

(3) 한 변의 길이와 그 양 끝각의 크기가 주어진 경우

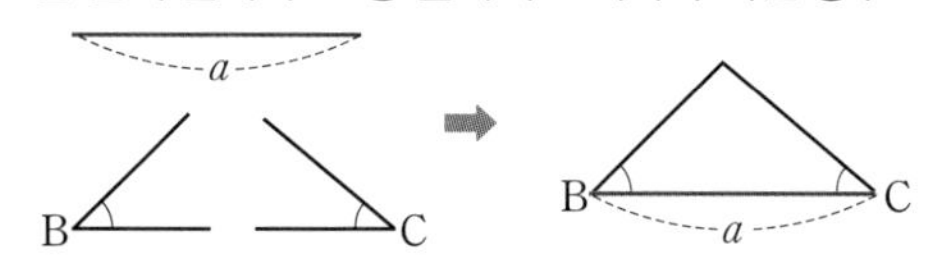

삼각형의 합동 조건

모양과 크기가 같아서 완전히 포개어지는 두 도형

다음 각 조건을 만족할 때, △ABC≡△DEF이다.

(1) 대응하는 세 변의 길이가 각각 같을 때 (SSS 합동)

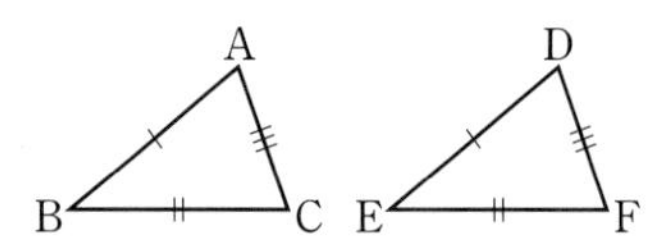

(2) 대응하는 두 변의 길이가 각각 같고, 그 끼인각의 크기가 같을 때 (SAS 합동)

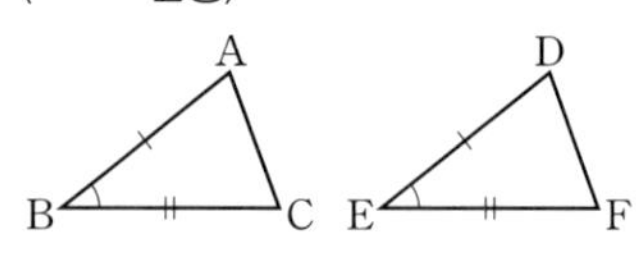

(3) 대응하는 한 변의 길이가 같고, 그 양 끝각의 크기가 각각 같을 때 (ASA 합동)

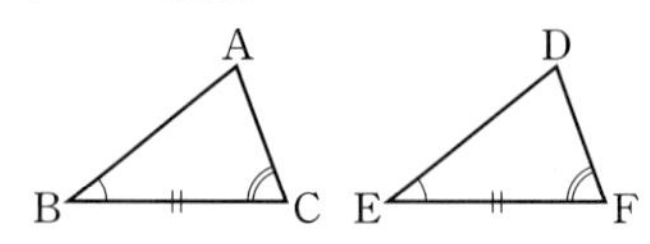

• 정답 및 풀이 6쪽

01 다음과 같이 세 변의 길이가 주어졌을 때 삼각형을 작도하여라.

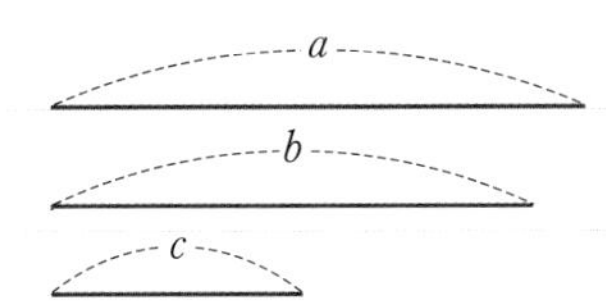

풀이 ❶ 직선을 긋고 직선 위의 점 B를 중심으로 반지름의 길이가 a인 원을 작도하여 직선과의 교점을 점 ☐라고 한다.
❷ 점 B를 중심으로 반지름의 길이가 ☐인 원을 작도한다.
❸ 점 C를 중심으로 반지름의 길이가 ☐인 원을 작도한다.
❹ ❷, ❸에서 작도한 두 원의 교점을 점 ☐라고 한다.

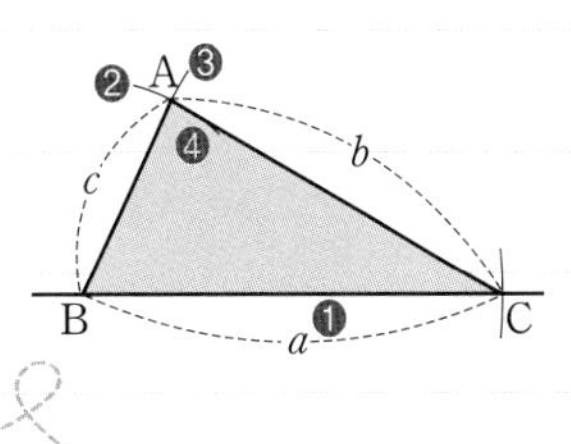

직선을 그린 후 길이가 b 또는 c인 선분을 먼저 작도할 수도 있다.

02 다음 그림에서 사각형 ABCD와 사각형 EFGH가 서로 합동일 때, 물음에 답하여라.

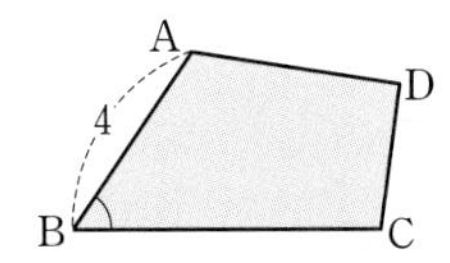

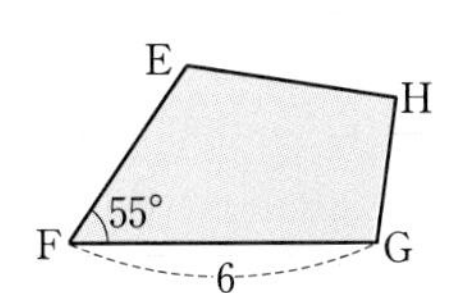

(1) $\overline{EF}$의 길이를 구하여라.
(2) $\overline{BC}$의 길이를 구하여라.
(3) $\angle B$의 크기를 구하여라.

풀이 (1) $\overline{EF}$=☐=☐
(2) $\overline{BC}$=☐=☐
(3) $\angle B$=☐=☐

※ 합동인 도형의 성질
① 대응변의 길이는 서로 같다.
② 대응각의 크기는 서로 같다.

03 오른쪽 그림과 같이 $\overline{AD}$와 $\overline{BE}$가 한 점 C에서 만나고 $\overline{AC}=\overline{DC}$, $\overline{BC}=\overline{EC}$일 때, 서로 합동인 삼각형을 찾아 그 합동 조건을 말하고 기호로 나타내어라.

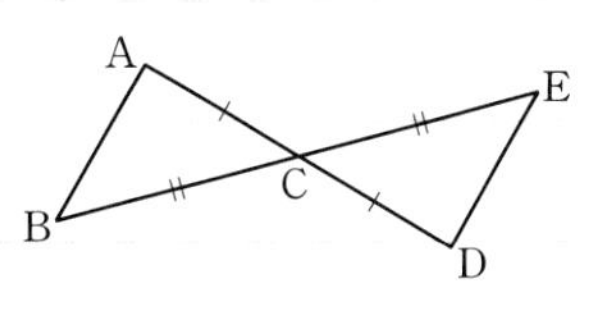

풀이 $\triangle CAB$와 $\triangle CDE$에서 $\angle ACB$=☐이고,
$\overline{AC}$=☐, $\overline{BC}$=☐이다.
대응하는 두 변의 길이와 그 끼인각의 크기가 같으므로
$\triangle CAB \equiv \triangle CDE$ (☐ 합동)이다.

※ 삼각형의 합동 조건
① SSS 합동
② SAS 합동
③ ASA 합동

$\triangle ABC \equiv \triangle DEF$와 $\triangle ABC = \triangle DEF$의 차이점

'$\triangle ABC \equiv \triangle DEF$'는 두 삼각형이 합동이라는 것이고, '$\triangle ABC = \triangle DEF$'는 두 삼각형의 넓이가 같다는 것을 나타낸다.
합동이면 넓이가 같지만 넓이가 같다고 합동인 것은 아니므로 기호의 사용에 주의하여야 한다. 또 합동을 기호로 나타낼 때 대응점의 순서를 서로 바꾸어서는 안된다.

04 삼각형의 작도와 합동 조건

어떤 교과서에나 나오는 문제

중요도 ☐ 손도 못댐 ☐ 과정 실수 ☐ 틀린 이유:

01 다음 그림은 두 변의 길이가 b, c이고 그 끼인각 $\angle A$가 주어졌을 때, $\triangle ABC$를 작도하는 과정이다. 작도 순서를 나열하여라.

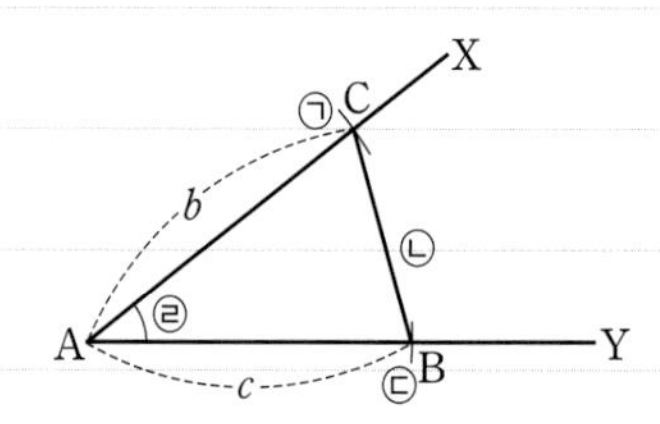

중요도 ☐ 손도 못댐 ☐ 과정 실수 ☐ 틀린 이유:

02 삼각형의 세 변의 길이가 $4\,\text{cm}$, $x\,\text{cm}$, $7\,\text{cm}$일 때, x의 값의 범위는?

① $x>3$　② $x<11$　③ $0<x<11$
④ $x>11$　⑤ $3<x<11$

중요도 ☐ 손도 못댐 ☐ 과정 실수 ☐ 틀린 이유:

03 다음 중 $\triangle ABC$가 하나로 결정되는 것은?

① $\overline{AB}=3$, $\overline{BC}=4$, $\overline{CA}=5$
② $\overline{AB}=6$, $\angle C=40°$, $\overline{BC}=7$
③ $\overline{AB}=6$, $\overline{CA}=5$, $\angle B=30°$
④ $\angle A=50°$, $\angle B=70°$, $\overline{CA}=5$
⑤ $\angle A=35°$, $\angle B=55°$, $\angle C=90°$

중요도 ☐ 손도 못댐 ☐ 과정 실수 ☐ 틀린 이유:

04 다음 그림에서 $\triangle ABC \equiv \triangle DEF$일 때, $\overline{AB}$의 길이와 $\angle F$의 크기를 각각 구하여라.

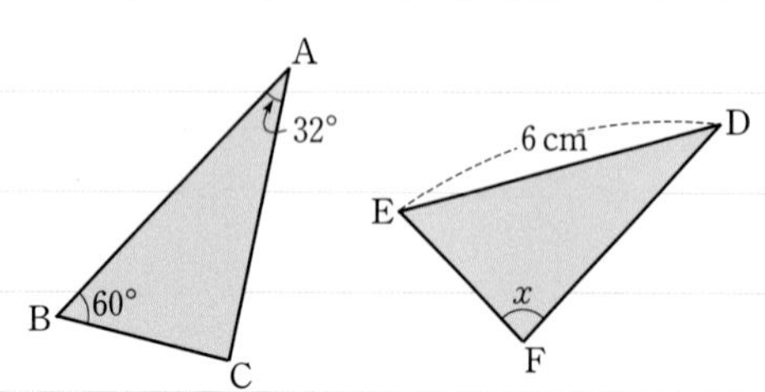

중요도 ☐ 손도 못댐 ☐ 과정 실수 ☐ 틀린 이유:

05 다음 그림에서 사각형 ABCD와 사각형 EFGH가 서로 합동일 때, 물음에 답하여라.

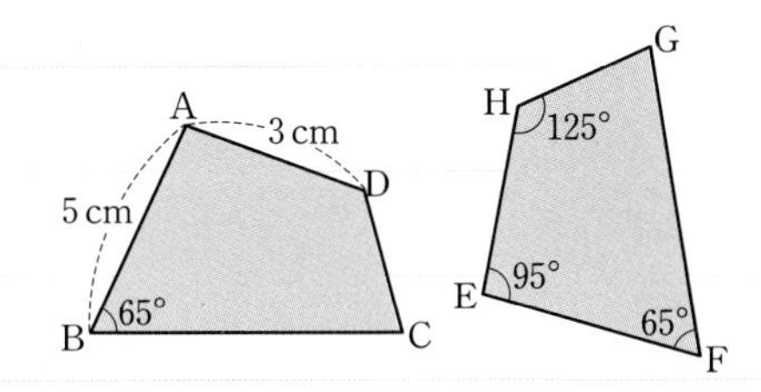

(1) 변 EF의 길이를 구하여라.
(2) $\angle$C의 크기를 구하여라.

중요도 ☐ 손도 못댐 ☐ 과정 실수 ☐ 틀린 이유:

06 다음 중에서 서로 합동인 삼각형을 찾고 합동 조건을 말하여라.

(1)
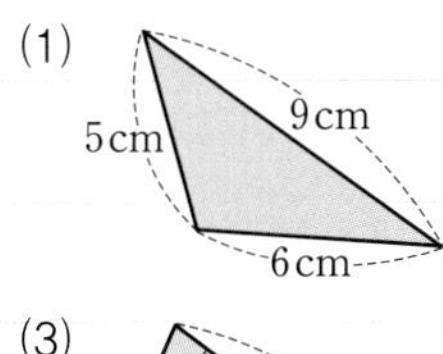

(2)
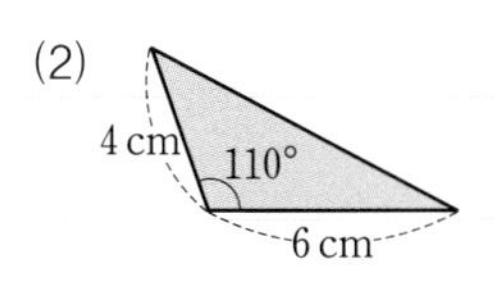

(3)
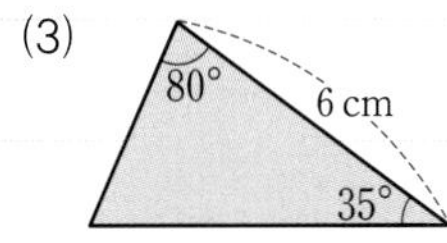

(4)
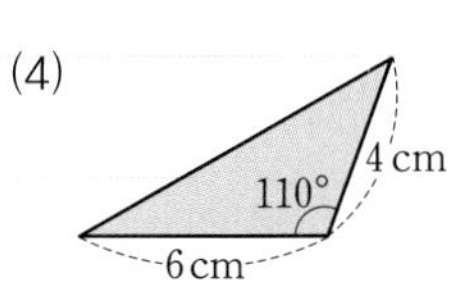

(5)
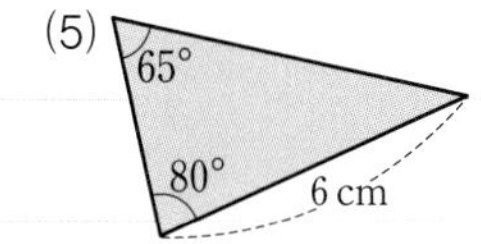

(6)
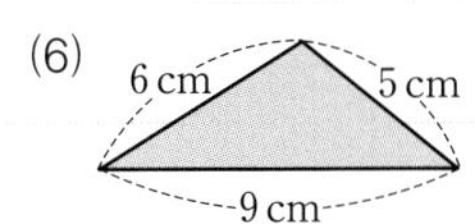

중요도 ☐ 손도 못댐 ☐ 과정 실수 ☐ 틀린 이유:

07 오른쪽 그림에서 $\triangle$ABC와 $\triangle$ECD는 정삼각형이다. 점 C는 $\overline{BD}$ 위의 점이고 점 P는 $\overline{AD}$ 위의 점일 때, 다음 중 옳지 <u>않은</u> 것은?

① $\overline{AD}=\overline{BE}$　　② $\angle ACD=\angle BCE$
③ $\angle CAD=\angle CBE$　　④ $\overline{PE}=\overline{PD}$
⑤ $\triangle ACD\equiv\triangle BCE$

시험에 꼭 나오는 문제

중요도 ☐ 손도 못댐 ☐ 과정 실수 ☐ 틀린 이유:

01 다음 그림과 같이 한 변 BC와 그 양 끝각이 주어졌을 때, △ABC의 작도 순서로 옳은 것은?

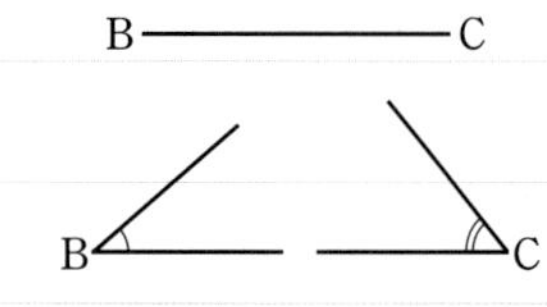

① $\overline{BC} \rightarrow \angle B \rightarrow \angle C$ ② $\angle B \rightarrow \overline{BC} \rightarrow \angle A$
③ $\angle B \rightarrow \angle C \rightarrow \overline{BC}$ ④ $\overline{BC} \rightarrow \angle A \rightarrow \angle C$
⑤ $\angle A \rightarrow \overline{BC} \rightarrow \angle B$

중요도 ☐ 손도 못댐 ☐ 과정 실수 ☐ 틀린 이유:

02 오른쪽 그림과 같이 선분 BC의 길이가 주어진 삼각형 ABC를 작도하려고 한다. 다음 조건이 주어질 때, 삼각형을 하나로 작도할 수 없는 것은?

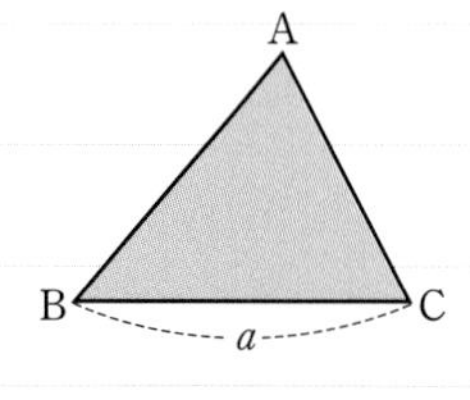

① $\overline{AC}$와 $\overline{AB}$ ② $\angle B$와 $\angle C$ ③ $\overline{AC}$와 $\angle A$
④ $\angle B$와 $\overline{AB}$ ⑤ $\angle A$와 $\angle C$

중요도 ☐ 손도 못댐 ☐ 과정 실수 ☐ 틀린 이유:

03 $\angle A$의 크기가 주어질 때, 다음 중 △ABC가 하나로 결정되기 위한 조건이 아닌 것을 모두 고르면? (정답 2개)

① $\overline{AB}$, $\angle B$ ② $\overline{AB}$, $\overline{AC}$ ③ $\overline{AC}$, $\angle C$
④ $\angle B$, $\angle C$ ⑤ $\overline{AC}$, $\overline{BC}$

중요도 ☐ 손도 못댐 ☐ 과정 실수 ☐ 틀린 이유:

04 길이가 2 cm, 3 cm, 4 cm, 5 cm인 네 개의 선분이 주어졌을 때 작도 가능한 삼각형의 개수는?

① 1개 ② 2개 ③ 3개
④ 4개 ⑤ 5개

• 정답 및 풀이 7쪽

중요도 ☐ 손도 못댐 ☐ 과정 실수 ☐ 틀린 이유:

05 다음 중 $\triangle ABC$가 하나로 결정되지 않는 것은?

① $\overline{AB}=2$, $\overline{BC}=5$, $\overline{CA}=8$
② $\overline{AB}=3$, $\angle B=60°$, $\overline{BC}=5$
③ $\overline{AB}=4$, $\overline{CA}=6$, $\angle A=20°$
④ $\angle A=40°$, $\angle B=60°$, $\overline{AB}=5$
⑤ $\angle A=38°$, $\overline{CA}=8$, $\angle C=76°$

중요도 ☐ 손도 못댐 ☐ 과정 실수 ☐ 틀린 이유:

06 다음 중 두 도형이 서로 합동인 것은?

① 반지름의 길이가 같은 두 원
② 세 각의 크기가 모두 같은 삼각형
③ 밑각의 크기가 같은 두 이등변삼각형
④ 넓이가 같은 두 직사각형
⑤ 한 변의 길이가 같은 두 마름모

중요도 ☐ 손도 못댐 ☐ 과정 실수 ☐ 틀린 이유:

07 다음 그림에서 $\triangle ABC \equiv \triangle DEF$일 때, 변 DE의 길이와 $\angle B$의 크기를 차례대로 나열하면?

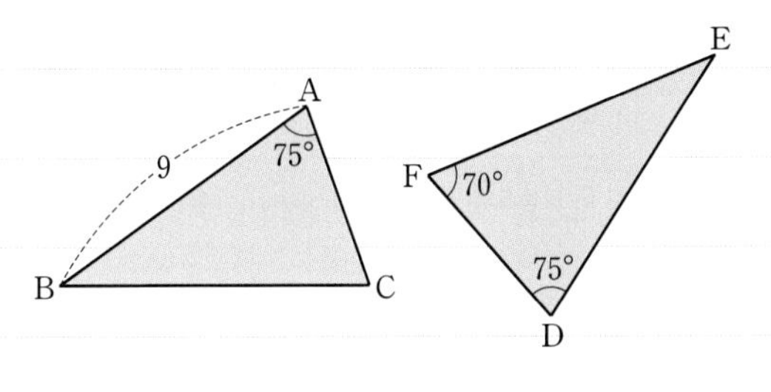

① 9, 35°　② 9, 70°　③ 9, 75°
④ 9, 105°　⑤ 7, 35°

시험에 꼭 나오는 문제

중요도 ☐ 손도 못댐 ☐ 과정 실수 ☐ 틀린 이유:

08 다음 중 오른쪽 그림과 같은 삼각형과 합동인 것은?

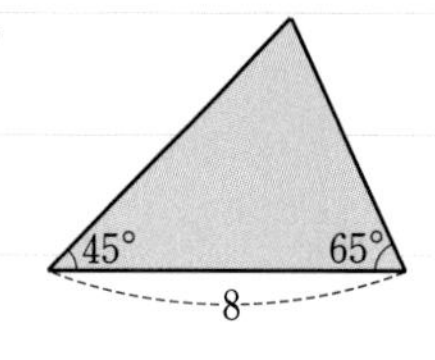

①
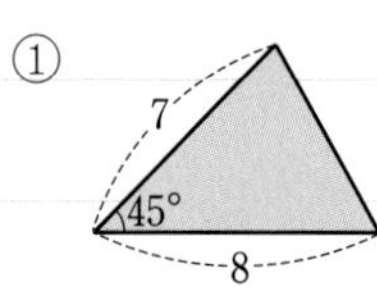

②
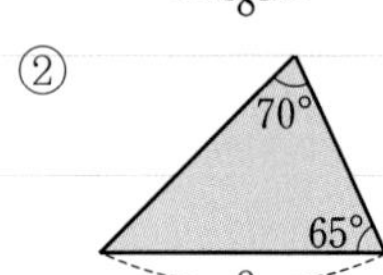

③
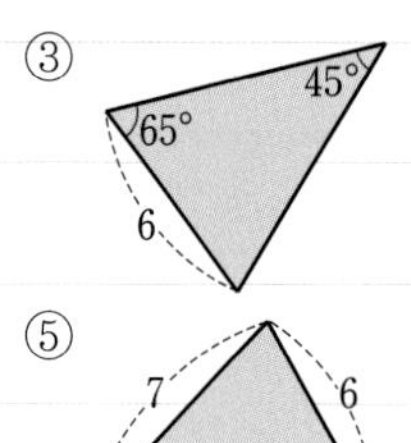

④
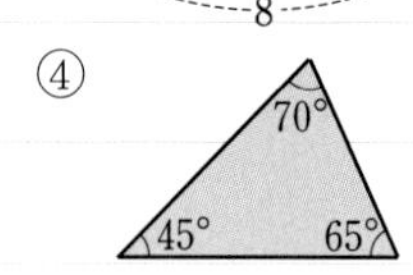

⑤ (7, 6, 8)

중요도 ☐ 손도 못댐 ☐ 과정 실수 ☐ 틀린 이유:

09 다음 중 $\triangle$ABC와 $\triangle$DEF가 합동이 될 수 <u>없는</u> 것은?

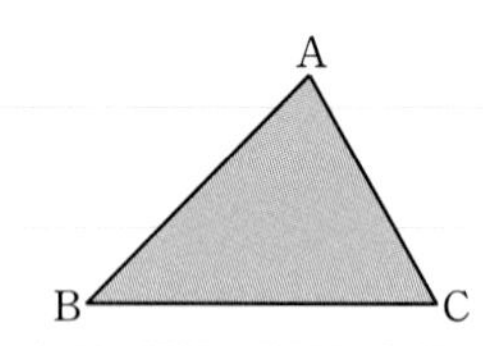

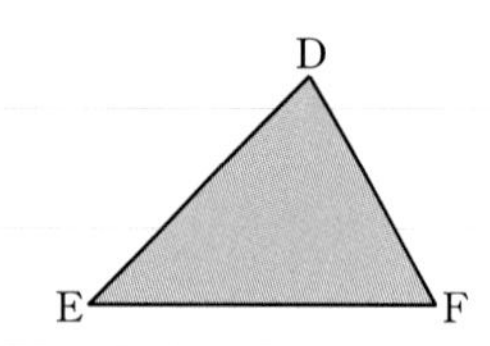

① $\overline{AB}=\overline{DE}$, $\overline{BC}=\overline{EF}$, $\overline{AC}=\overline{DF}$
② $\overline{AB}=\overline{DE}$, $\angle C=\angle F$, $\overline{AC}=\overline{DF}$
③ $\overline{AB}=\overline{DE}$, $\angle B=\angle E$, $\overline{BC}=\overline{EF}$
④ $\overline{AB}=\overline{DE}$, $\angle A=\angle D$, $\angle B=\angle E$
⑤ $\overline{AC}=\overline{DF}$, $\angle B=\angle E$, $\angle C=\angle F$

중요도 ☐ 손도 못댐 ☐ 과정 실수 ☐ 틀린 이유:

10 다음 그림의 두 사각형이 합동일 때, $a+b+c+d$의 값을 구하여라.

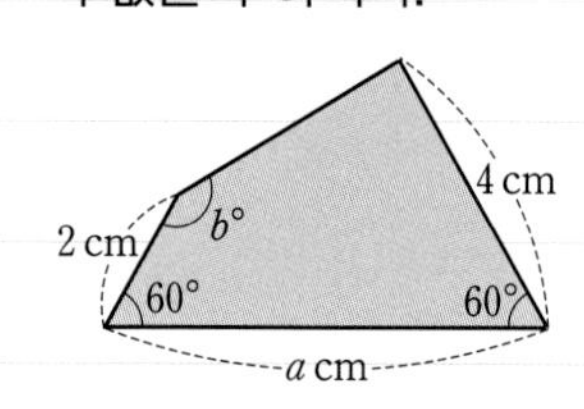

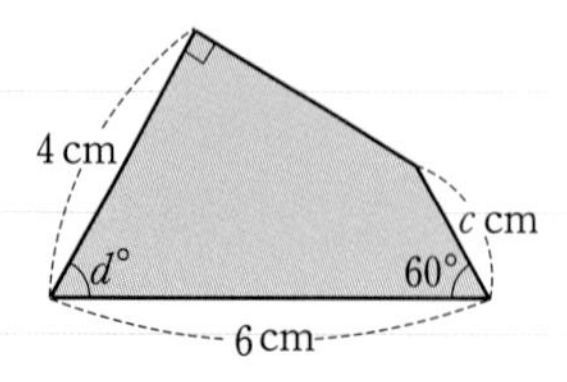

중요도 ☐ 손도 못댐 ☐ 과정 실수 ☐ 틀린 이유:

11 오른쪽 그림의 △ABC와 △ECD는 정삼각형이다. 점 C는 $\overline{BD}$ 위의 점일 때, $\angle x$의 크기를 구하여라.

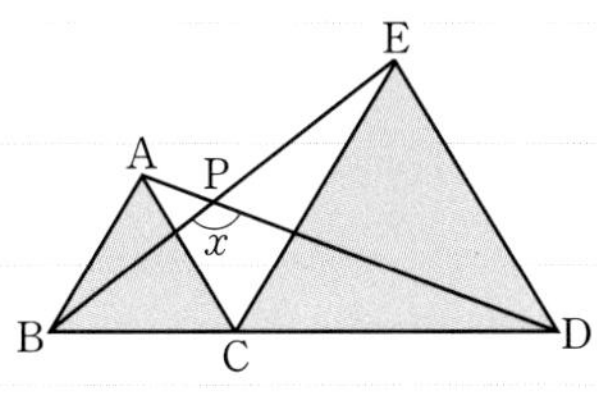

중요도 ☐ 손도 못댐 ☐ 과정 실수 ☐ 틀린 이유:

12 오른쪽 그림과 같은 정사각형 ABCD에서 $\overline{BE}=\overline{CF}$일 때, 다음 중 옳지 않은 것은?

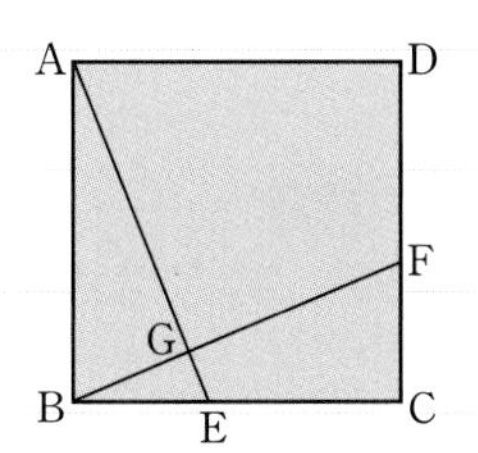

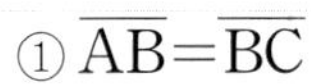
① $\overline{AB}=\overline{BC}$
② $\overline{AE}=\overline{BF}$
③ $\angle AEB=\angle BFC$
④ $\angle AEC=\angle AGF$
⑤ △ABE≡△BCF

중요도 ☐ 손도 못댐 ☐ 과정 실수 ☐ 틀린 이유:

13 한 변의 길이가 10 cm인 두 정사각형이 있다. 오른쪽 그림과 같이 한 정사각형의 대각선의 교점 O에 다른 정사각형의 한 꼭짓점이 놓여 있을 때, 색칠한 부분의 넓이는?

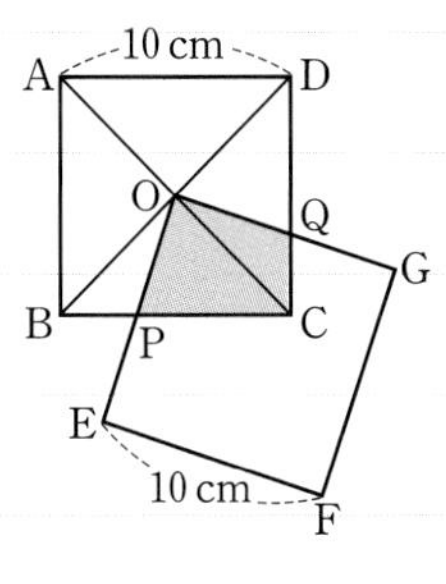

① 20 cm^2 ② 25 cm^2
③ 30 cm^2 ④ 35 cm^2 ⑤ 40 cm^2

I 도형의 기초

단원종합문제 [01~04]

01
중요도 □ 손도 못댐 □ 과정 실수 □ 틀린 이유:

다음 중 옳지 않은 것은?

① 한 점을 지나는 직선은 무수히 많다.
② 서로 다른 두 점을 지나는 직선은 오직 하나다.
③ 시작점이 같고 뻗는 방향이 같은 두 반직선은 서로 같다.
④ 반직선의 길이는 직선의 길이의 반이다.
⑤ 두 점을 잇는 선 중에서 가장 짧은 것은 선분이다.

02
중요도 □ 손도 못댐 □ 과정 실수 □ 틀린 이유:

다음 그림에서 교점의 개수를 a개, 교선의 개수를 b개, 면의 개수를 c개라고 할 때, $a-b+c$의 값은?

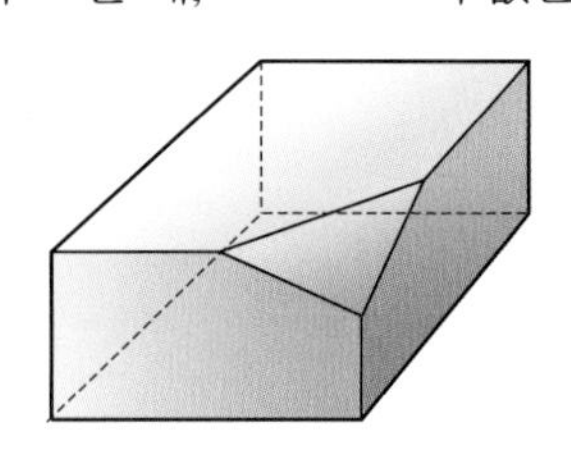

① 0 ② 1 ③ 2
④ 3 ⑤ 4

03
중요도 □ 손도 못댐 □ 과정 실수 □ 틀린 이유:

다음 그림과 같이 한 평면 P 위에 세 점 A, B, C가 있다. 이들 세 점으로 만들 수 있는 직선의 개수를 a개, 반직선의 개수를 b개라고 할 때, $b-a$의 값은?

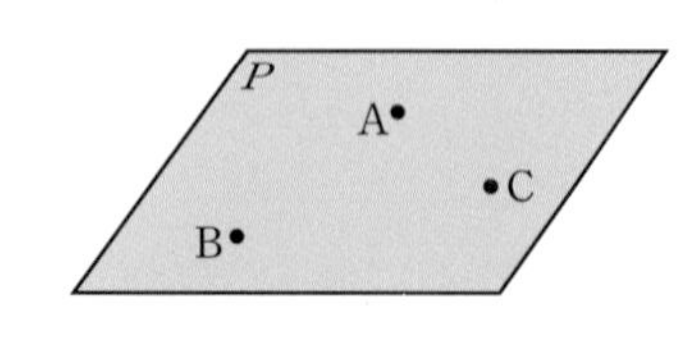

① 0 ② 1 ③ 2
④ 3 ⑤ 4

04
중요도 □ 손도 못댐 □ 과정 실수 □ 틀린 이유:

다음 그림에서 점 M, N은 각각 선분 AC, BC의 중점이고, $\overline{MN}=5$ cm일 때, $\overline{AB}$의 길이를 구하여라.

05
중요도 □ 손도 못댐 □ 과정 실수 □ 틀린 이유:

다음 그림과 같이 직선 l 위의 세 점 A, B, C에 대하여 $\overline{AB}$의 중점을 M, $\overline{BC}$의 중점을 N이라 할 때, 〈보기〉 중 옳은 것을 모두 고른 것은?

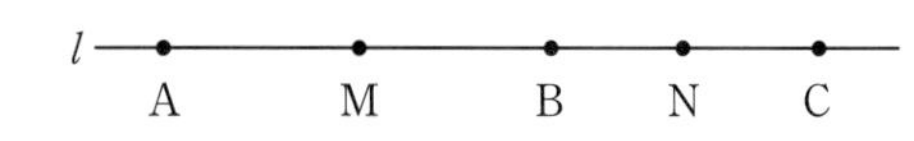

보기

ㄱ. $\overline{AM}=\overline{BM}$ ㄴ. $\overline{MB}=2\overline{BN}$
ㄷ. $\overline{NC}=\frac{1}{2}\overline{BC}$ ㄹ. $\overline{MN}=\frac{1}{2}\overline{AC}$

① ㄱ, ㄷ ② ㄴ, ㄹ ③ ㄷ, ㄹ
④ ㄱ, ㄴ, ㄷ ⑤ ㄱ, ㄷ, ㄹ

06
중요도 □ 손도 못댐 □ 과정 실수 □ 틀린 이유:

다음 그림과 같은 직사각형 ABCD에 대한 설명으로 옳지 않은 것은?

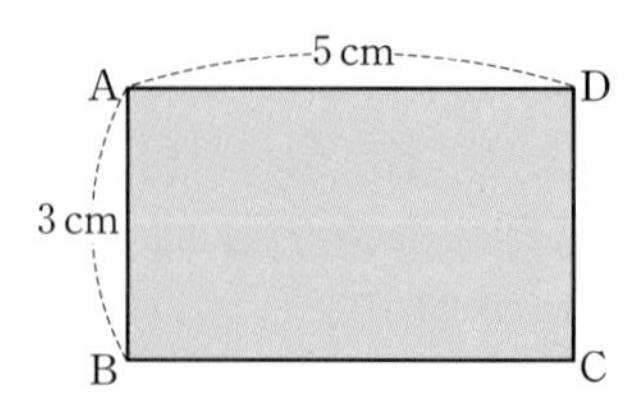

① $\overline{AB}$와 수직인 선분은 모두 3개이다.
② $\overline{BC}\perp\overline{CD}$
③ $\overline{AD}$의 수선은 $\overline{AB}$와 $\overline{CD}$이다.
④ 점 B에서 $\overline{CD}$까지의 거리는 5 cm이다.
⑤ 점 D에서 $\overline{BC}$에 내린 수선의 발은 점 C이다.

• 정답 및 풀이 8쪽

07 중요도 □ 손도 못댐 □ 과정 실수 □ 틀린 이유:

다음 그림에서 $\angle a+\angle b$의 크기를 구하면?

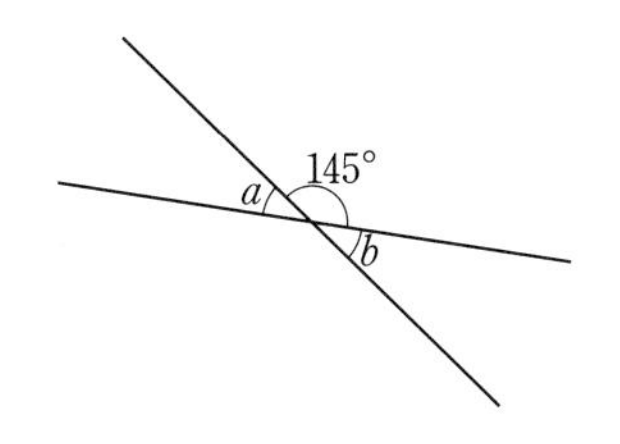

① 35° ② 50° ③ 70°
④ 100° ⑤ 145°

08 중요도 □ 손도 못댐 □ 과정 실수 □ 틀린 이유:

다음 그림에서 $\angle x$의 크기를 구하면?

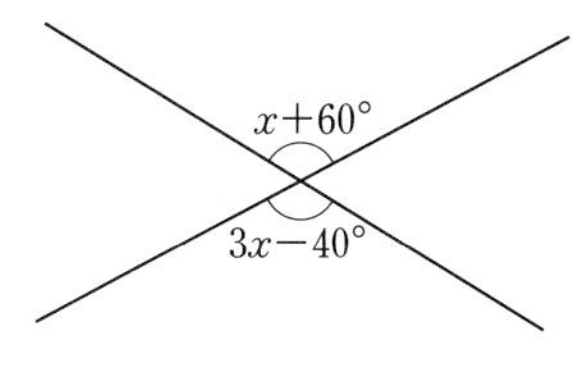

① 45° ② 50° ③ 55°
④ 60° ⑤ 65°

09 중요도 □ 손도 못댐 □ 과정 실수 □ 틀린 이유:

다음 그림에서 $\angle x$의 크기를 구하면?

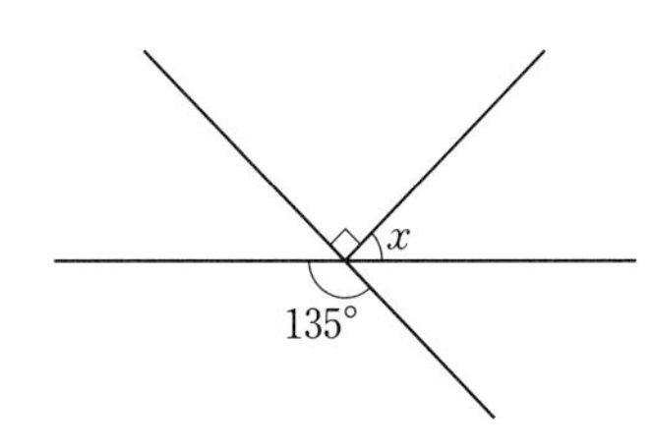

① 35° ② 45° ③ 55°
④ 65° ⑤ 75°

10 중요도 □ 손도 못댐 □ 과정 실수 □ 틀린 이유:

오른쪽 그림에서 $\angle b$의 엇각의 크기는?

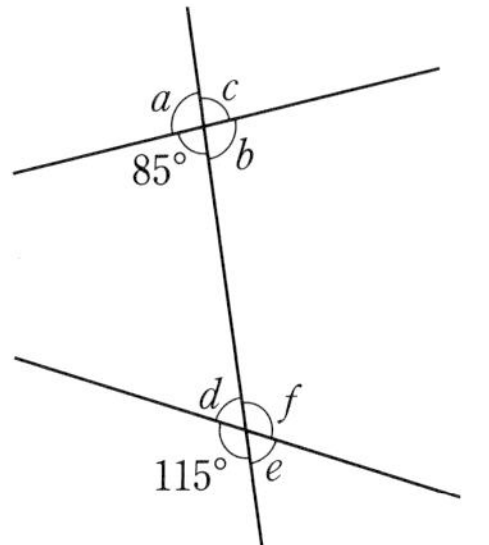

① 65° ② 85°
③ 95° ④ 105°
⑤ 115°

11 중요도 □ 손도 못댐 □ 과정 실수 □ 틀린 이유:

다음 그림에서 $l /\!/ m$일 때, 옳지 않은 것은?

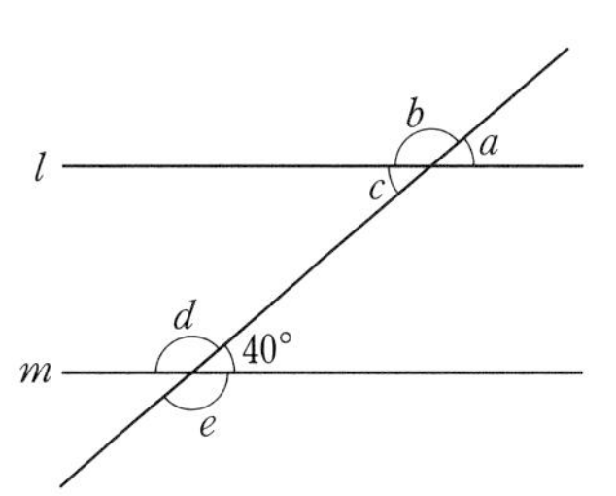

① $\angle a=40^\circ$ ② $\angle b=140^\circ$ ③ $\angle c=70^\circ$
④ $\angle d=140^\circ$ ⑤ $\angle e=140^\circ$

12 중요도 □ 손도 못댐 □ 과정 실수 □ 틀린 이유:

오른쪽 그림에서 $l /\!/ m$일 때, $\angle x$, $\angle y$, $\angle z$의 크기를 각각 구하여라.

l 60° y x 70° m z

단원종합문제 [01~04]

13 중요도 ☐ 손도 못댐 ☐ 과정 실수 ☐ 틀린 이유:

오른쪽 그림과 같은 직육면체에서 평면 AEGC와 평행한 모서리의 개수는?

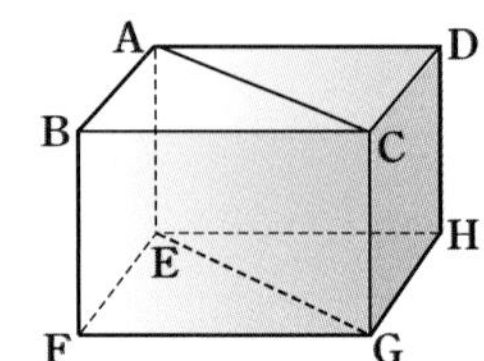

① 2개 ② 3개
③ 4개 ④ 5개
⑤ 6개

14 중요도 ☐ 손도 못댐 ☐ 과정 실수 ☐ 틀린 이유:

오른쪽 그림은 직육면체를 세 꼭짓점 B, D, G를 지나는 평면으로 잘라낸 것이다. 다음 설명 중 옳은 것은?

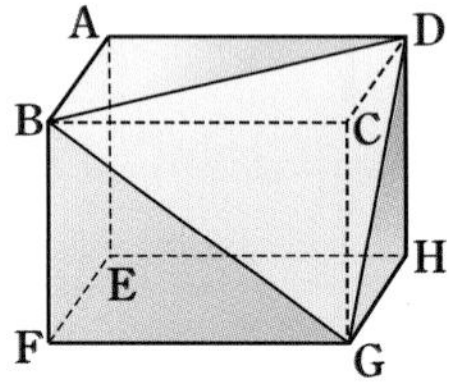

① $\overline{DG}$와 면 AEHD는 수직이다.
② $\overline{BD}$와 면 DGH는 평행하다.
③ $\overline{AB}$와 $\overline{BD}$는 수직이다.
④ $\overline{AE}$와 면 BGD는 평행하다.
⑤ $\overline{AE}$와 $\overline{DG}$는 꼬인 위치에 있다.

15 중요도 ☐ 손도 못댐 ☐ 과정 실수 ☐ 틀린 이유:

다음 그림은 정사면체의 전개도이다. $\overline{BC}$와 꼬인 위치에 있는 모서리는?

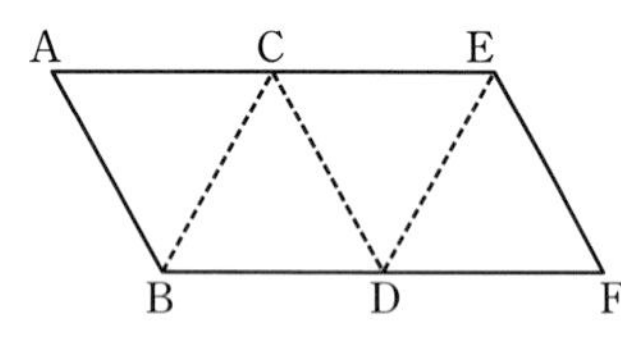

① $\overline{AB}$ ② $\overline{BD}$ ③ $\overline{CE}$
④ $\overline{DE}$ ⑤ $\overline{CD}$

16 중요도 ☐ 손도 못댐 ☐ 과정 실수 ☐ 틀린 이유:

다음 중 눈금 없는 자와 컴퍼스만으로 각의 삼등분선을 작도할 수 있는 각은?

① 30° ② 60° ③ 90°
④ 120° ⑤ 150°

17 중요도 ☐ 손도 못댐 ☐ 과정 실수 ☐ 틀린 이유:

오른쪽 그림은 직선 l 밖의 한 점 P를 지나면서 직선 l에 수직인 직선을 작도한 것이다. 다음 중 옳지 않은 것은?

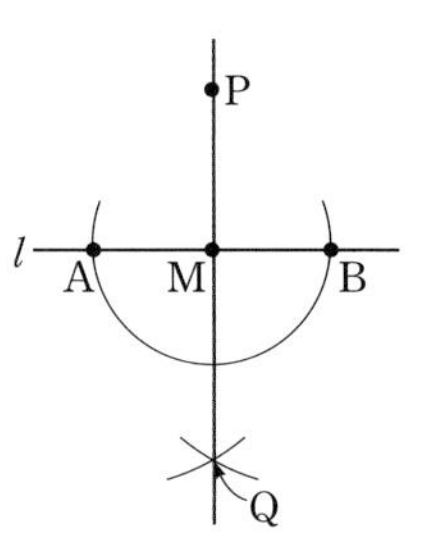

① $\overline{AP}=\overline{BP}$ ② $\overline{AM}=\overline{BM}$
③ $\overline{PM}=\overline{QM}$ ④ $\overline{AB}\perp\overline{PQ}$
⑤ $\angle AMP=\angle BMP$

18 중요도 ☐ 손도 못댐 ☐ 과정 실수 ☐ 틀린 이유:

아래 그림은 ∠XOY와 크기가 같은 각을 작도한 것이다. 다음 중 옳지 않은 것은?

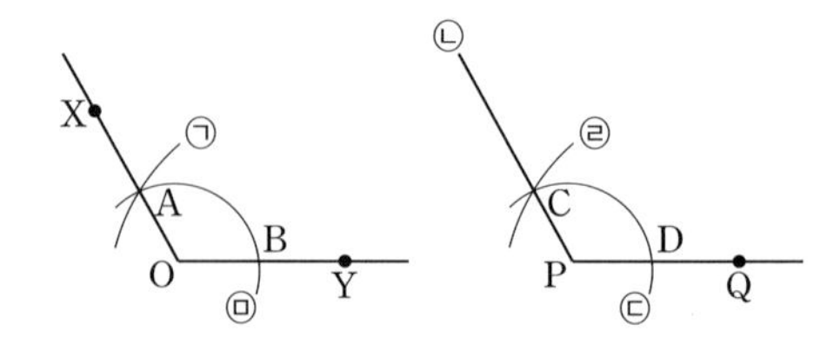

① $\overline{OA}=\overline{OB}$ ② $\overline{OA}=\overline{AB}$
③ $\overline{AB}=\overline{CD}$ ④ $\overline{OB}=\overline{PD}$
⑤ 작도 순서는 ㉤ → ㉢ → ㉠ → ㉣ → ㉡이다.

19
중요도 ☐ 손도 못댐 ☐ 과정 실수 ☐ 틀린 이유:

〈보기〉에서 작도 가능한 각의 개수는?

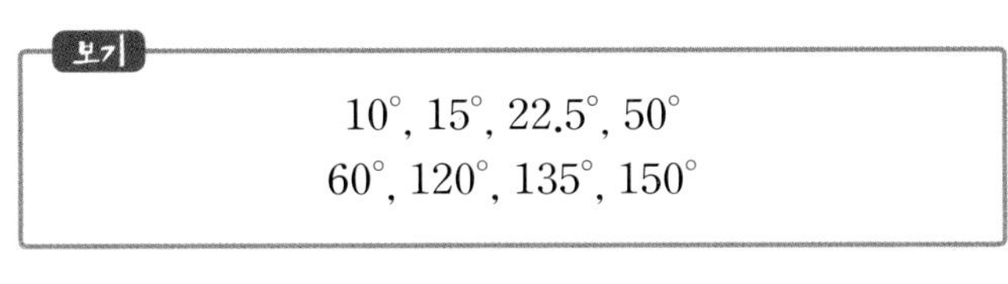
보기

10°, 15°, 22.5°, 50°
60°, 120°, 135°, 150°

① 4개 ② 5개 ③ 6개
④ 7개 ⑤ 8개

20
중요도 ☐ 손도 못댐 ☐ 과정 실수 ☐ 틀린 이유:

다음 중 $\triangle ABC$에서 $\overline{BC}$의 길이가 주어졌을 때, $\triangle ABC$가 하나로 결정되기 위해 필요한 조건이 아닌 것은?

① $\overline{AB}$, $\angle B$ ② $\overline{CA}$, $\angle C$ ③ $\angle A$, $\angle B$
④ $\angle B$, $\angle C$ ⑤ $\angle C$, $\overline{AB}$

21
중요도 ☐ 손도 못댐 ☐ 과정 실수 ☐ 틀린 이유:

아래 그림에서 사각형 ABCD와 사각형 EFGH가 서로 합동일 때, 다음을 구하여라.

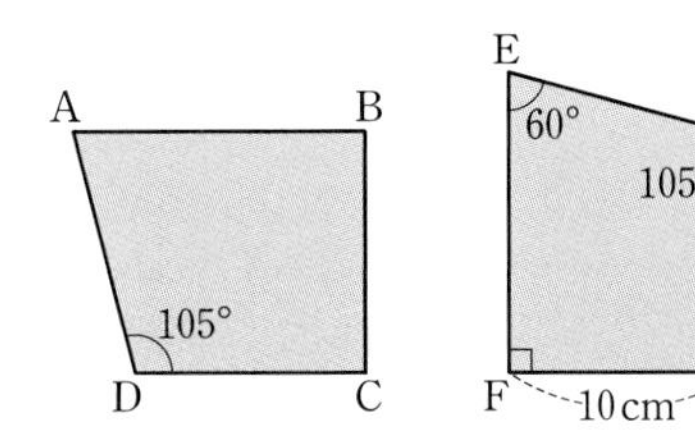

(1) $\overline{BC}$의 길이
(2) $\angle B$의 크기

22
중요도 ☐ 손도 못댐 ☐ 과정 실수 ☐ 틀린 이유:

다음 그림과 같이 사각형 ABCD에서 두 대각선의 교점 O에 대하여 $\overline{AO}=\overline{DO}$, $\overline{BO}=\overline{CO}$일 때, 합동인 삼각형을 모두 찾아 쌍으로 나타내어라.

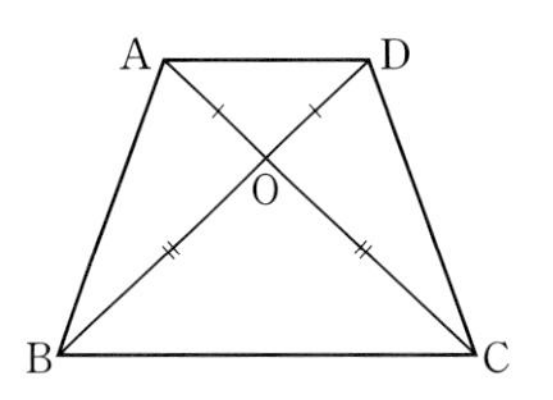

23
중요도 ☐ 손도 못댐 ☐ 과정 실수 ☐ 틀린 이유:

오른쪽 그림과 같은 사각형 ABCD에서 두 대각선의 교점을 O라 할 때, $\overline{OA}=\overline{OC}$, $\overline{OB}=\overline{OD}$를 만족한다. 다음 중 옳은 것을 모두 고르면? (정답 3개)

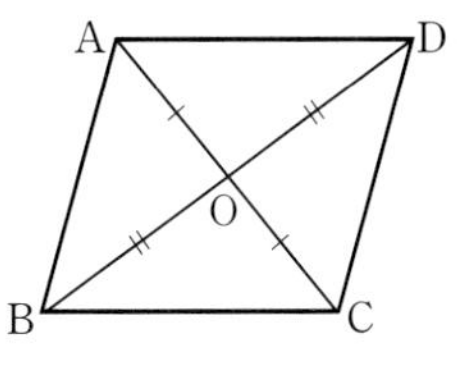

① $\triangle AOB \equiv \triangle COB$ ② $\triangle AOB \equiv \triangle COD$
③ $\triangle AOD \equiv \triangle COB$ ④ $\triangle ADB \equiv \triangle CBD$
⑤ $\triangle ABO \equiv \triangle ADO$

24
중요도 ☐ 손도 못댐 ☐ 과정 실수 ☐ 틀린 이유:

오른쪽 그림에서 $\overline{AD}=\overline{AE}$, $\overline{DB}=\overline{EC}$일 때, $\angle x$의 크기는?

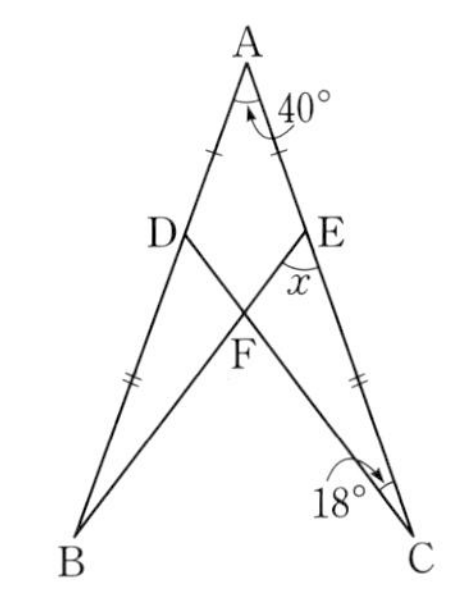

① 36° ② 38°
③ 49° ④ 58°
⑤ 80°

05 다각형

학습목표 • 다각형의 성질을 이해한다.

01

오른쪽과 같은 다각형에서 다음의 용어에 해당하는 부분을 찾아라.

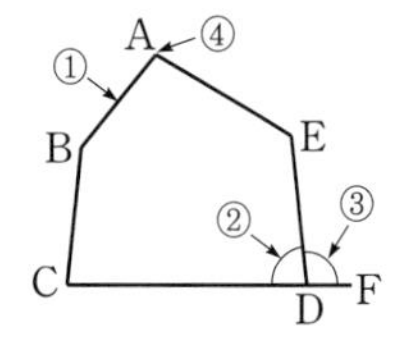

(1) 꼭짓점

(2) 변 (3) 내각

(4) 외각

02

다음의 정다각형에 대한 설명으로 옳은 것은 ○표, 틀린 것은 ×표를 하여라.

(1) 정다각형의 모든 변의 길이는 같다. ( )

(2) 길이가 같은 세 개의 선분으로 둘러싸인 다각형을 정삼각형이라고 한다. ( )

(3) 길이가 같은 네 개의 선분으로 둘러싸인 다각형을 정사각형이라고 한다. ( )

(4) 정오각형의 내각의 크기는 모두 같다. ( )

03

다음 다각형의 대각선의 총 개수를 구하여라.

(1) 사각형

(2) 팔각형

(3) n각형

핵심 정리

다각형

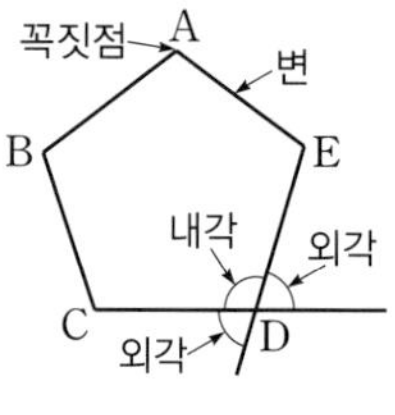

(1) 다각형 : 세 개 이상의 선분으로 둘러싸인 평면 도형

(2) 변 : 다각형을 이루고 있는 각 선분

(3) 꼭짓점 : 다각형을 이루고 있는 선분의 끝점

(4) 내각 : 다각형의 이웃하는 두 변으로 이루어진 각

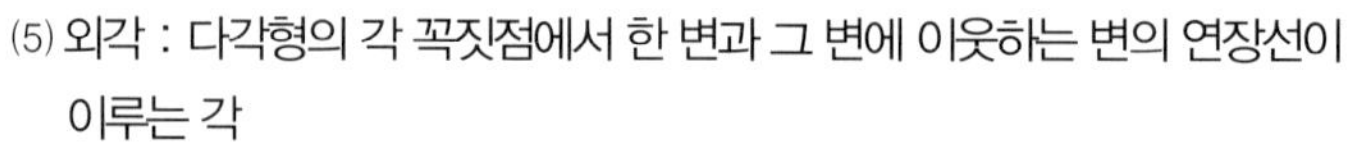

(5) 외각 : 다각형의 각 꼭짓점에서 한 변과 그 변에 이웃하는 변의 연장선이 이루는 각

꼭짓점 A 변 B E 내각 외각 C 외각 D

참고 한 꼭짓점에서 내각과 외각의 크기의 합은 항상 180°이다.

정다각형

(1) 정다각형 : 모든 변의 길이와 모든 내각의 크기가 같은 다각형

(2) 변의 개수에 따른 분류

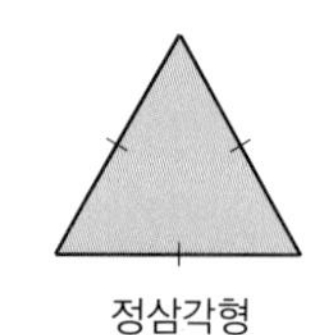
정삼각형

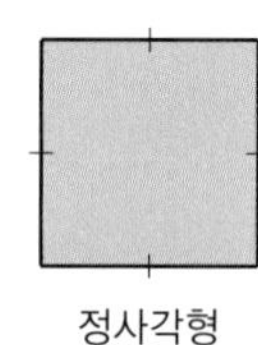
정사각형

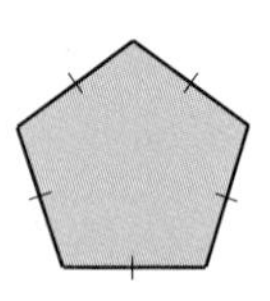
정오각형

…

다각형의 대각선

(1) 대각선 : 다각형에서 이웃하지 않은 두 꼭짓점을 이은 선분

(2) 대각선의 개수

① n각형의 한 꼭짓점에서 그을 수 있는 대각선의 개수 : $(n-3)$개

② n각형의 대각선의 총 개수 : $\frac{n(n-3)}{2}$개

대표예제

• 정답 및 풀이 9쪽

01 오른쪽 그림의 삼각형 ABC에서 다음 각의 크기를 구하여라.

(1) ∠B의 외각 (2) ∠C의 내각

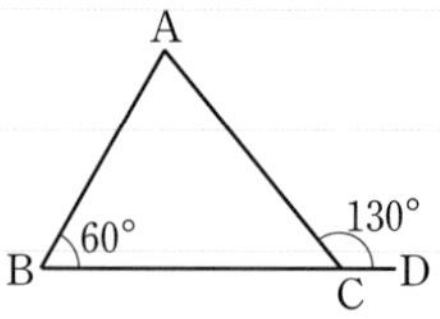

A B C D 60° 130°

풀이 다각형의 한 꼭짓점에서 내각과 외각의 크기의 합이 □이므로

(1) ($\angle$B의 외각) = □ -60° = □

(2) ($\angle$C의 내각) = □ -130° = □

한 꼭짓점에서
(내각) + (외각) = 180°

02 다음의 두 조건을 만족하는 다각형의 이름을 말하여라.

> (가) 5개의 선분으로 둘러싸여 있다.
> (나) 변의 길이와 내각의 크기가 모두 같다.

풀이 (가)조건에서 □이고, (나)조건에서 □이므로
두 조건을 만족하는 다각형은 □이다.

모든 변의 길이와 모든 내각의 크기가 같은 다각형은 정다각형이다.

03 오각형에 대하여 다음을 구하여라.

(1) 한 꼭짓점에서 그을 수 있는 대각선의 개수

(2) 오각형의 대각선의 총 개수

풀이 (1) n각형의 한 꼭짓점에서 이웃하지 않은 꼭짓점에 그을 수 있는 대각선의 개수는 (□)개이므로

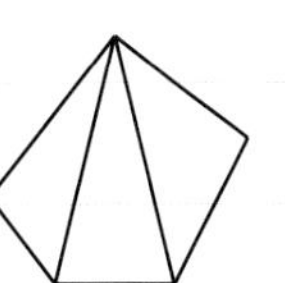

오각형의 한 꼭짓점에서 그을 수 있는 대각선의 개수는

$5-$□$=$□(개)

(2) $\dfrac{5\times(5-\square)}{2}=$□(개)

▶ n각형의 한 꼭짓점에서 이웃하지 않은 꼭짓점에 그을 수 있는 대각선의 개수 : $(n-3)$개

▶ n각형의 대각선의 총 개수 : $\dfrac{n(n-3)}{2}$개

04 오른쪽 삼각형을 보고 다음을 구하여라.

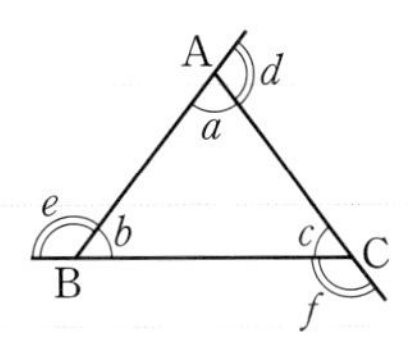

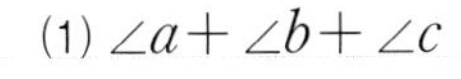

(1) $\angle a+\angle b+\angle c$

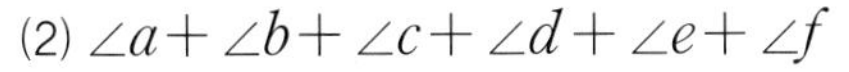

(2) $\angle a+\angle b+\angle c+\angle d+\angle e+\angle f$

(3) $\angle d+\angle e+\angle f$

풀이 (1) 삼각형의 세 내각의 크기의 합은 □이므로

$\angle a+\angle b+\angle c=$□

(2) $(\angle a+\angle d)+(\angle b+\angle e)+(\angle c+\angle f)$

$=180^\circ+$□$+180^\circ=$□

(3) $\angle d+\angle e+\angle f$

$=(\angle a+\angle b+\angle c+\angle d+\angle e+\angle f)-(\angle a+\angle b+\angle c)$

$=$□$-180^\circ=$□

다각형의 한 꼭짓점에서 내각과 외각의 크기의 합은 180°이므로 n각형의 내각의 크기와 외각의 크기의 총합은 $(180^\circ\times n)$이다.

다각형의 외각의 크기의 합은 360°이다. (06에서 자세히 살펴봐요.)

두 개의 외각

한 내각에 대한 외각은 두 개가 있으나 두 외각은 서로 맞꼭지각이므로 그 크기가 같다. 따라서 하나만 생각하고, 둘 중 어느 것을 외각으로 생각해도 된다.

05 다각형

어떤 교과서에나 나오는 문제

중요도 ☐ 손도 못댐 ☐ 과정 실수 ☐ 틀린 이유:

01 다음 설명 중에 옳은 것은 ○표, 옳지 않은 것은 ×표를 하여라.

(1) 6개의 선분으로 이루어진 다각형은 정육각형이다. (　　)

(2) 다각형 중 오각형의 꼭짓점은 5개이다. (　　)

(3) 다각형의 한 내각에 대한 외각은 2개씩 있고, 그 크기는 같다. (　　)

(4) 다각형의 한 꼭짓점에서 내각과 외각의 크기는 같다. (　　)

중요도 ☐ 손도 못댐 ☐ 과정 실수 ☐ 틀린 이유:

02 다음 중 다각형이 아닌 것을 모두 고르면? (정답 2개)

① 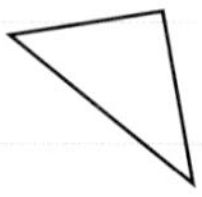 ② 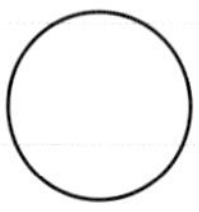 ③ 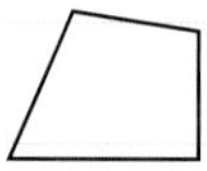 ④  ⑤

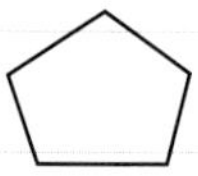

중요도 ☐ 손도 못댐 ☐ 과정 실수 ☐ 틀린 이유:

03 오른쪽 그림과 같이 오각형 ABCDE에서 $\angle A=110°$일 때, $\angle A$의 외각의 크기를 구하면?

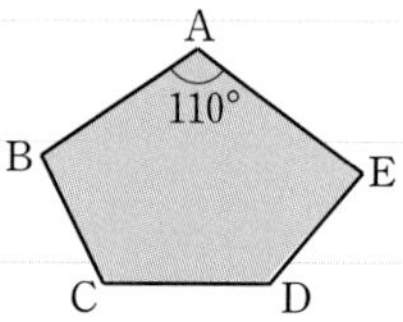

A, B, C, D, E, 110°

① $30°$　② $50°$　③ $70°$　④ $90°$　⑤ $110°$

중요도 ☐ 손도 못댐 ☐ 과정 실수 ☐ 틀린 이유:

04 정오각형 ABCDE에 대하여 다음을 구하여라.

(1) 둘러싸인 선분의 개수

(2) 꼭짓점의 개수

(3) $\overline{AB}=3$ cm일 때, $\overline{BC}$의 길이

• 정답 및 풀이 9쪽

중요도 ☐ 손도 못댐 ☐ 과정 실수 ☐ 틀린 이유:

05 다음 설명 중에 옳은 것은 ○표, 옳지 않은 것은 ×표를 하여라.

(1) 정다각형의 모든 변의 길이가 같다. ( )

(2) 정다각형의 모든 내각의 크기가 같다. ( )

(3) 모든 변의 길이가 같은 다각형은 정다각형이다. ( )

중요도 ☐ 손도 못댐 ☐ 과정 실수 ☐ 틀린 이유:

06 정오각형의 한 외각의 크기는 $72°$이다. 정오각형의 한 내각의 크기를 구하여라.

중요도 ☐ 손도 못댐 ☐ 과정 실수 ☐ 틀린 이유:

07 다음 중 한 꼭짓점에서 그을 수 있는 대각선의 개수가 15개인 다각형은?

① 구각형 ② 십이각형 ③ 십오각형
④ 십팔각형 ⑤ 이십각형

중요도 ☐ 손도 못댐 ☐ 과정 실수 ☐ 틀린 이유:

08 사각형의 대각선의 총 개수를 구하여라.

중요도 ☐ 손도 못댐 ☐ 과정 실수 ☐ 틀린 이유:

09 구각형에 대하여 다음을 구하여라.

(1) 한 꼭짓점에서 그을 수 있는 대각선의 개수

(2) 대각선의 총 개수

시험에 꼭 나오는 문제

중요도 ☐ 손도 못댐 ☐ 과정 실수 ☐ 틀린 이유:

01 다음 중 다각형이 아닌 것을 모두 고르면? (정답 2개)

① 정사각형　　② 직각삼각형
③ 정사면체　　④ 육각형
⑤ 원

중요도 ☐ 손도 못댐 ☐ 과정 실수 ☐ 틀린 이유:

02 삼각형의 꼭짓점의 개수를 m, 오각형의 변의 개수를 n이라고 할 때, $m+n$의 값을 구하여라.

중요도 ☐ 손도 못댐 ☐ 과정 실수 ☐ 틀린 이유:

03 삼각형 ABC에서 $\angle C$의 외각의 크기가 95°일 때, $\angle C$의 내각의 크기를 구하면?

① 55°　　② 65°　　③ 75°
④ 85°　　⑤ 95°

중요도 ☐ 손도 못댐 ☐ 과정 실수 ☐ 틀린 이유:

04 어떤 다각형에서 한 내각과 그 각에 대한 외각의 크기의 비가 $1:5$일 때, 내각의 크기를 구하면?

① 30°　　② 50°　　③ 80°
④ 100°　　⑤ 150°

• 정답 및 풀이 10쪽

중요도 ☐ 손도 못댐 ☐ 과정 실수 ☐ 틀린 이유:

05 오른쪽은 △ABC와 △ACD에서 변의 길이가 같은 $\overline{AC}$를 붙여놓은 그림이다. ∠BCD의 크기를 구하여라.

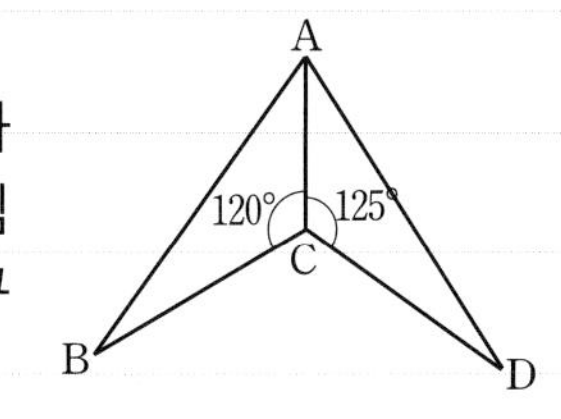

중요도 ☐ 손도 못댐 ☐ 과정 실수 ☐ 틀린 이유:

06 다음 중 정오각형에 대한 설명으로 옳지 <u>않은</u> 것은?

① 5개의 선분으로 둘러싸여 있다.
② 모든 변의 길이가 같다.
③ 모든 내각의 크기가 같다.
④ 한 내각과 한 외각의 크기는 서로 같다.
⑤ 꼭짓점의 개수는 5개이다.

중요도 ☐ 손도 못댐 ☐ 과정 실수 ☐ 틀린 이유:

07 다음의 두 조건을 만족하는 다각형의 이름을 말하여라.

(가) 8개의 선분으로 둘러싸여 있다.
(나) 변의 길이와 내각의 크기가 모두 같다.

시험에 꼭 나오는 문제

중요도 ☐ 손도 못댐 ☐ 과정 실수 ☐ 틀린 이유:

08 한 꼭짓점에서 5개의 대각선을 그을 수 있는 다각형은?

① 육각형 ② 칠각형 ③ 팔각형
④ 구각형 ⑤ 십각형

중요도 ☐ 손도 못댐 ☐ 과정 실수 ☐ 틀린 이유:

09 십각형에 대하여 다음을 구하여라.

(1) 꼭짓점의 개수
(2) 한 꼭짓점에서 그을 수 있는 대각선의 개수
(3) 대각선의 총 개수

중요도 ☐ 손도 못댐 ☐ 과정 실수 ☐ 틀린 이유:

10 다음 조건을 모두 만족하는 다각형은?

(가) 모든 변의 길이가 같고 모든 내각의 크기가 같다.
(나) 한 꼭짓점에서 그을 수 있는 대각선의 개수는 4개이다.

① 정오각형 ② 육각형 ③ 정칠각형
④ 팔각형 ⑤ 정구각형

중요도 ☐ 손도 못댐 ☐ 과정 실수 ☐ 틀린 이유:

11 오른쪽 그림과 같은 팔각형의 대각선의 총 개수를 구하여라.

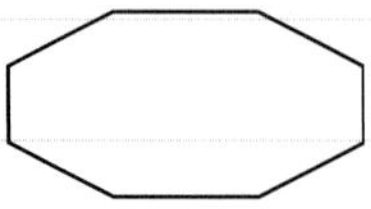

• 정답 및 풀이 10쪽

중요도 ☐ 손도 못댐 ☐ 과정 실수 ☐ 틀린 이유:

12 모든 변의 길이가 같고 모든 내각의 크기가 같은 다각형의 변의 개수가 11개라고 할 때, 다음을 구하여라.

(1) 다각형의 이름
(2) 다각형의 대각선의 총 개수

중요도 ☐ 손도 못댐 ☐ 과정 실수 ☐ 틀린 이유:

13 다음 중 대각선의 총 개수가 14개인 다각형은?

① 오각형 ② 육각형 ③ 칠각형
④ 팔각형 ⑤ 구각형

중요도 ☐ 손도 못댐 ☐ 과정 실수 ☐ 틀린 이유:

14 어떤 다각형을 한 꼭짓점에서 대각선을 그었더니 7개의 삼각형으로 나누어졌다. 이 다각형의 대각선의 총 개수는?

① 9개 ② 14개 ③ 20개
④ 27개 ⑤ 35개

중요도 ☐ 손도 못댐 ☐ 과정 실수 ☐ 틀린 이유:

15 대각선의 총 개수가 20개인 다각형의 변의 개수는?

① 7개 ② 8개 ③ 9개
④ 10개 ⑤ 11개

06 다각형의 내각과 외각의 크기

학습목표 • 다각형의 내각과 외각의 크기 사이의 관계를 이해하고, 이를 이용하여 여러 가지 각을 구할 수 있다.

01

다음 그림에서 $\angle x$의 크기를 구하여라.

(1)
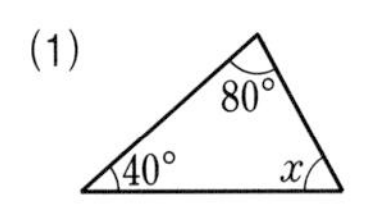

(2)
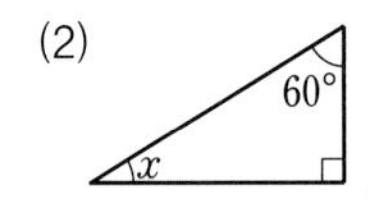

(3)
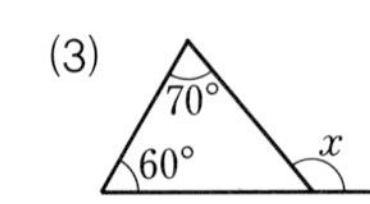

(4)
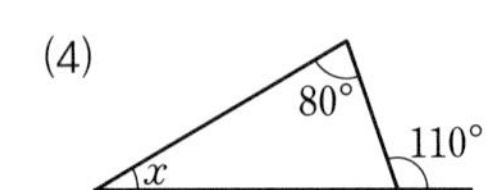

02

다음 다각형의 내각의 크기의 합을 구하여라.

(1) 사각형
(2) 오각형
(3) n각형

삼각형의 내각과 외각

(1) 삼각형의 세 내각의 크기의 합은 $180°$이다.

참고 정삼각형의 한 내각의 크기는 $60°$이다.

(2) 삼각형의 한 외각의 크기는 그와 이웃하지 않은 두 내각의 크기의 합과 같다.

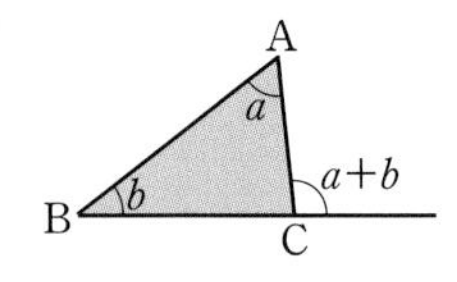

예 $\triangle ABC$에서 $\angle A=50°$, $\angle B=60°$일 때,
($\angle C$의 외각의 크기)$=50°+60°=110°$

다각형의 내각의 크기의 합

(1) n각형의 한 꼭짓점에서 대각선을 그어 만들 수 있는 삼각형의 개수 : $(n-2)$개

(2) n각형에서 내각의 크기의 합 : $180°\times(n-2)$ ← 삼각형의 개수

(3) 정 n각형의 한 내각의 크기 :

$$\frac{(\text{내각의 크기의 합})}{n}=\frac{180°\times(n-2)}{n}$$

다각형의 외각의 크기의 합

(1) n각형에서 외각의 크기의 합은 $360°$이다.

(2) 정 n각형의 한 외각의 크기 : $\frac{(\text{외각의 크기의 합})}{n}=\frac{360°}{n}$

• 정답 및 풀이 11쪽

01 다음 그림에서 $\angle x$의 크기를 구하여라.

(1)
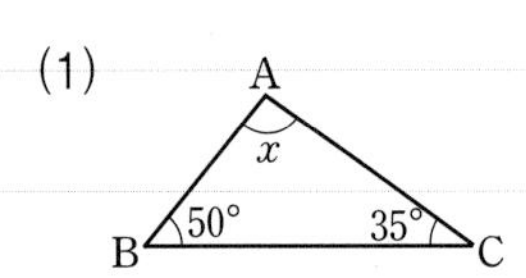

(2)
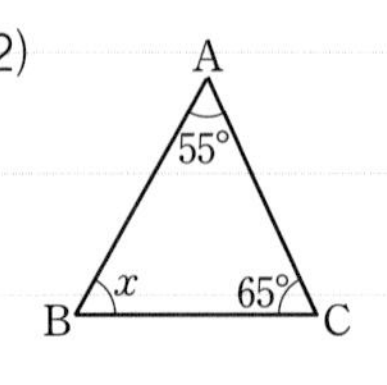

풀이 (1) $\angle x+50°+35°=$ ☐ 이므로 $\angle x=$ ☐ $-50°-35°=$ ☐

(2) $\angle x+55°+65°=$ ☐ 이므로 $\angle x=$ ☐ $-55°-65°=$ ☐

삼각형의 세 내각의 크기의 합은 $180°$이다.

02 다음 그림에서 $\angle x$의 크기를 구하여라.

(1)

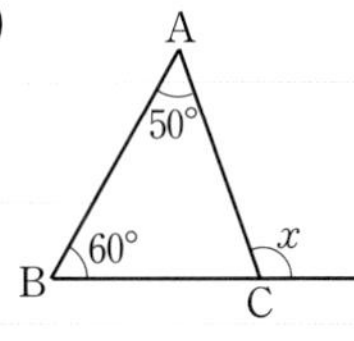

(2)

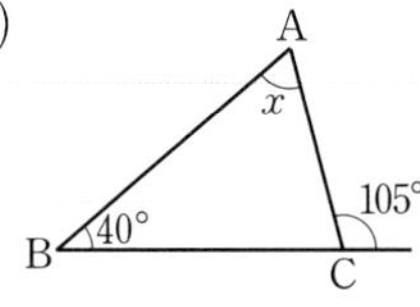

풀이 (1) $\angle x=50^\circ+60^\circ=\square$

(2) $\angle x+\square=105^\circ$이므로 $\angle x=\square$

삼각형의 한 외각의 크기는 그와 이웃하지 않은 두 내각의 크기의 합과 같다.

03 오각형의 내각의 크기의 합을 구하여라.

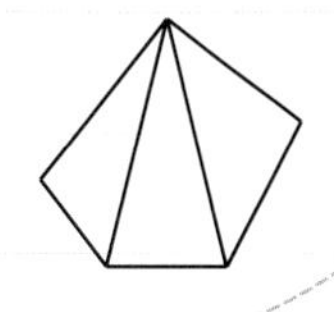

풀이 오각형의 한 꼭짓점에서 대각선을 그어 만들 수 있는 삼각형의 개수가

$5-\square=\square$(개)이므로

내각의 크기의 합은

$180^\circ\times(5-\square)=\square$이다.

n각형의 내각의 크기의 합은 $180^\circ\times(n-2)$이다.

04 오른쪽 그림에서 $\angle x$의 크기를 구하여라.

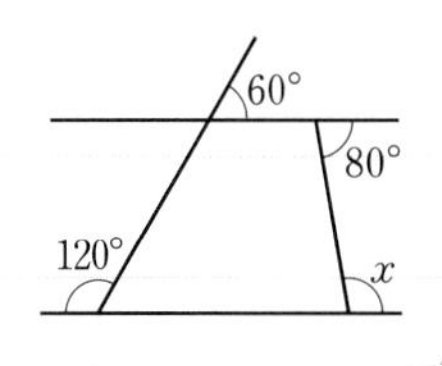

풀이 다각형의 외각의 크기의 합은 $\square$이므로

$\angle x+120^\circ+60^\circ+80^\circ=\square$에서

$\angle x=\square-120^\circ-60^\circ-80^\circ=\square$

다각형의 외각의 크기의 합은 360°이다.

05 한 내각의 크기와 한 외각의 크기의 비가 5 : 1인 정다각형에 대하여 다음을 구하여라.

(1) 한 외각의 크기

(2) 정다각형

(3) 대각선의 총 개수

풀이 (1) (한 내각의 크기)+(한 외각의 크기)$=\square$이므로

(한 외각의 크기)$=\square\times\dfrac{1}{6}=\square$

(2) 정n각형이라 하면 외각의 크기의 합이 $\square$이므로

$\dfrac{\square}{n}=30^\circ\quad\therefore n=\square$

따라서 $\square$이다.

(3) $\square$의 대각선의 총 개수는 $\dfrac{12\times(12-\square)}{2}=\square$(개)

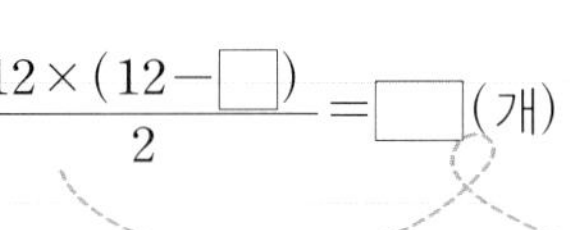

정다각형의 한 외각의 크기를 알면 정다각형을 구할 수 있다. 다각형의 외각의 크기의 합은 360°이다.

n각형의 대각선의 총 개수 : $\dfrac{n(n-3)}{2}$개

다각형의 내각의 크기의 합 구하는 방법

n각형의 내부에 한 점 P를 잡아 점 P로부터 각 꼭짓점에 선을 그으면 n개의 삼각형이 생긴다. 즉, n각형의 내각의 크기의 합은 $(180^\circ\times n-360^\circ)$이다.

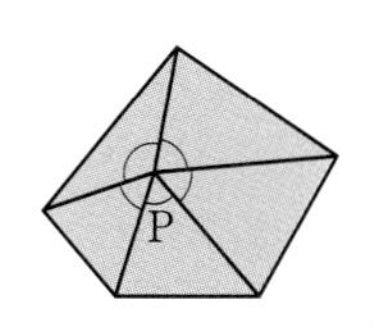

어떤 교과서에나 나오는 문제

중요도 ☐ 손도 못댐 ☐ 과정 실수 ☐ 틀린 이유:

01 다음 조건을 만족하는 삼각형의 한 내각의 크기를 구하여라.

> (가) 세 변의 길이가 같다.
> (나) 세 내각의 크기가 같다.

중요도 ☐ 손도 못댐 ☐ 과정 실수 ☐ 틀린 이유:

02 다음은 삼각형의 한 외각의 크기가 그와 이웃하지 않은 두 내각의 크기의 합과 같음을 보이는 과정이다. 빈칸에 알맞은 것을 구하여라.

> △ABC에서 $\overline{BC}$의 연장선 위에 점 D를 잡고, $\overline{BA}$에 평행한 반직선 CE를 긋자.
>
> 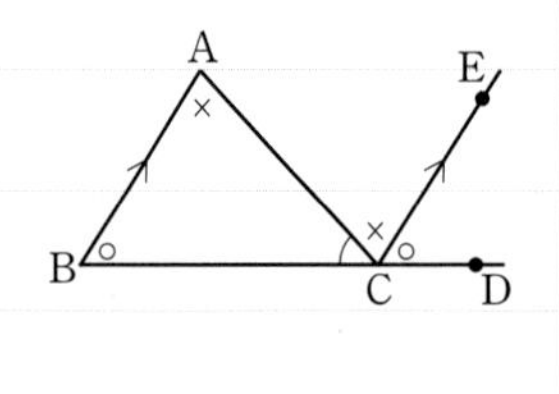
>
>
> $\overline{BA} /\!/ \overrightarrow{CE}$이므로
> $\angle A = \angle ACE$ (엇각)
> $\angle B =$ ㉠ (동위각)
> $\therefore \angle A + \angle B = \angle ACE +$ ㉠ $=$ ㉡

[03~04] 다음 그림에서 $\angle x$의 크기를 구하여라.

중요도 ☐ 손도 못댐 ☐ 과정 실수 ☐ 틀린 이유:

03

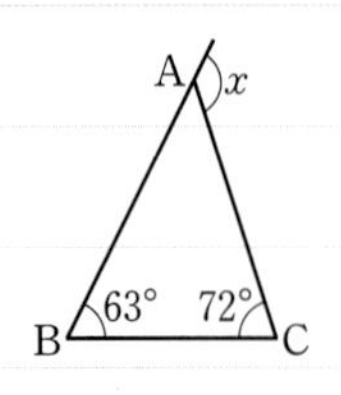

중요도 ☐ 손도 못댐 ☐ 과정 실수 ☐ 틀린 이유:

04

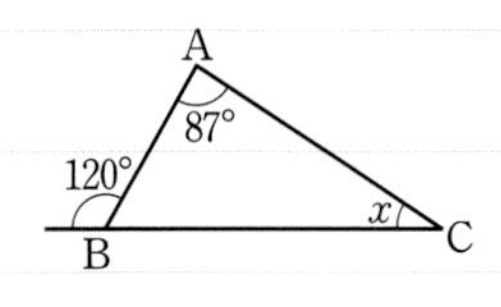

• 정답 및 풀이 11쪽

중요도 ☐ 손도 못댐 ☐ 과정 실수 ☐ 틀린 이유:

05 오른쪽 그림에서 $\angle x$의 크기를 구하면?

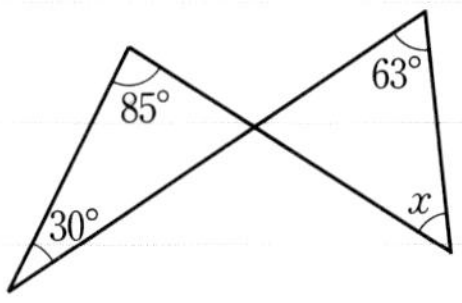

① $52°$ ② $57°$
③ $62°$ ④ $67°$
⑤ $72°$

중요도 ☐ 손도 못댐 ☐ 과정 실수 ☐ 틀린 이유:

06 십이각형에 대하여 다음을 구하여라.

(1) 한 꼭짓점에서 대각선을 그어 만들 수 있는 삼각형의 개수
(2) 십이각형의 내각의 크기의 합

중요도 ☐ 손도 못댐 ☐ 과정 실수 ☐ 틀린 이유:

07 정팔각형의 내각의 크기의 합과 한 내각의 크기를 차례로 구하여라.

중요도 ☐ 손도 못댐 ☐ 과정 실수 ☐ 틀린 이유:

08 사각형에 대하여 다음을 구하여라.

(1) 내각의 크기의 합
(2) (내각의 크기의 합)+(외각의 크기의 합)
(3) 외각의 크기의 합

시험에 꼭 나오는 문제

중요도 ☐ 손도 못댐 ☐ 과정 실수 ☐ 틀린 이유:

01 다음은 삼각형의 내각의 크기의 합이 180°임을 보이는 과정이다. 빈칸에 알맞은 것을 구하여라.

> $\triangle$ABC에서 $\overline{BC}$에 평행하고 꼭짓점 A를 지나는 직선 DE를 긋자.
> $\overline{BC} /\!/ \overleftrightarrow{DE}$이므로
> $\angle B=$ ㉠ (엇각)
> $\angle C=\angle CAE$ (㉡)
> $\therefore\ \angle A+\angle B+\angle C$
> $=\angle A+$ ㉠ $+\angle CAE$
> $=\angle DAE=$ ㉢

중요도 ☐ 손도 못댐 ☐ 과정 실수 ☐ 틀린 이유:

02 다음 그림에서 $\angle x$, $\angle y$, $\angle z$의 크기를 각각 구하여라. (단, $\overline{AB} /\!/ \overline{CE}$)

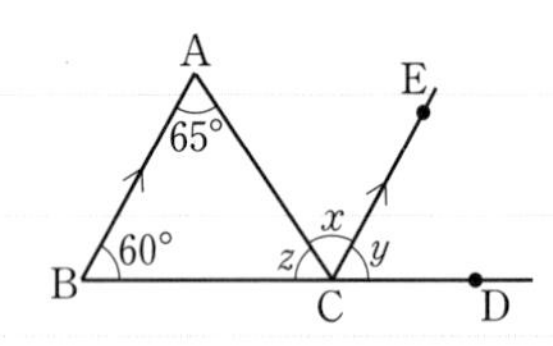

중요도 ☐ 손도 못댐 ☐ 과정 실수 ☐ 틀린 이유:

03 다음 그림에서 $\angle x$, $\angle y$의 크기를 각각 구하여라.

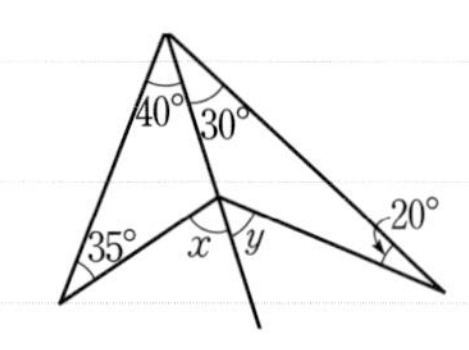

중요도 ☐ 손도 못댐 ☐ 과정 실수 ☐ 틀린 이유:

04 오른쪽 그림에서 $\angle x+\angle y$의 값을 구하면?

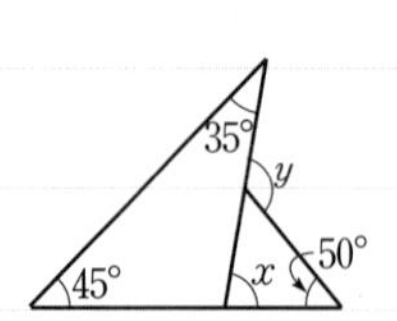

① 80° ② 100°
③ 130° ④ 180°
⑤ 210°

• 정답 및 풀이 11쪽

[05~06] 다음 그림에서 $\angle x$의 크기를 구하여라.

중요도 ☐ 손도 못댐 ☐ 과정 실수 ☐ 틀린 이유:

05

60°, 130°, x

중요도 ☐ 손도 못댐 ☐ 과정 실수 ☐ 틀린 이유:

06

$x+50°$, x, $110°$, $2x$, $x+40°$

중요도 ☐ 손도 못댐 ☐ 과정 실수 ☐ 틀린 이유:

07 내각의 크기의 합이 다음과 같은 다각형을 구하여라.

(1) $720°$

(2) $1980°$

중요도 ☐ 손도 못댐 ☐ 과정 실수 ☐ 틀린 이유:

08 정십오각형의 내각의 크기의 합과 한 내각의 크기를 차례로 구하여라.

시험에 꼭 나오는 문제

중요도 ☐ 손도 못댐 ☐ 과정 실수 ☐ 틀린 이유:

09 오른쪽 그림과 같은 오각형에서 $\angle x$의 크기를 구하면?

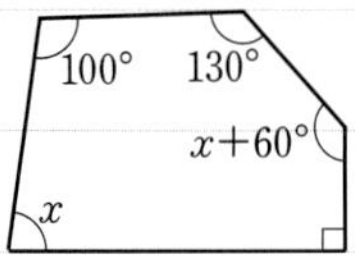

100° 130° $x+60°$ x

① 60° ② 65°
③ 70° ④ 75°
⑤ 80°

중요도 ☐ 손도 못댐 ☐ 과정 실수 ☐ 틀린 이유:

10 다음 중 내각의 크기의 합이 1440°이고, 모든 내각의 크기가 같은 다각형은?

① 정사각형 ② 정육각형 ③ 정팔각형
④ 정십각형 ⑤ 정십이각형

중요도 ☐ 손도 못댐 ☐ 과정 실수 ☐ 틀린 이유:

11 한 꼭짓점에서 그을 수 있는 대각선의 개수가 9개인 다각형의 내각의 크기의 합을 구하면?

① 1440° ② 1620° ③ 1800°
④ 1980° ⑤ 2160°

중요도 ☐ 손도 못댐 ☐ 과정 실수 ☐ 틀린 이유:

12 다음 그림에서 표시한 각들의 크기의 합을 구하여라.

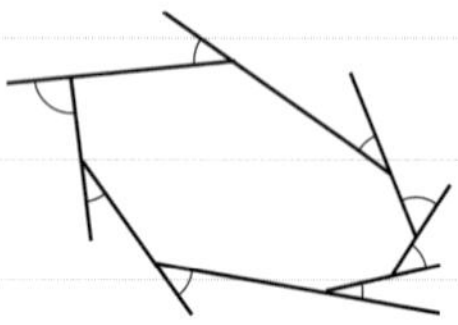

• 정답 및 풀이 11쪽

중요도 ☐ 손도 못댐 ☐ 과정 실수 ☐ 틀린 이유:

13 다음 그림에서 $\angle x$의 크기를 구하여라.

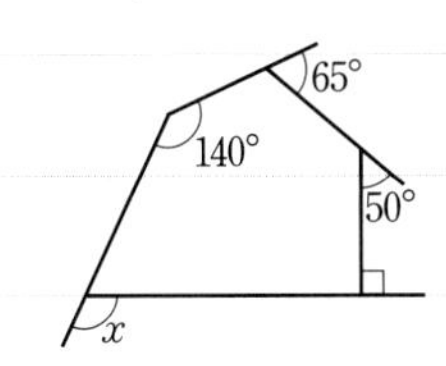

중요도 ☐ 손도 못댐 ☐ 과정 실수 ☐ 틀린 이유:

14 다음 정다각형의 한 외각의 크기를 구하고, 이를 이용하여 한 내각의 크기를 차례로 구하여라.

(1) 정삼각형
(2) 정오각형
(3) 정팔각형
(4) 정십이각형

중요도 ☐ 손도 못댐 ☐ 과정 실수 ☐ 틀린 이유:

15 다음 중 한 외각의 크기와 한 내각의 크기가 서로 같은 정다각형은?

① 정사각형 ② 정육각형 ③ 정팔각형
④ 정십각형 ⑤ 정십이각형

07 원과 부채꼴

- 부채꼴의 중심각과 호의 관계를 이해한다.
- 부채꼴의 호의 길이와 넓이를 구할 수 있다.

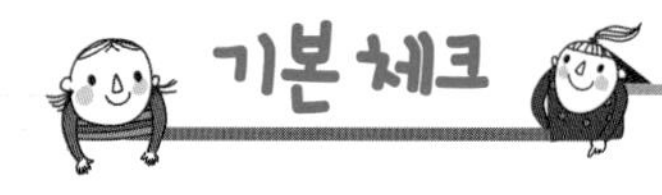

01

다음 그림에서 x의 값을 구하여라.

(1)

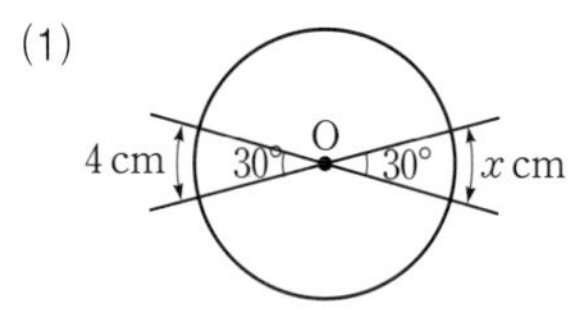

(2)

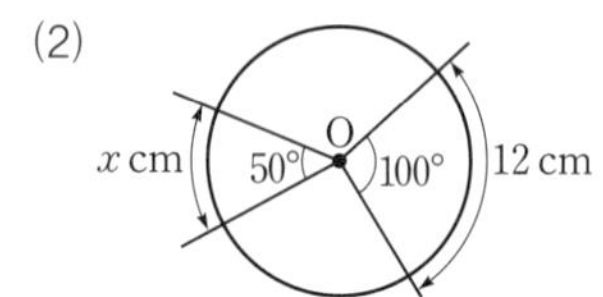

(3)

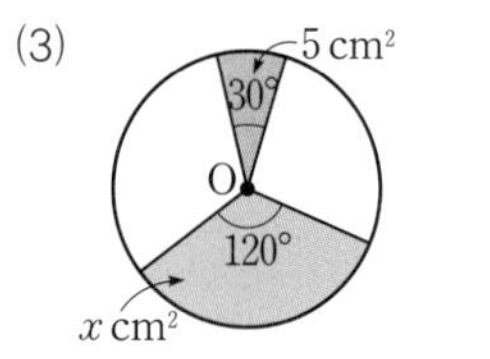

(4)

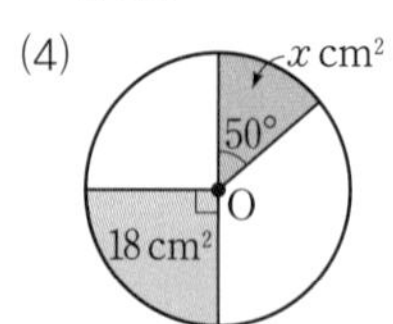

02

다음 그림에서 색칠한 부분의 둘레의 길이 l과 넓이 S를 각각 구하여라.

(1)

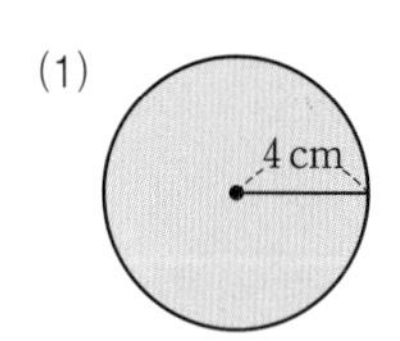

(2)

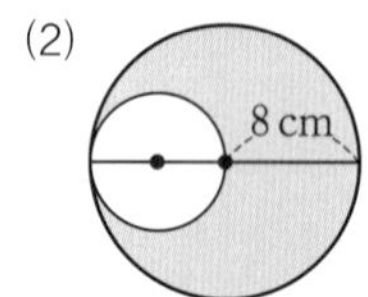

(3)

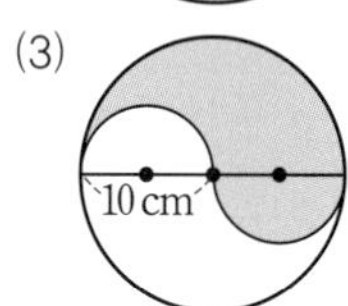

핵심 정리

원과 부채꼴

(1) 원 : 평면 위의 한 점 O로부터 일정한 거리에 있는 모든 점으로 이루어진 도형

(2) 호 : 원 위의 두 점을 양 끝으로 하는 원의 일부분

(3) 현 : 원 위의 두 점 A, B를 이은 선분

(4) 부채꼴 : 원 O에서 두 반지름 OA, OB와 호 AB로 이루어진 도형

(5) 중심각 : 부채꼴에서 두 반지름이 이루는 각

(6) 활꼴 : 원 O에서 호 AB와 현 AB로 이루어진 도형

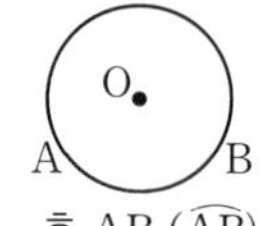

호 AB ($\widehat{AB}$)

현 AB ($\overline{AB}$)

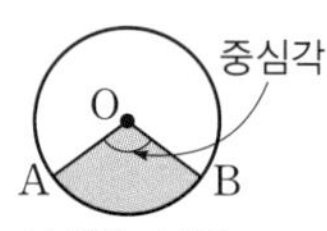

부채꼴 AOB

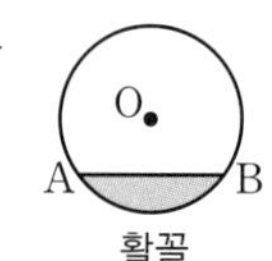

활꼴

부채꼴의 중심각의 크기와 호의 관계

한 원 또는 합동인 두 원에서

(1) 같은 크기의 중심각에 대한 호의 길이는 같다.

(2) 같은 길이의 호에 대한 중심각의 크기는 같다.

(3) 부채꼴의 호의 길이는 중심각의 크기에 정비례한다.

(4) 부채꼴의 넓이는 중심각의 크기에 정비례한다.

참고 같은 크기의 중심각에 대한 현의 길이는 같다.

주의 현의 길이는 중심각의 크기에 정비례하지 않는다.

부채꼴의 호의 길이와 넓이

(1) 원의 둘레의 길이와 넓이

반지름의 길이가 r인 원의 둘레의 길이를 l, 넓이를 S라고 하면

① $l=2\pi r$

② $S=\pi r^2$

(2) 부채꼴의 호의 길이와 넓이

반지름의 길이가 r, 중심각의 크기가 x인 부채꼴의 호의 길이를 l, 넓이를 S라고 하면

① $l=2\pi r\times\dfrac{x}{360^\circ}$

② $S=\pi r^2\times\dfrac{x}{360^\circ}$

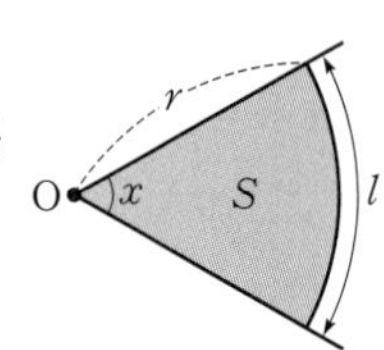

대표예제

• 정답 및 풀이 12쪽

01 다음 그림에서 x의 값을 구하여라.

(1)

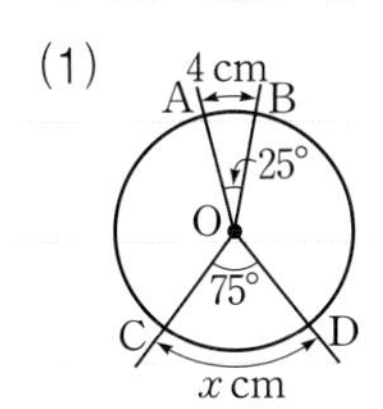

(2)

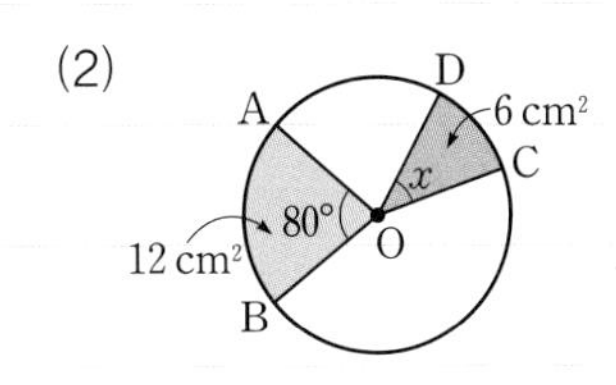

풀이 (1) 한 원에서 부채꼴의 호의 길이는 중심각의 크기에 정비례하므로

$x : 4 = 75° : \square \quad \therefore x = \square$

(2) 한 원에서 부채꼴의 넓이는 중심각의 크기에 정비례하므로

$x : 80° = 6 : \square \quad \therefore x = \square$

한 원에서 부채꼴의 호의 길이와 넓이는 중심각의 크기에 정비례한다.

02 반지름의 길이가 다음과 같은 원의 둘레의 길이 l과 넓이 S를 각각 구하여라.

(1) 2 cm (2) 6 cm

풀이 (1) $l = 2\pi \times \square = \square (\text{cm})$

$S = \pi \times \square^2 = \square (\text{cm}^2)$

(2) $l = \square \times 6 = \square (\text{cm})$

$S = \square \times 6^2 = \square (\text{cm}^2)$

반지름의 길이가 r인 원의 둘레의 길이는 $2\pi r$, 넓이는 πr^2 이다.

03 다음 부채꼴의 호의 길이 l과 넓이 S를 각각 구하여라.

(1)

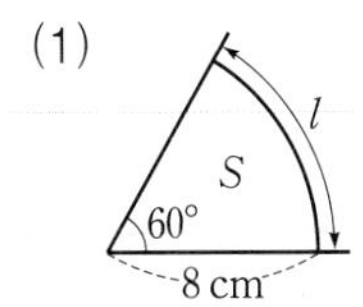

(2)

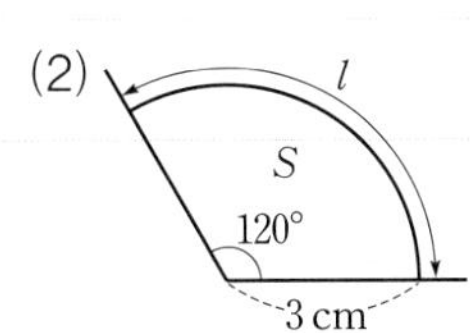

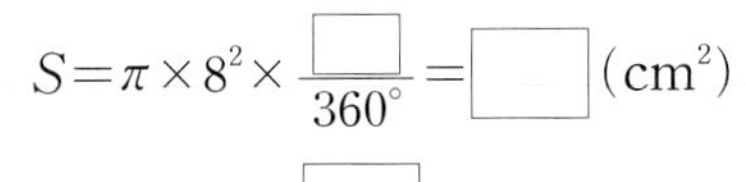

풀이 (1) $l = 2\pi \times 8 \times \dfrac{\square}{360°} = \square (\text{cm})$

$S = \pi \times 8^2 \times \dfrac{\square}{360°} = \square (\text{cm}^2)$

(2) $l = 2\pi \times 3 \times \dfrac{\square}{360°} = \square (\text{cm})$

$S = \pi \times 3^2 \times \dfrac{\square}{360°} = \square (\text{cm}^2)$

반지름의 길이가 r, 중심각의 크기가 x인 부채꼴의 호의 길이는 $2\pi r \times \dfrac{x}{360°}$, 넓이는 $\pi r^2 \times \dfrac{x}{360°}$ 이다.

부채꼴의 호의 길이와 넓이 사이의 관계

반지름의 길이가 r, 중심각의 크기가 x인 부채꼴의 호의 길이를 l, 넓이를 S라 하면

$l = 2\pi r \times \dfrac{x}{360°}$ 에서 $\dfrac{x}{360°} = \dfrac{l}{2\pi r}$ 이므로 $S = \pi r^2 \times \dfrac{x}{360°} = \pi r^2 \times \dfrac{l}{2\pi r} = \dfrac{1}{2} rl$

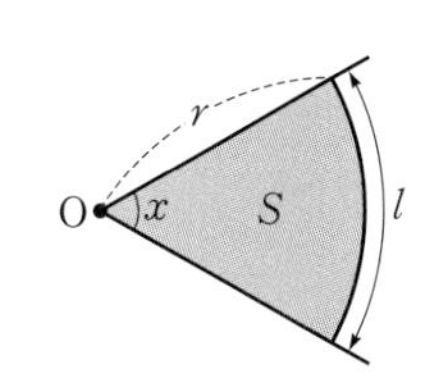

07 원과 부채꼴

어떤 교과서에나 나오는 문제

중요도 ☐ 손도 못댐 ☐ 과정 실수 ☐ 틀린 이유:

01 오른쪽 그림에서 $\overline{AC}$, $\overline{BD}$가 원 O의 지름이고 $\overline{OA}=5$ cm, $\overline{CD}=4$ cm일 때, $\overline{AB}$의 길이를 구하여라.

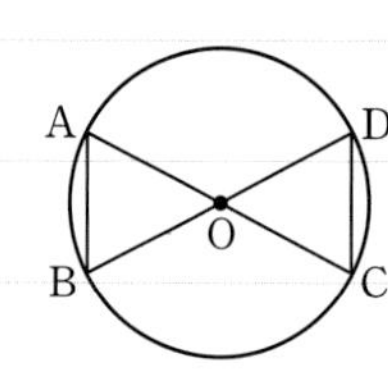

[02~03] 다음 그림에서 x의 값을 구하여라.

중요도 ☐ 손도 못댐 ☐ 과정 실수 ☐ 틀린 이유:

02

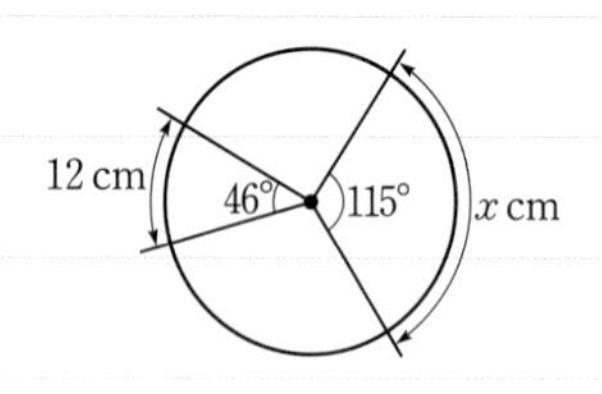

중요도 ☐ 손도 못댐 ☐ 과정 실수 ☐ 틀린 이유:

03

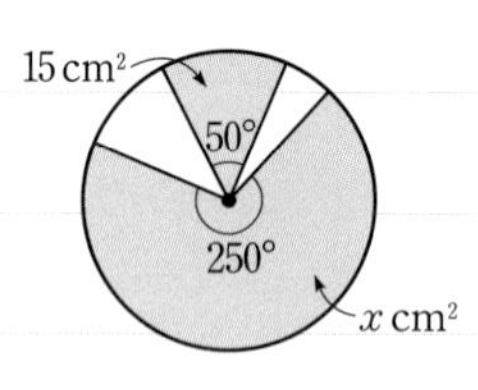

중요도 ☐ 손도 못댐 ☐ 과정 실수 ☐ 틀린 이유:

04 오른쪽 그림에서 $\angle COE$의 크기를 구하여라.

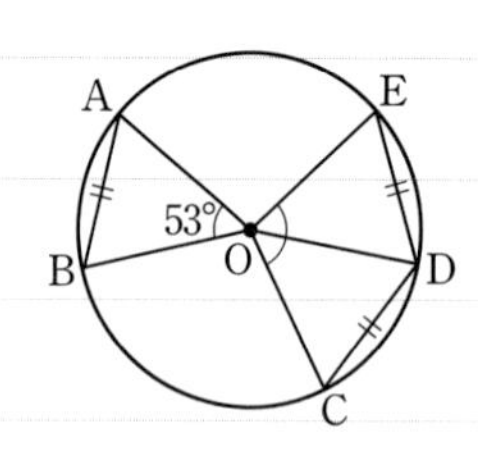

중요도 ☐ 손도 못댐 ☐ 과정 실수 ☐ 틀린 이유:

05 오른쪽 그림과 같은 원 O에서 $\overline{AD} /\!/ \overline{OC}$, $\angle COB=40°$, $\overset{\frown}{BC}=4\pi$ cm일 때, $\overset{\frown}{AD}$의 길이를 구하여라.

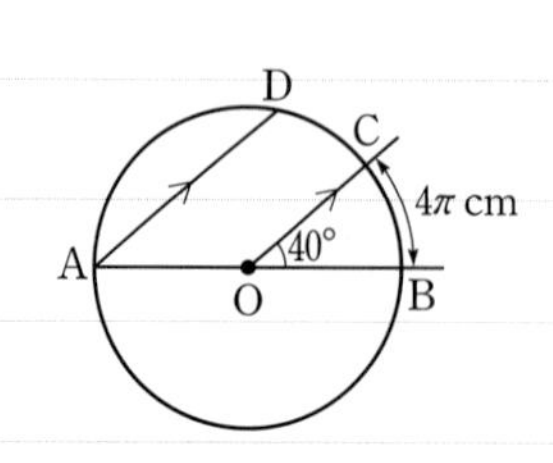

• 정답 및 풀이 12쪽

[06~07] 다음 부채꼴의 둘레의 길이 l과 넓이 S를 각각 구하여라.

중요도 ☐ 손도 못댐 ☐ 과정 실수 ☐ 틀린 이유:

06

O
12 cm

중요도 ☐ 손도 못댐 ☐ 과정 실수 ☐ 틀린 이유:

07

O
4 cm

[08~09] 다음 부채꼴의 호의 길이 l과 넓이 S를 각각 구하여라.

중요도 ☐ 손도 못댐 ☐ 과정 실수 ☐ 틀린 이유:

08

240°
6 cm

중요도 ☐ 손도 못댐 ☐ 과정 실수 ☐ 틀린 이유:

09

330°
12 cm

중요도 ☐ 손도 못댐 ☐ 과정 실수 ☐ 틀린 이유:

10 오른쪽 그림에서 색칠한 부분의 둘레의 길이와 넓이를 각각 구하여라.

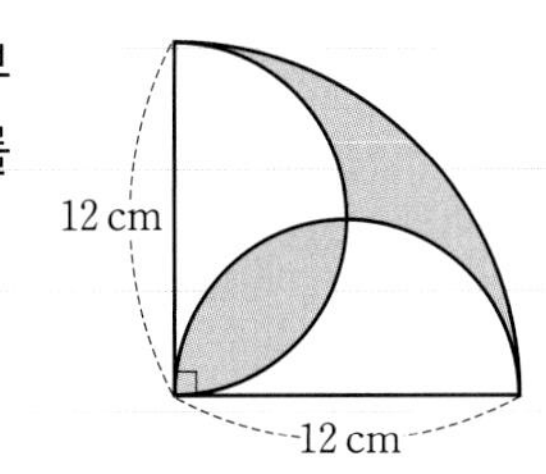

07 원과 부채꼴

시험에 꼭 나오는 문제

중요도 ☐ 손도 못댐 ☐ 과정 실수 ☐ 틀린 이유:

01 다음 설명 중 옳지 <u>않은</u> 것은?

① 평면 위의 한 점으로부터 일정한 거리에 있는 점들의 모임을 원이라고 한다.
② 원 위의 두 점을 연결한 선분을 현이라고 하며 가장 긴 현은 그 원의 지름이다.
③ 원 위의 두 점을 양 끝으로 하는 원의 일부분을 호라고 한다.
④ 원에서 두 반지름과 현으로 이루어진 도형을 부채꼴이라고 한다.
⑤ 부채꼴에서 두 반지름이 이루는 각을 중심각이라고 한다.

중요도 ☐ 손도 못댐 ☐ 과정 실수 ☐ 틀린 이유:

02 다음 그림의 원 O에서 $\widehat{AB}=6\text{ cm}$, $\widehat{CD}=9\text{ cm}$일 때, x의 값을 구하면?

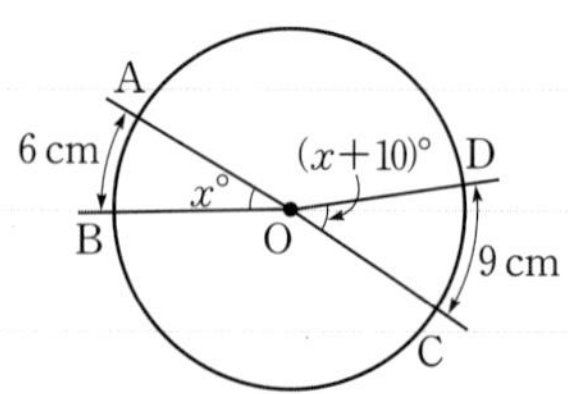

① 10　② 15　③ 20
④ 25　⑤ 30

중요도 ☐ 손도 못댐 ☐ 과정 실수 ☐ 틀린 이유:

03 오른쪽 그림과 같이 원 O에서 $\widehat{AB}:\widehat{BCD}:\widehat{DA}=1:3:2$일 때, $\angle AOD$의 크기를 구하여라.

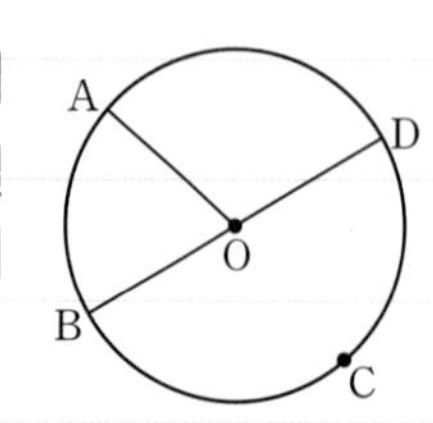

• 정답 및 풀이 13쪽

중요도 ☐ 손도 못댐 ☐ 과정 실수 ☐ 틀린 이유:

04 오른쪽 그림과 같이 원 O에서 $\overline{AB}$가 지름이고, $\overline{AD} /\!/ \overline{OC}$, $\overline{BC}=3$ cm일 때, $\overline{CD}$의 길이를 구하면?

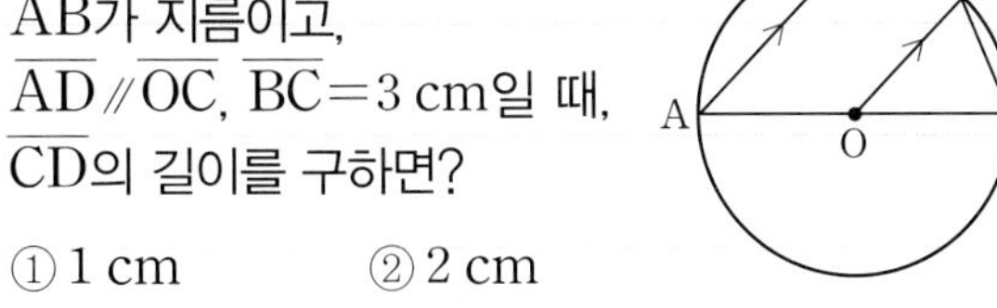

① 1 cm ② 2 cm
③ 3 cm ④ 4 cm
⑤ 5 cm

중요도 ☐ 손도 못댐 ☐ 과정 실수 ☐ 틀린 이유:

05 오른쪽 그림에 대한 설명 중 옳지 않은 것은?

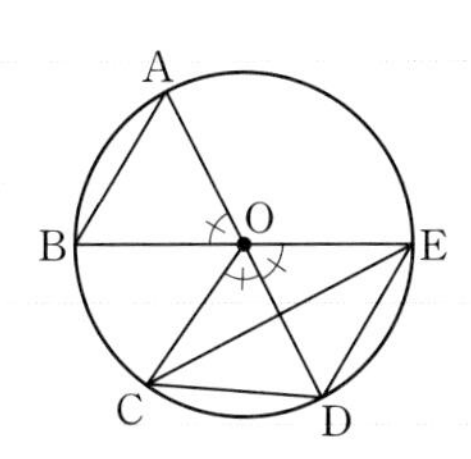

① $\widehat{AB}=\widehat{CD}$
② $\overline{AB}=\overline{DE}$
③ $\angle OAB=\angle OBA$
④ $\overline{CE}=2\overline{AB}$
⑤ $\widehat{CE}=2\widehat{AB}$

중요도 ☐ 손도 못댐 ☐ 과정 실수 ☐ 틀린 이유:

06 다음 그림과 같은 원 O에서 $\overline{AB} /\!/ \overline{DC}$, $\angle AOD=50°$이고 부채꼴 AOD의 넓이가 3π cm^{2}일 때, 부채꼴 DOC의 넓이를 구하여라.

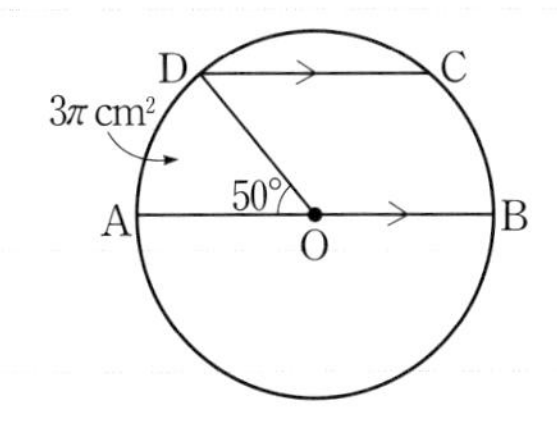

중요도 ☐ 손도 못댐 ☐ 과정 실수 ☐ 틀린 이유:

07 원 O의 둘레의 길이가 18π cm일 때, 다음을 구하여라.

(1) 원 O의 반지름의 길이
(2) 원 O의 넓이

시험에 꼭 나오는 문제

중요도 ☐ 손도 못댐 ☐ 과정 실수 ☐ 틀린 이유:

08 원 O의 넓이가 $49\pi\ \text{cm}^2$일 때, 이 원의 둘레의 길이를 구하여라.

중요도 ☐ 손도 못댐 ☐ 과정 실수 ☐ 틀린 이유:

09 반지름의 길이가 $6\ \text{cm}$인 부채꼴의 넓이가 $12\pi\ \text{cm}^2$일 때, 다음을 구하여라.

(1) 부채꼴의 중심각의 크기

(2) 부채꼴의 호의 길이

중요도 ☐ 손도 못댐 ☐ 과정 실수 ☐ 틀린 이유:

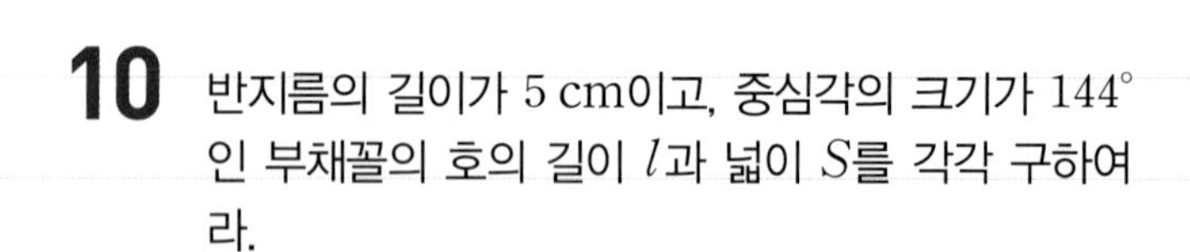

10 반지름의 길이가 $5\ \text{cm}$이고, 중심각의 크기가 $144°$인 부채꼴의 호의 길이 l과 넓이 S를 각각 구하여라.

중요도 ☐ 손도 못댐 ☐ 과정 실수 ☐ 틀린 이유:

11 오른쪽 그림에서 색칠한 부분의 넓이를 구하면?

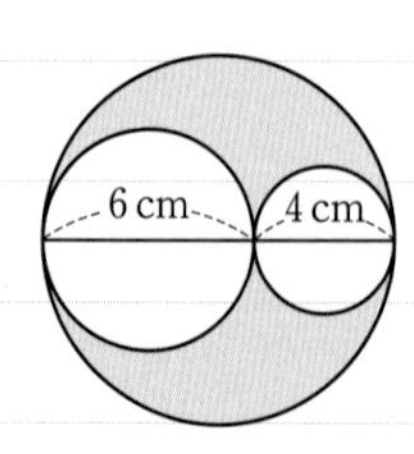

① $4\pi\ \text{cm}^2$　② $9\pi\ \text{cm}^2$
③ $12\pi\ \text{cm}^2$　④ $16\pi\ \text{cm}^2$
⑤ $36\pi\ \text{cm}^2$

• 정답 및 풀이 13쪽

중요도 ☐ 손도 못댐 ☐ 과정 실수 ☐ 틀린 이유:

12 다음 그림에서 색칠한 부분의 넓이를 구하면?

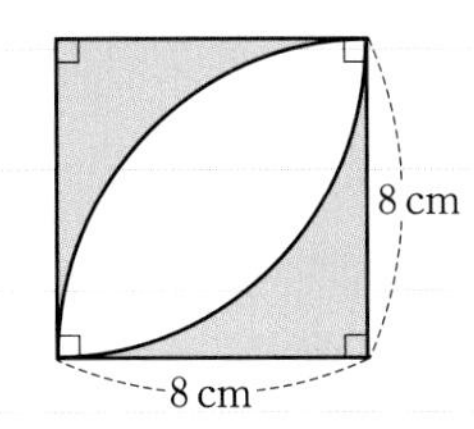

① $(16-4\pi)\text{cm}^2$ ② $(32-8\pi)\text{cm}^2$
③ $(64-16\pi)\text{cm}^2$ ④ $(128-32\pi)\text{cm}^2$
⑤ $(256-64\pi)\text{cm}^2$

중요도 ☐ 손도 못댐 ☐ 과정 실수 ☐ 틀린 이유:

13 다음 그림에서 색칠한 부분의 둘레의 길이를 구하면?

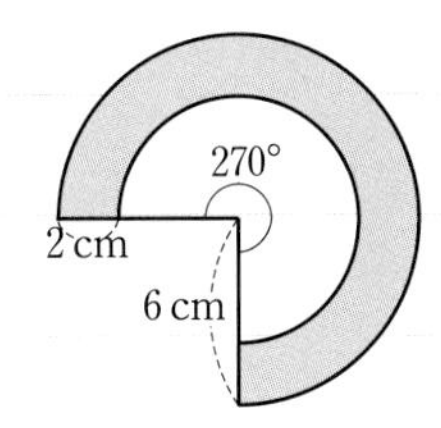

① $(12\pi+4)$cm ② $(15\pi+2)$cm
③ $(15\pi+4)$cm ④ $(16\pi+2)$cm
⑤ $(20\pi+4)$cm

중요도 ☐ 손도 못댐 ☐ 과정 실수 ☐ 틀린 이유:

14 반지름의 길이가 3 cm인 부채꼴의 호의 길이가 다음과 같을 때, 부채꼴의 넓이를 구하여라.

(1) 2π cm
(2) 5π cm

단원종합문제 [05~07]

01

중요도 ☐ 손도 못댐 ☐ 과정 실수 ☐ 틀린 이유:

다음 〈보기〉 중 다각형인 것의 개수를 구하면?

보기

(a) 각기둥	(b) 팔각형	(c) 정사면체	(d) 원
(e) 부채꼴	(f) 정삼각형	(g) 활꼴	(h) 구

① 0　② 2　③ 4
④ 6　⑤ 8

02

중요도 ☐ 손도 못댐 ☐ 과정 실수 ☐ 틀린 이유:

오른쪽 그림에서 $\angle x$의 크기를 구하면?

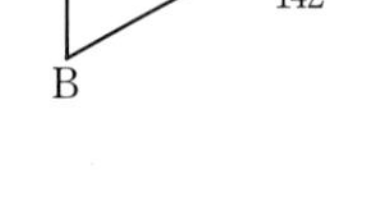

① 28°　② 32°
③ 38°　④ 42°
⑤ 48°

03

중요도 ☐ 손도 못댐 ☐ 과정 실수 ☐ 틀린 이유:

오른쪽 그림에서 $\angle x + \angle y$의 크기를 구하면?

① 110°　② 132°
③ 148°　④ 168°
⑤ 192°

04

중요도 ☐ 손도 못댐 ☐ 과정 실수 ☐ 틀린 이유:

다음 중 옳지 <u>않은</u> 것은?

① 정다각형의 변의 개수와 꼭짓점의 개수는 항상 같다.
② 세 내각의 크기가 같은 삼각형은 정삼각형이다.
③ 다각형의 한 꼭짓점에서 내각의 크기와 외각의 크기의 합은 180°이다.
④ 모든 변의 길이가 같은 다각형을 정다각형이라고 한다.
⑤ 삼각형에서 변의 길이가 모두 같으면 내각의 크기도 모두 같다.

05

중요도 ☐ 손도 못댐 ☐ 과정 실수 ☐ 틀린 이유:

오른쪽 그림에서 $\angle x + \angle y + \angle z$의 크기를 구하면?

① 160°　② 180°
③ 200°　④ 220°
⑤ 240°

06

중요도 ☐ 손도 못댐 ☐ 과정 실수 ☐ 틀린 이유:

다음 다각형에 대한 설명 중 옳지 <u>않은</u> 것은?

① 오각형의 대각선의 총 개수는 5개이다.
② 정다각형의 외각의 크기는 모두 같다.
③ 변의 길이가 모두 같은 사각형을 정사각형이라고 한다.
④ 정오각형의 대각선의 길이는 모두 같다.
⑤ n각형의 대각선의 총 개수는 $\frac{n(n-3)}{2}$개이다.

07

중요도 ☐ 손도 못댐 ☐ 과정 실수 ☐ 틀린 이유:

오른쪽 그림에서 $\overline{AD}$가 $\angle A$의 이등분선일 때, $\angle x$의 크기를 구하여라.

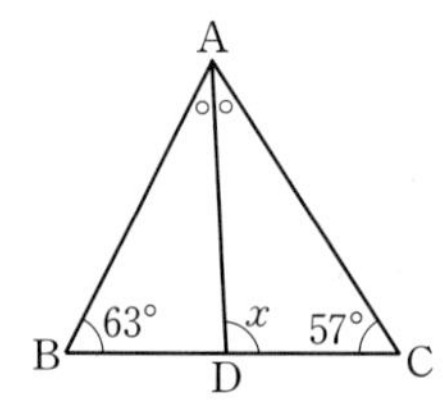

• 정답 및 풀이 14쪽

08 중요도 ☐ 손도 못댐 ☐ 과정 실수 ☐ 틀린 이유:

오른쪽 그림과 같은 $\triangle ABC$에서 $\angle x$의 크기를 구하면?

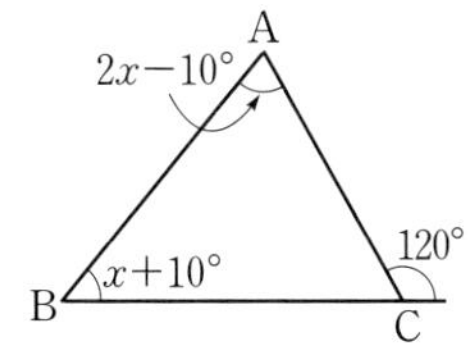

① 25° ② 30°
③ 35° ④ 40°
⑤ 45°

09 중요도 ☐ 손도 못댐 ☐ 과정 실수 ☐ 틀린 이유:

오른쪽 그림에서 $\angle a+\angle b+\angle c+\angle d+\angle e$의 크기를 구하면?

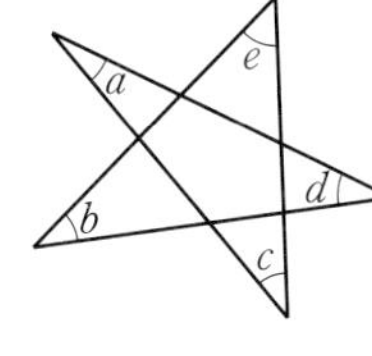

① 160° ② 170°
③ 180° ④ 190°
⑤ 200°

10 중요도 ☐ 손도 못댐 ☐ 과정 실수 ☐ 틀린 이유:

오른쪽 그림에서 $\angle x$의 크기를 구하면?

① 45° ② 50°
③ 55° ④ 60°
⑤ 65°

11 중요도 ☐ 손도 못댐 ☐ 과정 실수 ☐ 틀린 이유:

내각의 크기의 합이 1080°인 다각형은?

① 칠각형 ② 팔각형 ③ 구각형
④ 십각형 ⑤ 십일각형

12 중요도 ☐ 손도 못댐 ☐ 과정 실수 ☐ 틀린 이유:

한 내각의 크기와 한 외각의 크기의 비가 $8:1$인 정다각형에 대하여 다음을 구하여라.

(1) 한 외각의 크기
(2) 정다각형
(3) 대각선의 총 개수

13 중요도 ☐ 손도 못댐 ☐ 과정 실수 ☐ 틀린 이유:

다각형의 한 꼭짓점에서 그은 대각선의 개수가 10개일 때, 다음을 구하여라.

(1) 꼭짓점의 개수
(2) 대각선의 총 개수

14 중요도 ☐ 손도 못댐 ☐ 과정 실수 ☐ 틀린 이유:

어떤 다각형의 한 꼭짓점에서 그을 수 있는 대각선의 개수가 x개이고, 이때 생기는 삼각형의 개수가 y개라 하자. $x+y=15$일 때, 이 다각형의 대각선의 총 개수를 구하여라.

단원종합문제 [05~07]

15

중요도 ☐ 손도 못댐 ☐ 과정 실수 ☐ 틀린 이유:

다음 그림과 같은 오각형 ABCDE에서 ∠C와 ∠D의 이등분선의 교점을 P라고 할 때, ∠CPD의 크기를 구하여라.

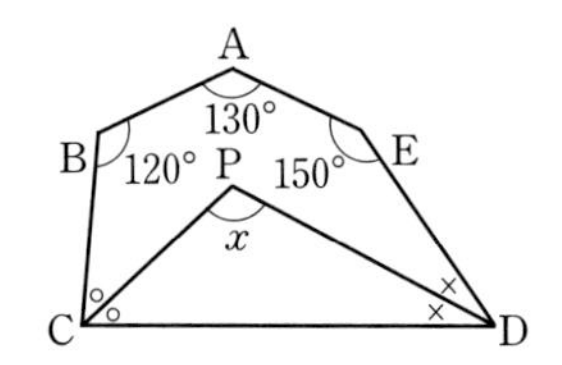

16

중요도 ☐ 손도 못댐 ☐ 과정 실수 ☐ 틀린 이유:

한 원에서 다음 설명 중 옳지 않은 것은?

① 중심각의 크기가 같으면 현의 길이는 같다.
② 호의 길이는 중심각의 크기에 정비례한다.
③ 현의 길이는 중심각의 크기에 정비례한다.
④ 부채꼴의 넓이는 중심각의 크기에 정비례한다.
⑤ 호의 길이가 같으면 중심각의 크기는 같다.

17

중요도 ☐ 손도 못댐 ☐ 과정 실수 ☐ 틀린 이유:

오른쪽 그림에서 ∠AOB=∠COD=∠DOE라고 할 때, 다음 중 옳지 않은 것은?

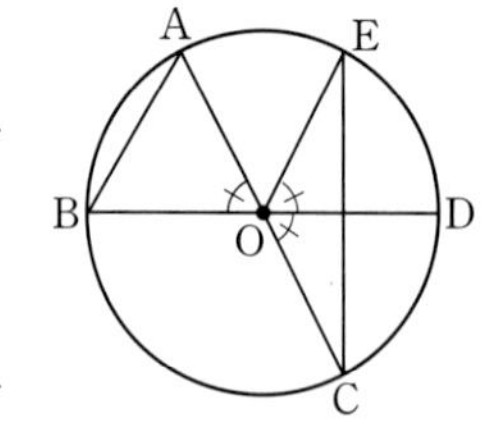

① $\widehat{AB}=\widehat{CD}=\widehat{DE}$
② 부채꼴 COE의 넓이는 부채꼴 AOB넓이의 2배이다.
③ $\overline{CE}=2\overline{AB}$
④ $\overline{AB}=\overline{CD}=\overline{DE}$
⑤ $\overline{OA}=\overline{OC}=\overline{OE}$

18

중요도 ☐ 손도 못댐 ☐ 과정 실수 ☐ 틀린 이유:

오른쪽 그림과 같이 원 O에서 $\overline{OA}=\overline{AB}$, ∠COD=90°이다. $\widehat{AB}=16\pi$ cm일 때, $\widehat{CD}$의 길이를 구하면?

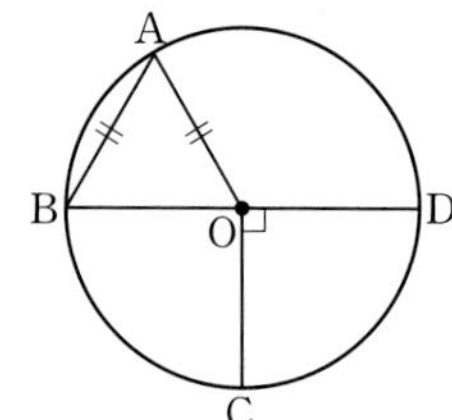

① 24π cm ② 26π cm
③ 28π cm ④ 30π cm
⑤ 32π cm

19

중요도 ☐ 손도 못댐 ☐ 과정 실수 ☐ 틀린 이유:

오른쪽 그림에서 x, y의 값을 각각 구하면?

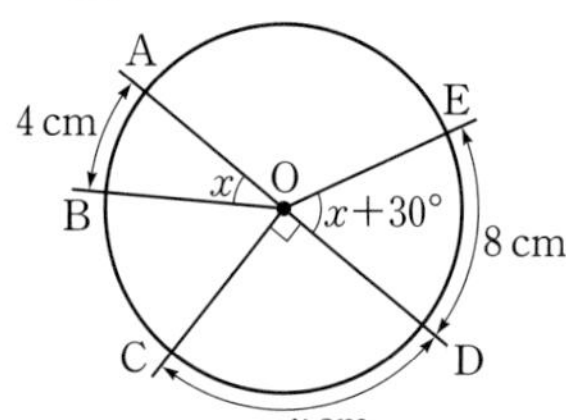

① $x=20°$, $y=12$ cm
② $x=20°$, $y=18$ cm
③ $x=30°$, $y=12$ cm
④ $x=30°$, $y=18$ cm
⑤ $x=40°$, $y=9$ cm

20

중요도 ☐ 손도 못댐 ☐ 과정 실수 ☐ 틀린 이유:

오른쪽 그림과 같은 원 O에서 $\overline{AD}/\!/\overline{OC}$, ∠COB=30°, $\widehat{BC}=5\pi$ cm일 때, $\widehat{AD}$의 길이를 구하여라.

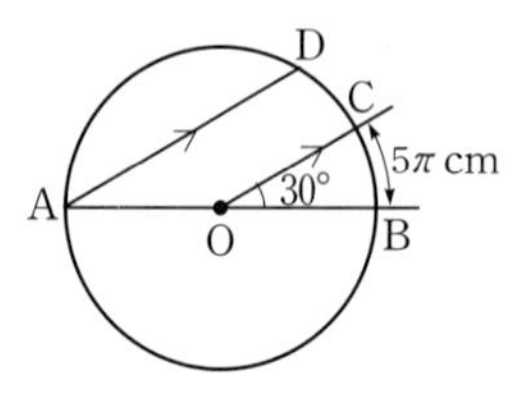

21 중요도 ☐ 손도 못댐 ☐ 과정 실수 ☐ 틀린 이유:

다음 그림에서 색칠한 부분의 넓이를 구하여라.

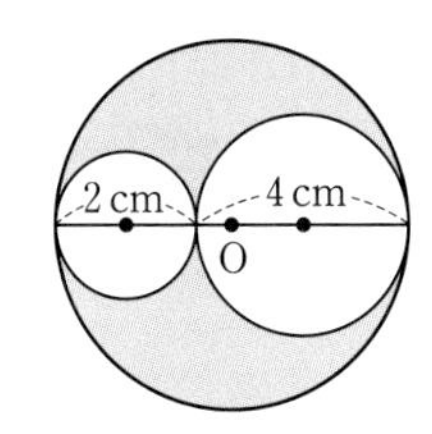

22 중요도 ☐ 손도 못댐 ☐ 과정 실수 ☐ 틀린 이유:

오른쪽 그림과 같이 원 O의 지름 AB와 현 DC가 평행하고, $\angle DOC=120°$, $\widehat{AD}=5$ cm일 때, 원 O의 둘레의 길이를 구하면?

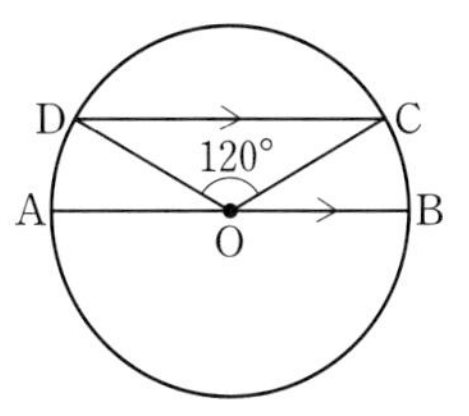

① 30 cm ② 40 cm
③ 50 cm ④ 60 cm
⑤ 70 cm

23 중요도 ☐ 손도 못댐 ☐ 과정 실수 ☐ 틀린 이유:

오른쪽 그림에서 색칠한 부분의 둘레의 길이를 구하여라.

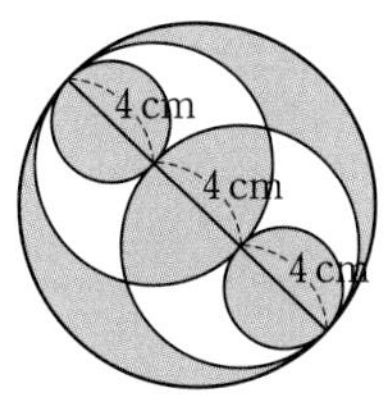

24 중요도 ☐ 손도 못댐 ☐ 과정 실수 ☐ 틀린 이유:

다음 그림과 같이 세 변의 길이가 각각 5 cm, 12 cm, 13 cm인 직각삼각형의 세 변에서 반원을 그릴 때, 색칠한 부분의 넓이를 구하면?

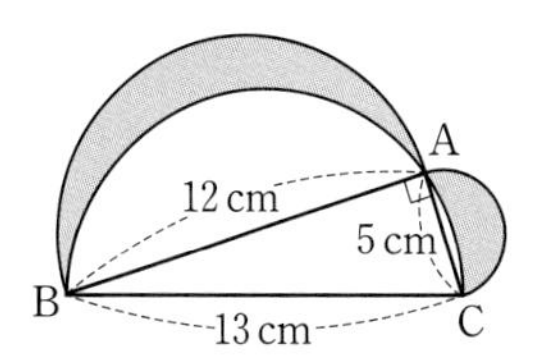

① 10 cm^2 ② 20 cm^2 ③ 30 cm^2
④ 40 cm^2 ⑤ 50 cm^2

25 중요도 ☐ 손도 못댐 ☐ 과정 실수 ☐ 틀린 이유:

반지름의 길이가 6 cm이고 중심각의 크기가 300°인 부채꼴의 호의 길이 l과 넓이 S를 각각 구하면?

① $l=10\pi$ cm, $S=30\pi$ cm^2
② $l=10\pi$ cm, $S=36\pi$ cm^2
③ $l=12\pi$ cm, $S=24\pi$ cm^2
④ $l=12\pi$ cm, $S=36\pi$ cm^2
⑤ $l=15\pi$ cm, $S=30\pi$ cm^2

26 중요도 ☐ 손도 못댐 ☐ 과정 실수 ☐ 틀린 이유:

반지름의 길이가 6 cm, 넓이가 9π cm^2인 부채꼴의 호의 길이를 구하여라.

08 다면체

학습목표 • 다면체의 뜻을 알고, 그 성질을 이해한다.

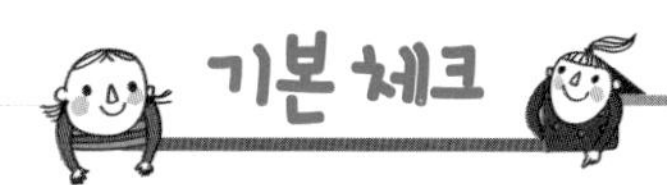

01

다음 다면체의 면, 꼭짓점, 모서리의 개수를 차례로 구하여라.

(1) 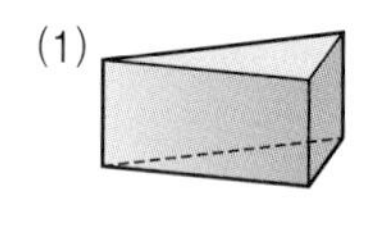

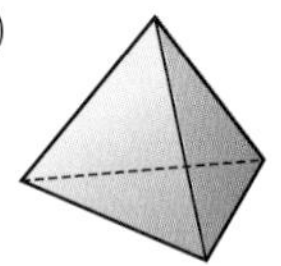

(3) 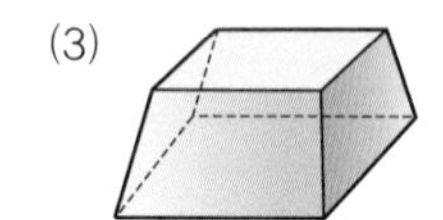

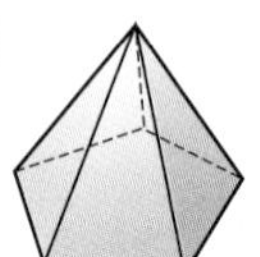

02

다음 조건을 만족하는 정다면체를 모두 구하여라.

(1) 면의 모양이 사각형인 정다면체
(2) 면의 모양이 오각형인 정다면체
(3) 면의 모양이 삼각형인 정다면체

핵심 정리

다면체

(1) 다면체 : 다각형인 면으로만 둘러싸인 입체도형

주의 원뿔, 원기둥과 같이 다각형이 아닌 곡면으로 둘러싸인 입체도형은 다면체가 아니다.

(2) 각뿔 : 밑면이 다각형이고, 옆면이 모두 삼각형인 다면체

(3) 각뿔대 : 각뿔을 밑면에 평행한 평면으로 잘라서 생기는 두 입체도형 중 각뿔이 아닌 쪽의 다면체

참고 각뿔대의 밑면은 다각형이고 옆면은 사다리꼴이다.

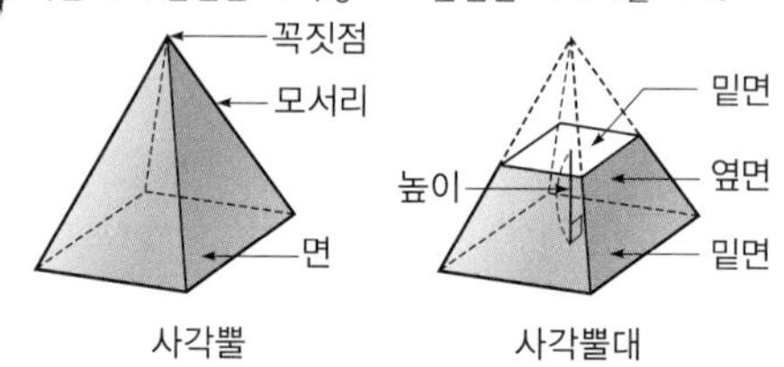

정다면체

(1) 정다면체 : 모든 면이 합동인 정다각형이고, 각 꼭짓점에 모인 면의 개수가 모두 같은 다면체

(2) 정다면체의 종류는 다음의 5가지뿐이다.

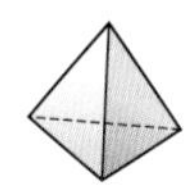
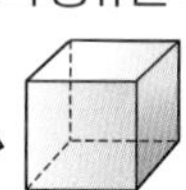
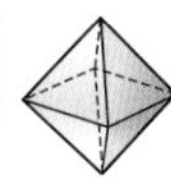
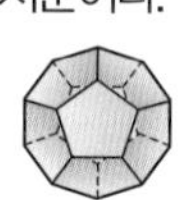
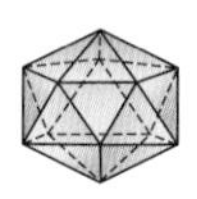

정사면체 정육면체 정팔면체 정십이면체 정이십면체

참고 정다면체의 전개도

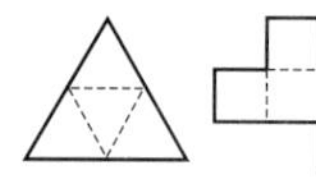
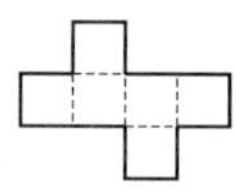
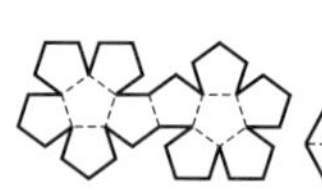
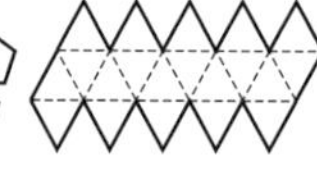
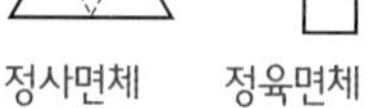
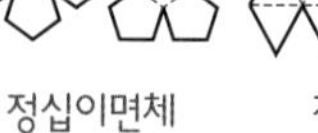

정사면체 정육면체 정팔면체 정십이면체 정이십면체

• 정답 및 풀이 16쪽

01 다음 중 면의 개수가 가장 많은 다면체를 골라라.

① 사각기둥	② 정육면체	③ 원기둥
④ 십이면체	⑤ 원뿔	⑥ 오각뿔

풀이 곡면과 평면으로 둘러 싸여 있는 것으로 다면체가 아닌 것은 ☐
다면체의 면의 개수를 각각 구해보면 ① 6개, ☐
따라서 면의 개수가 가장 많은 다면체는 ☐이다.

다각형인 면으로만 둘러싸인 입체도형을 다면체라고 한다.

02 어떤 각뿔대의 모서리와 면의 개수의 차가 22일 때, 다음을 구하여라.

(1) 각뿔대의 밑면의 모양
(2) 각뿔대의 꼭짓점의 개수

풀이 (1) n각뿔대의 모서리의 개수는 $3n$, 면의 개수는 $n+2$이므로
$3n-(n+2)=22$
$\therefore n=$☐
따라서 각뿔대의 밑면의 모양은 ☐이다.
(2) n각뿔대의 꼭짓점의 개수는 $2n$이므로
(꼭짓점의 개수)$=2\times$☐$=$☐

각뿔대 : 각뿔을 밑면에 평행한 평면으로 자를 때 생기는 두 입체도형 중에서 각뿔이 아닌 쪽의 다면체
n각뿔대
- 모서리의 개수 : $3n$
- 면의 개수 : $n+2$
- 꼭짓점의 개수 : $2n$

03 다음 조건을 모두 만족하는 입체도형을 구하여라.

(가) 모든 면이 합동인 정삼각형이다.
(나) 한 꼭짓점에 모이는 면의 개수는 4개로 같다.

풀이 모든 면이 합동이고 한 꼭짓점에 모이는 면의 개수가 같은 다면체는 ☐이다.
또, 면의 모양이 정삼각형인 것은 ☐이고, 이 중 한 꼭짓점에 모이는 면의 개수가 4개인 것은 ☐이다.

각 면이 정삼각형일 때 한 꼭짓점에 모인 면이 3개, 4개, 5개인 정다면체는 정사면체, 정팔면체, 정이십면체이다.

04 정십이면체의 꼭짓점의 개수를 v, 모서리의 개수를 e, 면의 개수를 f라 할 때, $v-e+f$를 구하여라.

풀이 정십이면체의 꼭짓점은 20개, 모서리는 ☐개, 면은 ☐개이므로
$v-e+f=20-$☐$+$☐$=$☐

※ 오일러의 다면체 정리
다면체의 꼭짓점의 개수를 v, 모서리의 개수를 e, 면의 개수를 f라고 하면
$v-e+f=2$가 성립한다.

다면체의 이름, 정다면체의 종류

- **다면체의 이름**: 사면체, 오면체, 육면체, …는 다면체를 면의 개수에 따라 분류한 것이고, 각기둥, 각뿔, 각뿔대는 다면체를 그 모양에 따라 분류한 것이다. 이렇듯 한 다면체를 여러 가지로 부를 수 있다.
- **정다면체의 종류**: 입체도형이 되려면 한 꼭짓점에서 3개 이상의 면이 만나야 하고, 모인 각의 크기의 합이 360°보다 작아야 하므로 정다면체의 면을 이루는 다각형은 정삼각형, 정사각형, 정오각형뿐이다. 따라서 정다면체는 정사면체, 정육면체, 정팔면체, 정십이면체, 정이십면체의 5가지뿐이다.

08 다면체

어떤 교과서에나 나오는 문제

중요도 ☐ 손도 못댐 ☐ 과정 실수 ☐ 틀린 이유:

01 다음 입체도형 중 다면체인 것을 모두 고르면? (정답 2개)

① ② ③ ④ ⑤

중요도 ☐ 손도 못댐 ☐ 과정 실수 ☐ 틀린 이유:

02 다음 중 면의 개수가 가장 적은 다면체는?

① 오각뿔 ② 사각기둥 ③ 오각뿔대
④ 오면체 ⑤ 사각뿔대

중요도 ☐ 손도 못댐 ☐ 과정 실수 ☐ 틀린 이유:

03 다음 중 모서리의 개수가 10개인 다면체는?

① 사각기둥 ② 오각뿔 ③ 육각뿔대
④ 칠각뿔 ⑤ 팔각기둥

중요도 ☐ 손도 못댐 ☐ 과정 실수 ☐ 틀린 이유:

04 다음 조건을 모두 만족하는 입체도형을 구하여라.

(가) 다면체이다.
(나) 두 밑면은 합동인 칠각형이고, 서로 평행하다.
(다) 옆면의 모양은 직사각형이다.

• 정답 및 풀이 16쪽

중요도 □ 손도 못댐 □ 과정 실수 □ 틀린 이유:

05 다음 문장에 대하여 옳은 것은 ○표, 틀린 것은 ×표를 하여라.

(1) 사각뿔은 오면체이다. ( )

(2) 육각뿔대의 두 밑면은 평행하고 옆면은 육각형이다. ( )

(3) 칠각뿔대의 옆면은 사다리꼴이다. ( )

(4) 사각기둥과 사각뿔대는 같다. ( )

중요도 □ 손도 못댐 □ 과정 실수 □ 틀린 이유:

06 다음의 정다면체 중에 모든 면이 정삼각형이 아닌 것을 모두 고르면? (정답 2개)

① 정사면체 ② 정육면체 ③ 정팔면체
④ 정십이면체 ⑤ 정이십면체

중요도 □ 손도 못댐 □ 과정 실수 □ 틀린 이유:

07 오른쪽 그림의 전개도를 접어서 만든 정다면체에 대하여 다음을 구하여라.

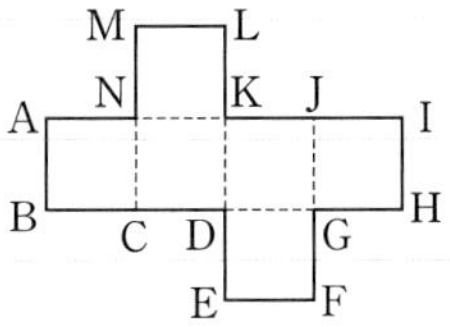

(1) 정다면체의 이름

(2) 점 B와 겹쳐지는 꼭짓점

(3) 면 ABCN과 평행한 면

(4) 면의 개수, 꼭짓점의 개수, 모서리의 개수

중요도 □ 손도 못댐 □ 과정 실수 □ 틀린 이유:

08 오른쪽 그림과 같은 전개도로 정사면체를 만들 때, 모서리 AC와 꼬인 위치에 있는 모서리는?

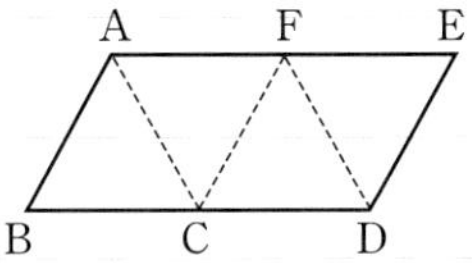

① $\overline{AE}$ ② $\overline{ED}$ ③ $\overline{CD}$
④ $\overline{DF}$ ⑤ $\overline{EF}$

중요도 □ 손도 못댐 □ 과정 실수 □ 틀린 이유:

09 정육면체의 각 면의 한가운데 있는 점을 연결할 때 만들어지는 정다면체는?

① 정사면체 ② 정육면체 ③ 정팔면체
④ 정십이면체 ⑤ 정이십면체

시험에 꼭 나오는 문제

중요도 ☐ 손도 못댐 ☐ 과정 실수 ☐ 틀린 이유:

01 다음 〈보기〉 중에서 다면체인 것을 모두 고른 것은?

보기		
㉠ 사면체	㉡ 원기둥	㉢ 정육면체
㉣ 원뿔	㉤ 칠각뿔대	㉥ 구

① ㉠, ㉢, ㉤　② ㉠, ㉢, ㉣　③ ㉡, ㉣, ㉥
④ ㉡, ㉤, ㉥　⑤ ㉢, ㉤, ㉥

중요도 ☐ 손도 못댐 ☐ 과정 실수 ☐ 틀린 이유:

02 다음 중 다면체와 그 꼭짓점의 개수가 바르게 짝지어지지 않은 것은?

① 사각기둥 : 6개　② 오각기둥 : 10개
③ 육각뿔 : 7개　④ 칠각뿔대 : 14개
⑤ 팔각뿔대 : 16개

중요도 ☐ 손도 못댐 ☐ 과정 실수 ☐ 틀린 이유:

03 오른쪽 입체도형을 보고 물음에 답하여라.

(1) 면, 꼭짓점, 모서리의 개수를 각각 구하여라.
(2) 옆면, 밑면의 모양을 각각 말하여라.
(3) 입체도형의 이름을 말하여라.

중요도 ☐ 손도 못댐 ☐ 과정 실수 ☐ 틀린 이유:

04 다음 중 팔면체인 것을 모두 고르면? (정답 2개)

① 사각뿔　② 오각뿔대　③ 육각기둥
④ 칠각뿔　⑤ 팔각기둥

• 정답 및 풀이 17쪽

중요도 ☐ 손도 못댐 ☐ 과정 실수 ☐ 틀린 이유:

05 다음 중 육각뿔대에 대한 설명으로 옳지 않은 것은?

① 면이 모두 8개인 팔면체이다.
② 두 밑면은 서로 평행하고 합동인 육각형이다.
③ 꼭짓점은 12개이다.
④ 모서리의 개수는 18개이다.
⑤ 옆면은 사다리꼴이다.

중요도 ☐ 손도 못댐 ☐ 과정 실수 ☐ 틀린 이유:

06 다음 중 오른쪽 그림의 다면체와 면의 개수가 같은 것은?

① 오각뿔대 ② 육면체
③ 팔각뿔 ④ 구각기둥
⑤ 정십이면체

중요도 ☐ 손도 못댐 ☐ 과정 실수 ☐ 틀린 이유:

07 다음의 다면체 중 꼭짓점의 개수가 다른 것을 고르면?

① 삼각기둥 ② 오각뿔 ③ 삼각뿔대
④ 사각기둥 ⑤ 정팔면체

중요도 ☐ 손도 못댐 ☐ 과정 실수 ☐ 틀린 이유:

08 면의 개수가 10개인 각뿔의 모서리의 개수를 x개, 꼭짓점의 개수를 y개라고 할 때, $x+y$의 값을 구하여라.

시험에 꼭 나오는 문제

중요도 ☐ 손도 못댐 ☐ 과정 실수 ☐ 틀린 이유:

09 다음 조건을 만족하는 입체도형을 구하여라.

(가) 밑면은 구각형이고 서로 합동이 아니다.
(나) 밑면이 2개이고 서로 평행하다.
(다) 옆면은 사다리꼴이다.

중요도 ☐ 손도 못댐 ☐ 과정 실수 ☐ 틀린 이유:

10 다음 설명 중 옳지 않은 것은?

① 오각뿔은 육면체이다.
② 오각뿔의 밑면에 평행하게 자른 단면은 오각형이다.
③ 오각기둥의 두 밑면은 서로 합동이다.
④ 오각기둥의 옆면은 모두 직사각형이다.
⑤ 오각뿔과 오각기둥의 모서리의 개수의 비는 3 : 2 이다.

중요도 ☐ 손도 못댐 ☐ 과정 실수 ☐ 틀린 이유:

11 다음 문장에 대하여 옳은 것은 ○표, 틀린 것은 ×표를 하여라.

(1) 정다면체의 각 꼭짓점에 모인 면의 개수는 모두 같다. ( )
(2) 정다면체는 각 면이 합동인 정다각형으로 이루어져 있다. ( )
(3) 정다면체의 종류는 5가지보다 많다. ( )
(4) 정다면체의 한 면이 될 수 있는 다각형은 정삼각형뿐이다. ( )

• 정답 및 풀이 17쪽

중요도 ☐ 손도 못댐 ☐ 과정 실수 ☐ 틀린 이유:

12 다음 중 정다면체에 대한 설명으로 옳은 것을 고르면?

① 정다면체는 무수히 많다.
② 정다면체의 각 면은 정삼각형, 정사각형, 정오각형뿐이다.
③ 정팔면체의 모서리의 개수는 8개이다.
④ 정육면체의 각 꼭짓점에 모이는 면의 개수는 같지 않다.
⑤ 한 꼭짓점에 모인 모서리의 개수가 4개이면 정사면체이다.

중요도 ☐ 손도 못댐 ☐ 과정 실수 ☐ 틀린 이유:

13 다음 중 정육면체의 전개도가 될 수 <u>없는</u> 것은?

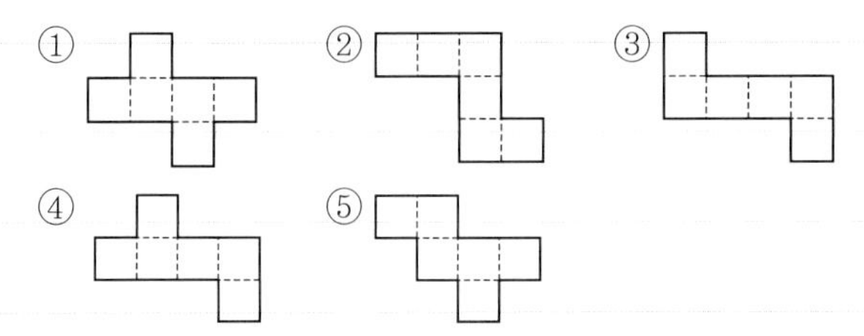

중요도 ☐ 손도 못댐 ☐ 과정 실수 ☐ 틀린 이유:

14 오른쪽 그림과 같은 전개도로 만들어진 정다면체에 대하여 다음을 구하여라.

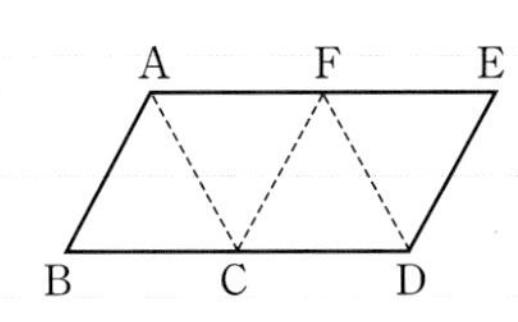

(1) 정다면체의 이름
(2) 꼭짓점 A와 겹치는 꼭짓점
(3) 꼭짓점 B와 겹치는 꼭짓점
(4) 모서리 AF와 겹치는 모서리

09 회전체

학습목표 • 회전체의 뜻을 알고, 그 성질을 이해한다.

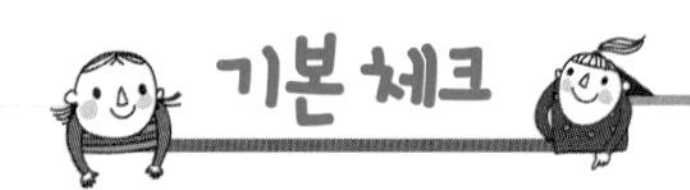

01

다음 입체도형 중 회전체인 것에는 ○표, 회전체가 아닌 것에는 ×표를 하여라.

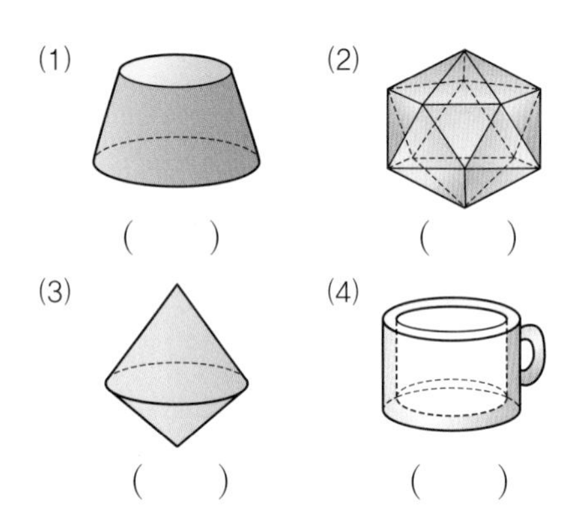

02

다음 설명 중 옳은 것은 ○표, 틀린 것은 ×표를 하여라.

(1) 회전체를 회전축에 수직인 평면으로 자를 때 생기는 단면은 원이다. ( )

(2) 회전체를 회전축을 포함하는 평면으로 자를 때의 단면은 원이 아니다. ( )

(3) 직각삼각형의 높이를 회전축으로 하여 1회전한 입체도형이 원뿔이다. ( )

(4) 회전체를 회전축에 수직인 평면으로 자를 때의 단면은 선대칭도형이고, 합동이다. ( )

(5) 원뿔대를 회전축을 포함한 평면으로 자른 단면의 모양은 사다리꼴이다. ( )

(6) 구의 전개도는 없다. ( )

회전체

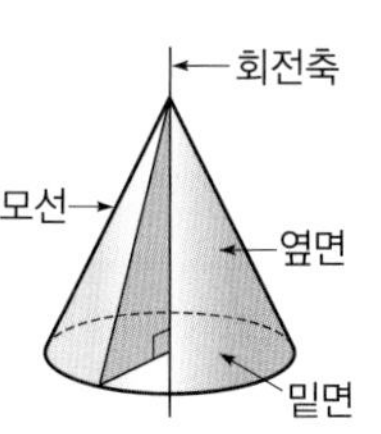

(1) 회전체 : 한 직선을 축으로 하여 평면도형을 1회전시킬 때 생기는 입체도형

예 원기둥, 원뿔, 구 등

(2) 회전축 : 회전시킬 때 축이 되는 직선

(3) 모선 : 회전체에서 회전할 때 옆면을 만드는 선분

회전체의 성질

(1) 회전체를 회전축에 수직인 평면으로 자르면 그 단면은 항상 원이다.

(2) 회전체를 회전축을 포함하는 평면으로 자르면 그 단면은

① 모두 합동이며

② 회전축을 대칭축으로 하는 선대칭도형이다.

회전체	원기둥	원뿔	원뿔대	구
겨냥도	l	l	l	l
회전축에 수직인 평면으로 자른 단면의 모양	원	원	원	원
회전축을 포함한 평면으로 자른 단면의 모양	직사각형	이등변삼각형	사다리꼴	원

회전체의 전개도

회전체의 전개도는 다음과 같다.

회전체	원기둥	원뿔	원뿔대	구
겨냥도	l 모선 밑면 옆면 밑면	l 모선 옆면 밑면	l 모선 밑면 옆면 밑면	l 모선
전개도	밑면 모선 밑면	모선 옆면 밑면	밑면 모선 옆면 밑면	전개도를 그릴 수 없다.

대표예제

• 정답 및 풀이 18쪽

01 다음 중 원기둥을 평면으로 자를 때 생기는 단면이 아닌 것은?

①  ② ③ 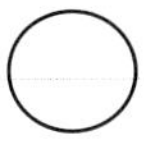 ④  ⑤

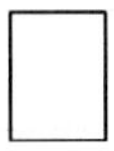

풀이 원기둥을 평면으로 자를 때 자르는 위치와 방향에 따라 여러 가지 모양의 단면이 생긴다.
보기와 같은 단면이 생기도록 하는 평면의 위치와 방향은 오른쪽 그림과 같다.
따라서 단면의 모양이 아닌 것은 ☐이다.

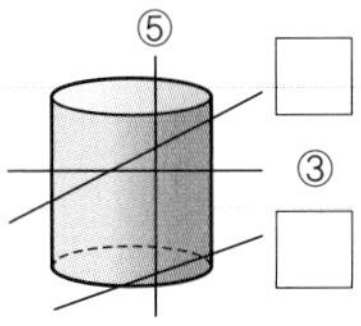

⑤ ③

회전체를 평면으로 자를 때 생기는 단면의 모양은 자르는 평면의 기울어진 정도에 따라 결정된다.

02 오른쪽 그림과 같이 직각삼각형을 직선 l을 축으로 하여 1회전시킬 때 생기는 입체도형을 회전축을 포함한 평면으로 자를 때 생기는 단면의 넓이를 구하여라.

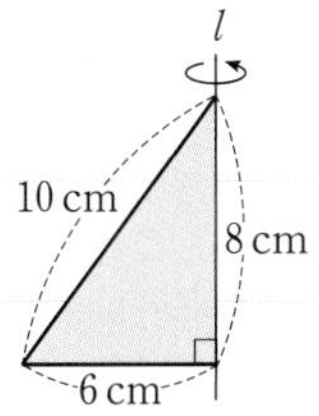

l 10 cm 8 cm 6 cm

풀이 단면의 모양은 밑변이 ☐ cm, 높이가 ☐ cm인 이등변삼각형이므로
넓이는 $\frac{1}{2}\times$☐$\times$☐$=$☐(cm^2)

회전축을 포함하는 평면으로 잘랐을 때 단면은 회전축을 대칭축으로 하는 선대칭도형이다.

03 오른쪽 그림과 같이 반지름이 4 cm인 반원을 직선 l을 축으로 하여 1회전시킬 때 생기는 입체도형을 만들자. 이 회전체를 평면으로 자를 때, 단면의 넓이의 최댓값을 구하여라.

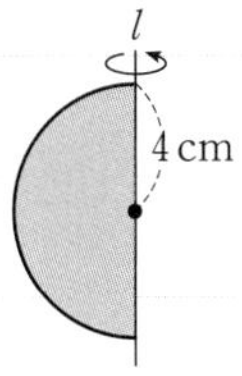

l 4 cm

풀이 주어진 평면도형을 직선 l을 축으로 하여 1회전시킬 때 생기는 입체도형은 ☐이다.
이를 평면으로 자르면 어떻게 자르는가에 관계없이 단면은 항상 원이다.
또, 단면의 넓이가 최대가 되게 하려면 ☐의 중심을 지나는 평면으로 잘라야 한다.
따라서 구하는 단면의 넓이는
$\pi\times$☐$^2=$☐(cm^2)

구를 평면으로 자르면 단면은 항상 원이다.

회전문의 효율성

큰 건물에 회전문을 설치하는 이유는 냉난방 비용을 줄여준다는 장점을 가지고 있기 때문이다. 회전문은 칸막이를 통해 공기의 흐름을 차단시켜주므로 건물 안의 공기가 밖으로 나가지 못하고 건물 밖의 공기가 안으로 들어오지도 못하도록 막는 역할을 하여 건물의 냉난방 비용을 20 % 이상 절감할 수 있다고 한다.

09 회전체

어떤 교과서에나 나오는 문제

중요도 ☐ 손도 못댐 ☐ 과정 실수 ☐ 틀린 이유:

01 다음 중 회전체인 것을 모두 고르면? (정답 4개)

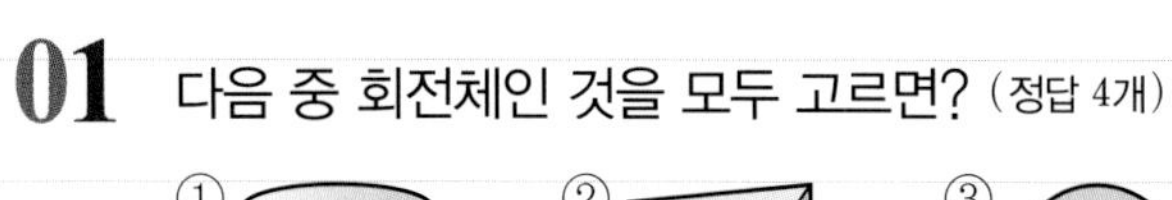

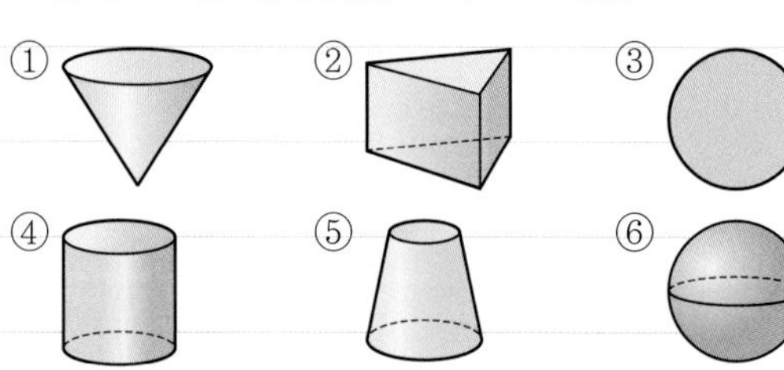

중요도 ☐ 손도 못댐 ☐ 과정 실수 ☐ 틀린 이유:

02 다음 평면도형을 직선 l을 축으로 하여 1회전시킬 때 생기는 입체도형의 겨냥도를 그려라.

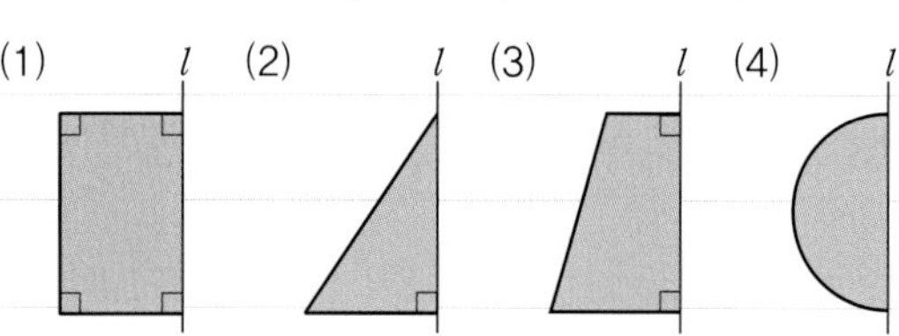

중요도 ☐ 손도 못댐 ☐ 과정 실수 ☐ 틀린 이유:

03 오른쪽 회전체는 어떤 도형을 직선 l을 중심으로 한 바퀴 회전시킨 것인가?

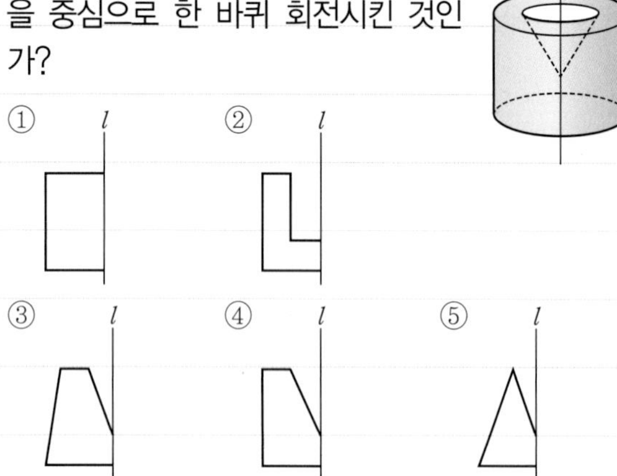

• 정답 및 풀이 18쪽

중요도 ☐ 손도 못댐 ☐ 과정 실수 ☐ 틀린 이유:

04 다음 회전체를 회전축을 포함하는 평면으로 자를 때 생기는 단면의 모양을 구하여라.

(1) 원뿔
(2) 원뿔대
(3) 구

중요도 ☐ 손도 못댐 ☐ 과정 실수 ☐ 틀린 이유:

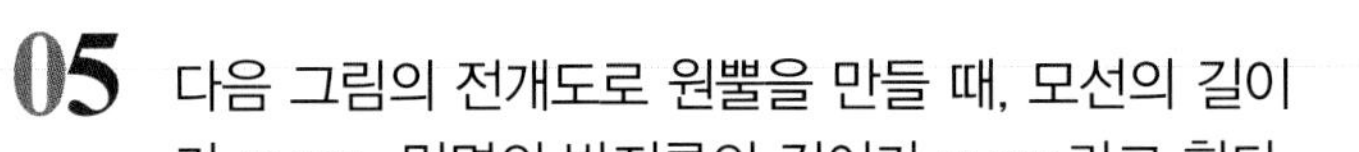

05 다음 그림의 전개도로 원뿔을 만들 때, 모선의 길이가 x cm, 밑면의 반지름의 길이가 y cm라고 한다. x와 y의 값을 각각 구하여라.

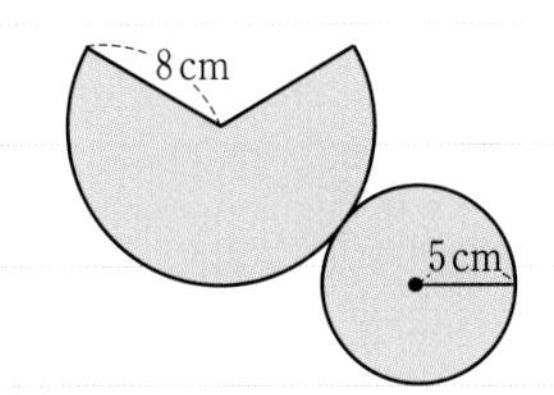

중요도 ☐ 손도 못댐 ☐ 과정 실수 ☐ 틀린 이유:

06 다음 그림의 전개도를 보고 각각의 회전체의 겨냥도를 그려라.

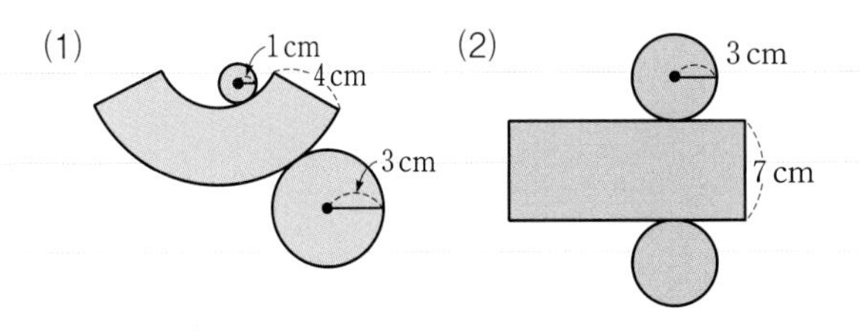

중요도 ☐ 손도 못댐 ☐ 과정 실수 ☐ 틀린 이유:

07 다음 그림과 같은 원뿔의 전개도가 있다. 이 원뿔의 옆면인 부채꼴의 호의 길이를 구하여라.

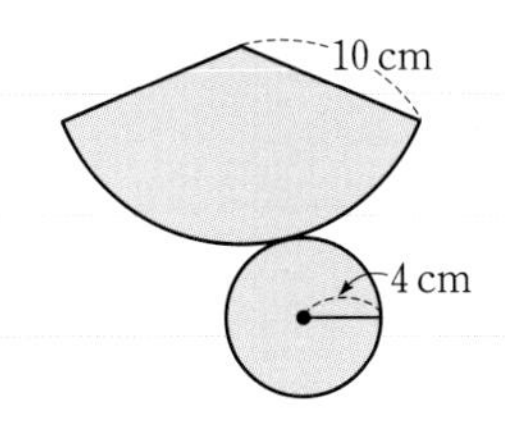

시험에 꼭 나오는 문제

중요도 ☐ 손도 못댐 ☐ 과정 실수 ☐ 틀린 이유:

01 다음 중 회전체인 것을 모두 고르면? (정답 2개)

① 원뿔　② 정사면체　③ 원기둥
④ 육각뿔　⑤ 원

중요도 ☐ 손도 못댐 ☐ 과정 실수 ☐ 틀린 이유:

02 다음 중 회전체가 <u>아닌</u> 것은?

① 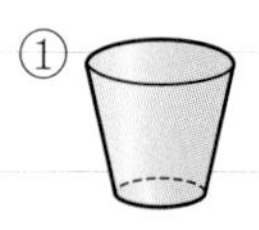
② 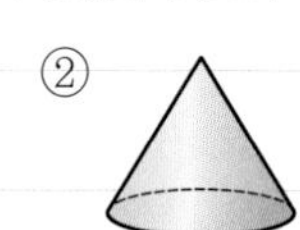
③ 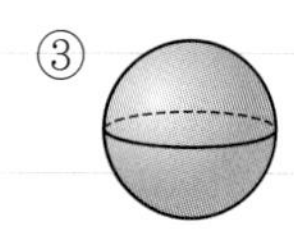
④
⑤ 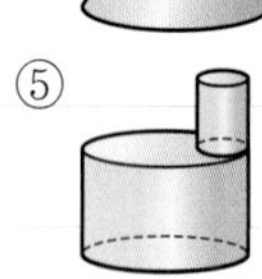

중요도 ☐ 손도 못댐 ☐ 과정 실수 ☐ 틀린 이유:

03 오른쪽 그림의 입체도형은 다음 중 어느 평면도형을 회전시킨 것인가?

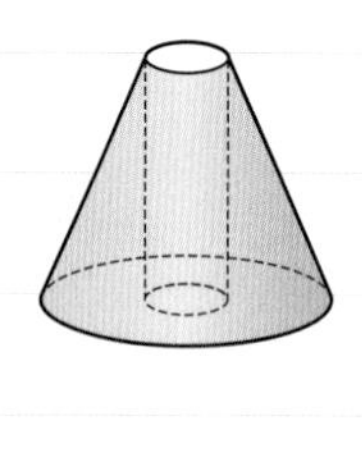

① 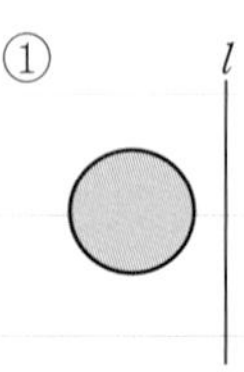

② 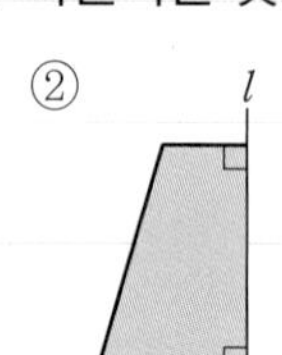

③ 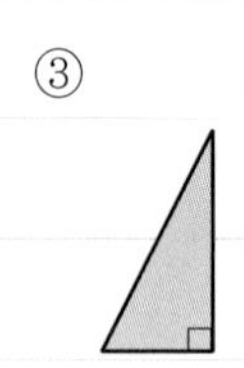

④ 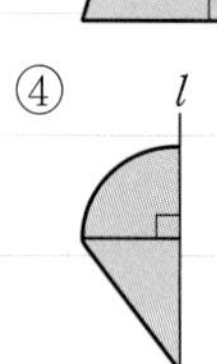

⑤ 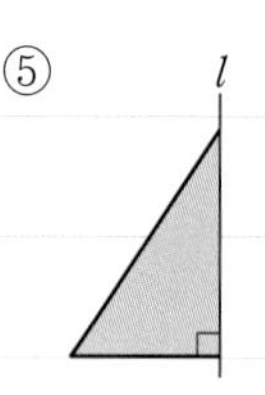

중요도 ☐ 손도 못댐 ☐ 과정 실수 ☐ 틀린 이유:

04 오른쪽 그림과 같은 직사각형을 직선 DC를 축으로 하여 1회전시킬 때 만들어지는 회전체는?

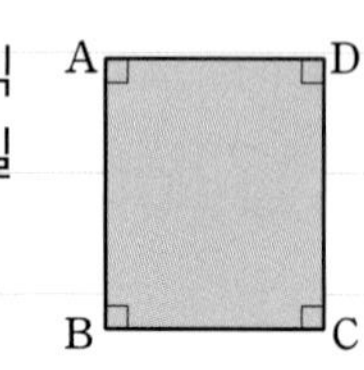

① 원뿔　② 원기둥
③ 원뿔대　④ 정이십면체
⑤ 구

• 정답 및 풀이 18쪽

중요도 ☐ 손도 못댐 ☐ 과정 실수 ☐ 틀린 이유:

05 오른쪽 그림과 같은 직각삼각형을 직선 l 을 축으로 하여 1회전시킬 때 생기는 입체도형은?

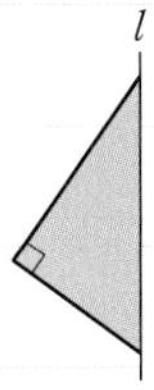

① 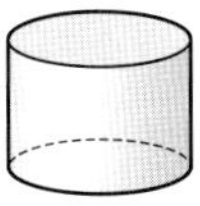　② 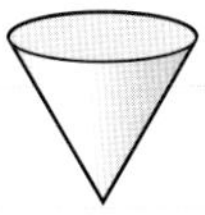　③ 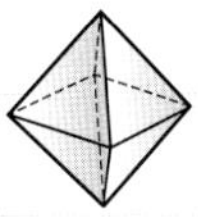　④ 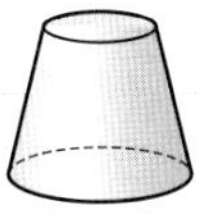　⑤

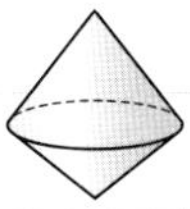

중요도 ☐ 손도 못댐 ☐ 과정 실수 ☐ 틀린 이유:

06 다음 중 회전체와 그 회전체를 회전축을 포함하는 단면으로 잘랐을 때 생기는 단면의 모양이 옳게 짝지어진 것은?

① 원뿔 ─ 직각삼각형　② 원기둥 ─ 사다리꼴
③ 구 ─ 원　④ 반구 ─ 타원
⑤ 원뿔대 ─ 직사각형

중요도 ☐ 손도 못댐 ☐ 과정 실수 ☐ 틀린 이유:

07 다음 중 원뿔대를 한 평면으로 자를 때 생기는 단면이 아닌 것을 고르면?

① 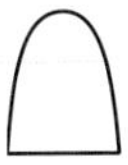　② 　③ 　④ 　⑤

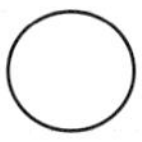

중요도 ☐ 손도 못댐 ☐ 과정 실수 ☐ 틀린 이유:

08 다음 중 회전체에 대한 설명으로 옳지 않은 것은?

① 원뿔의 회전축은 하나뿐이다.
② 원뿔, 원뿔대, 원기둥, 구는 모두 회전체이다.
③ 회전체를 회전축을 포함하는 평면으로 자를 때 생기는 단면의 모양은 모두 합동이다.
④ 회전체를 회전축에 수직인 평면으로 자를 때 생기는 단면은 항상 합동인 원이다.
⑤ 구의 전개도는 그릴 수 없다.

시험에 꼭 나오는 문제

중요도 ☐ 손도 못댐 ☐ 과정 실수 ☐ 틀린 이유:

09 다음 중 원뿔대에 대한 설명으로 옳지 않은 것은?

① 두 개의 밑면은 서로 평행하고 합동이다.
② 회전축에 수직인 평면으로 자를 때 생기는 단면은 항상 원이다.
③ 회전축을 포함한 평면으로 자를 때 생기는 단면은 사다리꼴이다.
④ 원뿔을 밑면에 평행한 평면으로 자를 때 원뿔이 아닌 부분을 말한다.
⑤ 밑면에 평행한 평면으로 자르면 두 개의 원뿔대로 나누어진다.

중요도 ☐ 손도 못댐 ☐ 과정 실수 ☐ 틀린 이유:

10 다음 중 구에 대한 설명으로 옳지 않은 것을 모두 고르면? (정답 2개)

① 반원의 지름을 지나는 직선을 축으로 1회전한 입체도형이다.
② 전개도는 그릴 수 없다.
③ 회전축은 하나뿐이다.
④ 평면으로 자를 때 단면의 모양은 항상 원이다.
⑤ 회전축에 수직인 평면으로 자를 때 단면의 모양은 항상 합동인 원이다.

중요도 ☐ 손도 못댐 ☐ 과정 실수 ☐ 틀린 이유:

11 다음 그림과 같은 원기둥을 회전축에 수직인 평면으로 자를 때의 단면의 넓이를 구하여라.

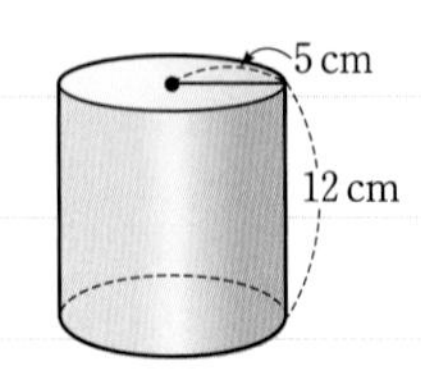

• 정답 및 풀이 18쪽

중요도 ☐ 손도 못댐 ☐ 과정 실수 ☐ 틀린 이유:

12 오른쪽 그림과 같은 회전체를 회전축을 포함한 평면으로 자를 때 생기는 단면의 넓이를 구하면?

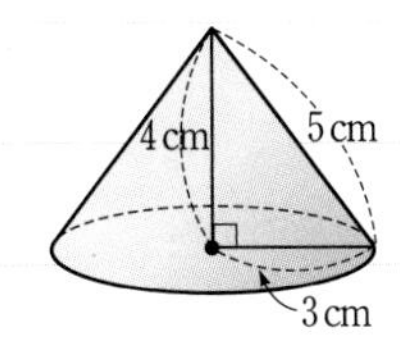

① 6 cm^2 ② 12 cm^2
③ 15 cm^2 ④ 18 cm^2
⑤ 30 cm^2

중요도 ☐ 손도 못댐 ☐ 과정 실수 ☐ 틀린 이유:

13 오른쪽 그림과 같이 원뿔을 밑면에 평행한 평면으로 잘라 두 부분으로 나눌 때, 원뿔이 아닌 부분의 전개도로 알맞은 것은?

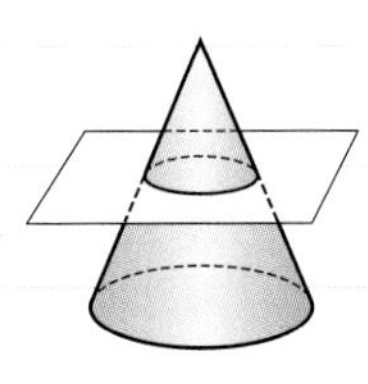

① 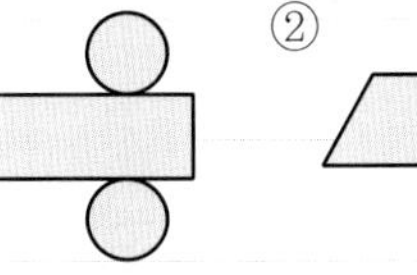 ② 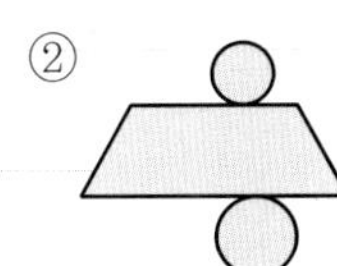 ③ 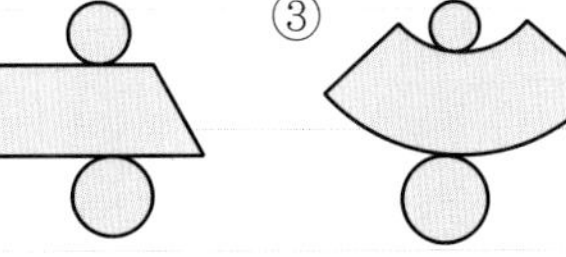

④ 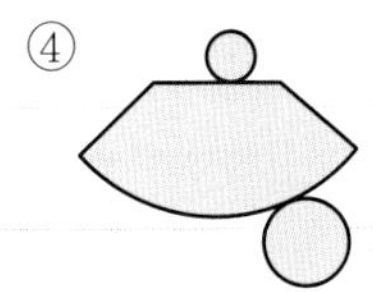 ⑤ 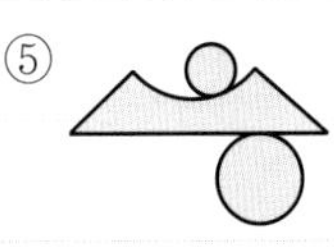

중요도 ☐ 손도 못댐 ☐ 과정 실수 ☐ 틀린 이유:

14 다음 그림과 같은 전개도를 갖는 원기둥의 옆면의 넓이를 구하여라.

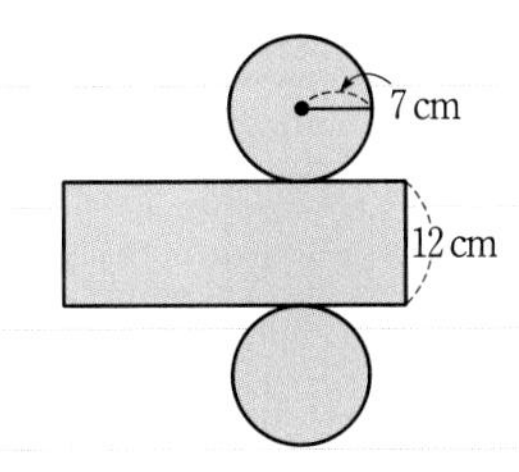

10 기둥의 겉넓이와 부피

학습목표 • 기둥의 겉넓이와 부피를 구할 수 있다.

기본 체크

01

그림과 같은 전개도를 갖는 원기둥에 대하여 다음을 구하여라.

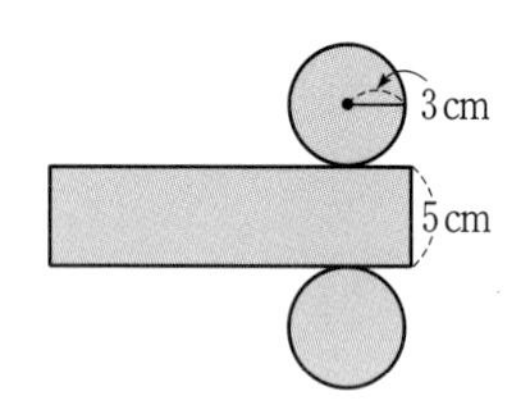

(1) 밑넓이
(2) 옆넓이
(3) 겉넓이

02

오른쪽 그림과 같은 각기둥에 대하여 다음을 구하여라.

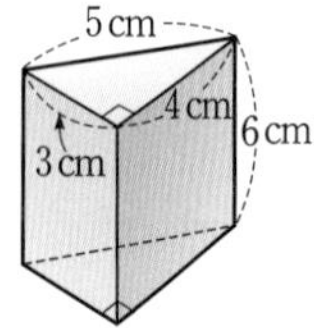
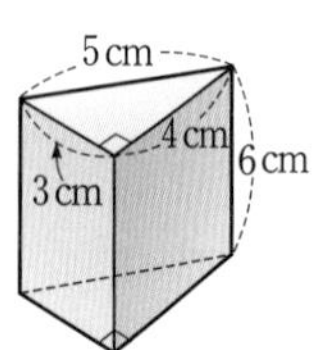

(1) 밑넓이
(2) 높이
(3) 부피

핵심 정리

기둥의 겉넓이

기둥의 겉넓이는 전개도를 이용하여 구하고, 두 밑넓이와 옆넓이의 합으로 구한다.

즉, (기둥의 겉넓이)=(밑넓이)$\times 2+$(옆넓이)

특히, 옆넓이는 다음과 같이 구할 수 있다.

(옆넓이)=(밑면의 둘레의 길이)$\times$(높이)

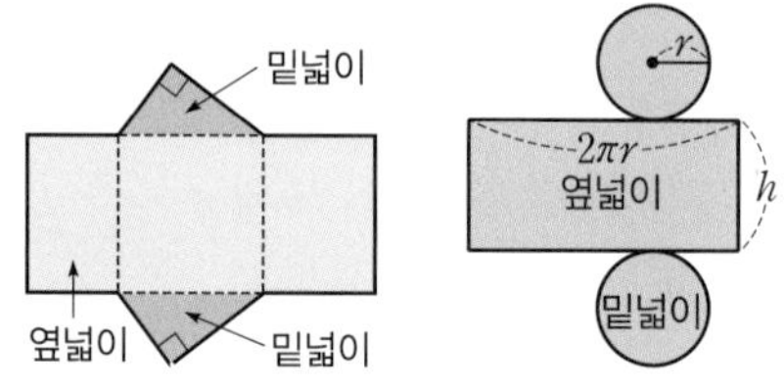

 참고 밑면의 반지름의 길이가 r, 높이가 h인 원기둥의 겉넓이를 S라 하면

$S=\pi r^2\times 2+2\pi r\times h$
$=2\pi r^2+2\pi rh$

기둥의 부피

기둥의 밑넓이를 S, 높이를 h, 부피를 V라고 하면

(부피)=(밑넓이)$\times$(높이)

즉, $V=Sh$

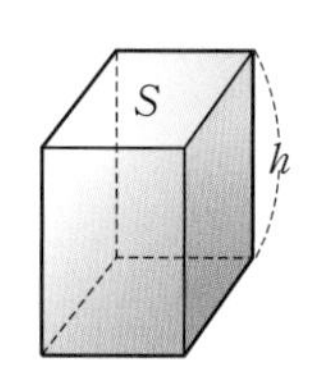

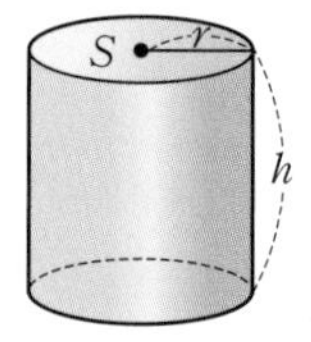

참고 밑면의 반지름의 길이가 r, 높이가 h인 원기둥의 부피를 V라고 하면

$V=\pi r^2h$

대표예제

• 정답 및 풀이 19쪽

01 오른쪽 그림과 같은 각기둥에 대하여 다음을 구하여라.

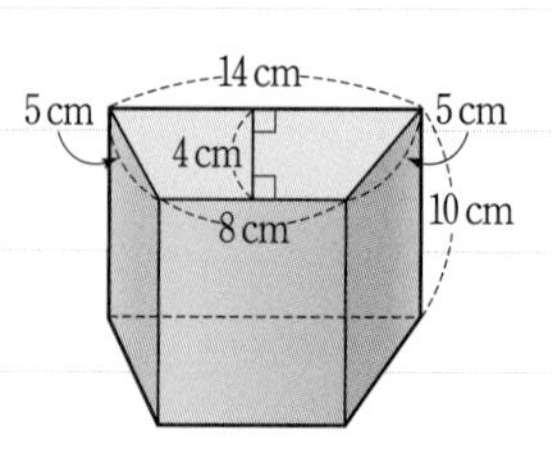

(1) 전개도 (2) 밑넓이
(3) 옆넓이 (4) 겉넓이

풀이 (1) 오른쪽 그림과 같은 전개도를 그릴 수 있다.

(2) $\frac{8+14}{2}\times\square=\square(\text{cm}^2)$

(3) $(5+\square+5+8)\times\square=\square(\text{cm}^2)$

(4) $\square\times 2+\square=\square(\text{cm}^2)$

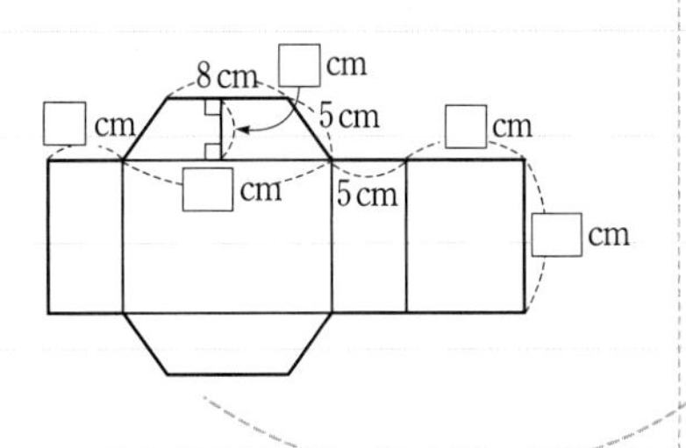

기둥의 겉넓이는 전개도를 그려 각 면의 넓이의 합으로 구한다.

02 오른쪽 그림과 같은 원기둥에 대하여 다음을 구하여라.

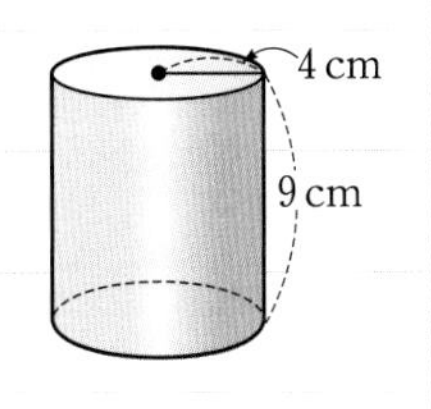

(1) 전개도

(2) 밑넓이

(3) 옆넓이

(4) 겉넓이

풀이 (1) 오른쪽 그림과 같은 전개도를 그릴 수 있다.

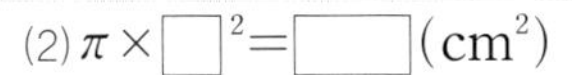

(2) $\pi\times\square^2=\square(\text{cm}^2)$

(3) $(2\pi\times\square)\times\square=\square(\text{cm}^2)$

(4) $\square\times 2+\square=\square(\text{cm}^2)$

원기둥의 전개도에서 옆면인 직사각형의 가로의 길이는 밑면인 원의 둘레의 길이와 같다.

03 오른쪽 그림과 같은 각기둥에 대하여 다음을 구하여라.

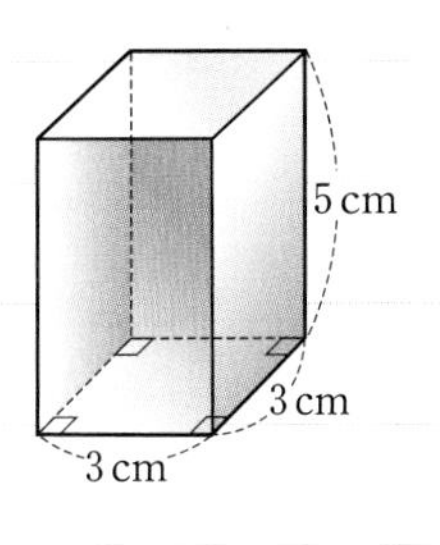

(1) 밑넓이

(2) 부피

풀이 (1) $3\times\square=\square(\text{cm}^2)$

(2) $\square\times 5=\square(\text{cm}^3)$

밑넓이와 높이를 이용하여 기둥의 부피를 구한다.

04 오른쪽 그림과 같은 원기둥에 대하여 다음을 구하여라.

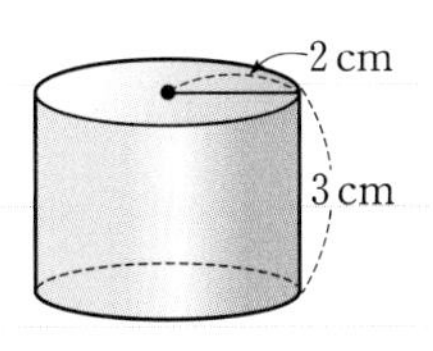

(1) 밑넓이

(2) 부피

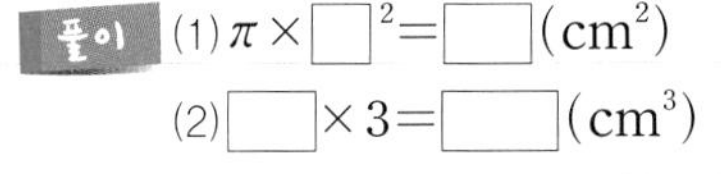

풀이 (1) $\pi\times\square^2=\square(\text{cm}^2)$

(2) $\square\times 3=\square(\text{cm}^3)$

원기둥의 부피도 각기둥의 부피를 구하는 공식과 마찬가지로 밑면의 넓이에 높이를 곱한 값이다.

원기둥의 부피

오른쪽 그림과 같이 원기둥을 같은 크기로 잘게 나누어 늘어놓을 때, 나눈 개수가 많아지면 원기둥의 부피는 사각기둥의 부피와 같다고 볼 수 있다.

따라서 원기둥의 밑면의 반지름의 길이를 r, 높이를 h, 밑넓이를 S, 부피를 V라고 하면

$V=\pi r^2\times h=Sh$이다.

어떤 교과서에나 나오는 문제

[01~04] 다음 그림과 같은 기둥의 겉넓이를 구하여라.

중요도 ☐ 손도 못댐 ☐ 과정 실수 ☐ 틀린 이유:

01

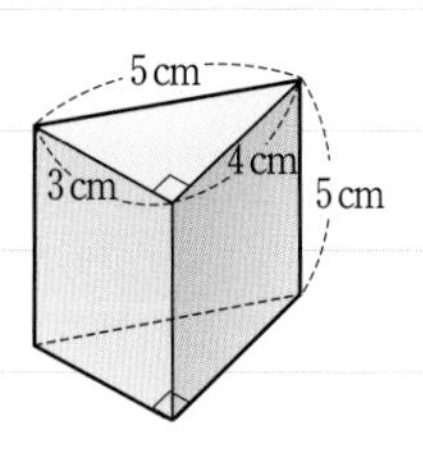

중요도 ☐ 손도 못댐 ☐ 과정 실수 ☐ 틀린 이유:

02

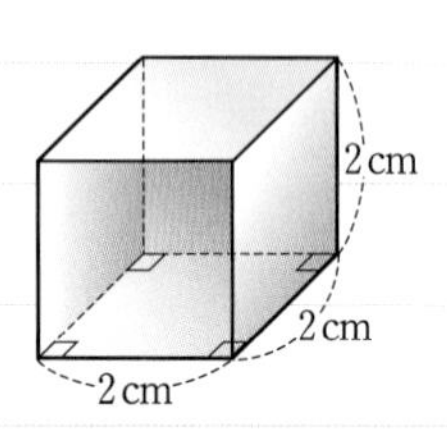

중요도 ☐ 손도 못댐 ☐ 과정 실수 ☐ 틀린 이유:

03

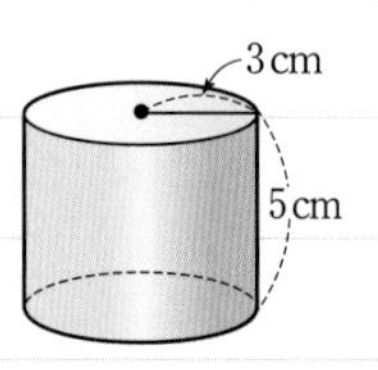

중요도 ☐ 손도 못댐 ☐ 과정 실수 ☐ 틀린 이유:

04

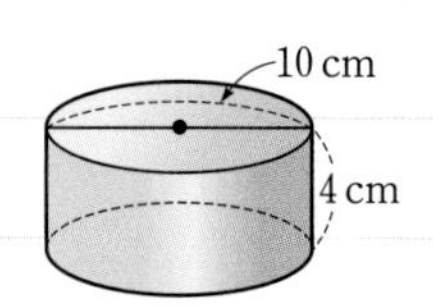

• 정답 및 풀이 20쪽

[05~08] 다음 그림과 같은 기둥의 부피를 구하여라.

중요도 ☐ 손도 못댐 ☐ 과정 실수 ☐ 틀린 이유:

05

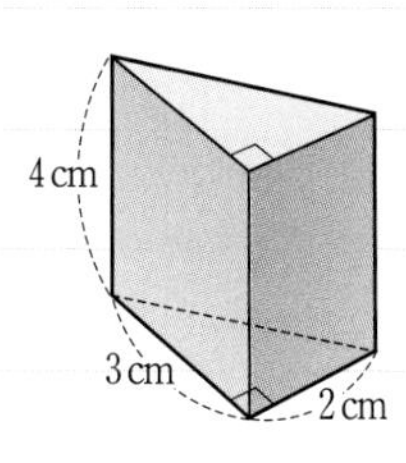

중요도 ☐ 손도 못댐 ☐ 과정 실수 ☐ 틀린 이유:

06

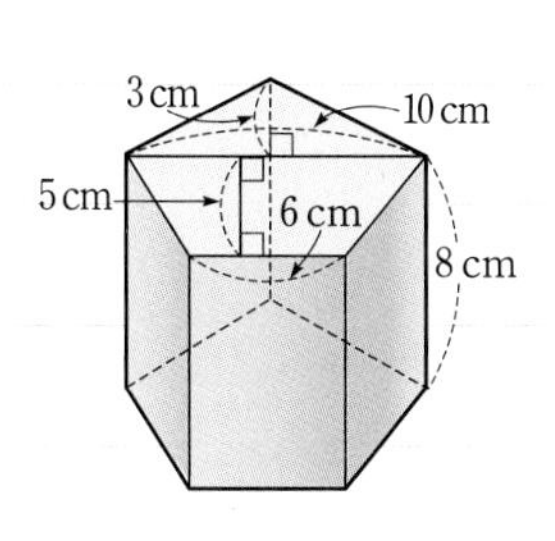

중요도 ☐ 손도 못댐 ☐ 과정 실수 ☐ 틀린 이유:

07

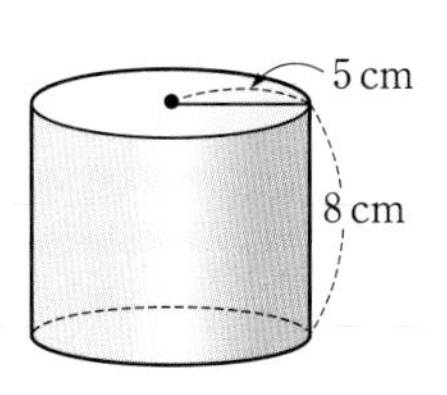

중요도 ☐ 손도 못댐 ☐ 과정 실수 ☐ 틀린 이유:

08

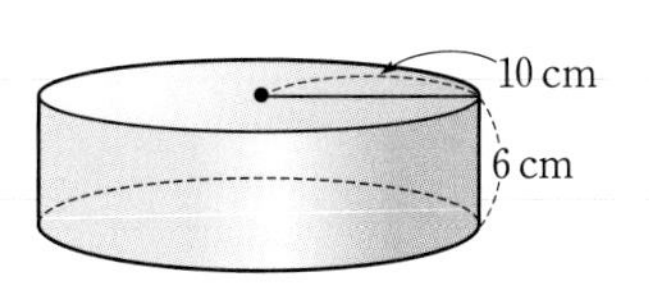

시험에 꼭 나오는 문제

중요도 □ 손도 못댐 □ 과정 실수 □ 틀린 이유:

01 오른쪽 그림과 같은 각기둥에 대하여 다음을 구하여라.

(1) 밑넓이
(2) 옆넓이
(3) 겉넓이

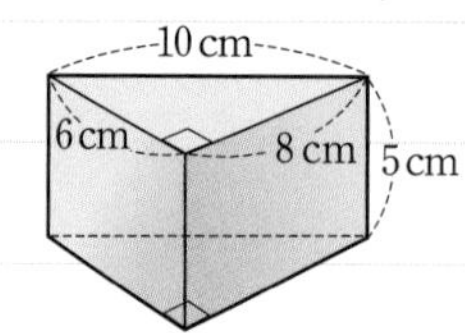

중요도 □ 손도 못댐 □ 과정 실수 □ 틀린 이유:

02 오른쪽 그림과 같은 각기둥의 겉넓이를 구하여라.

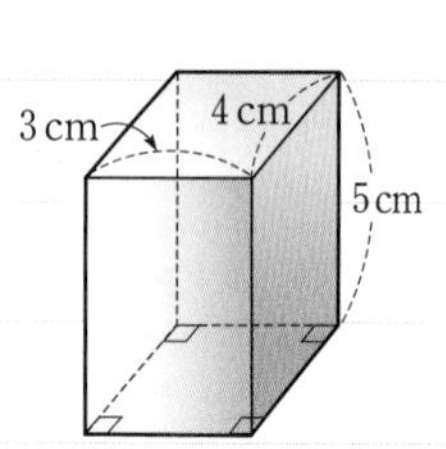

중요도 □ 손도 못댐 □ 과정 실수 □ 틀린 이유:

03 오른쪽 그림과 같은 각기둥의 겉넓이는?

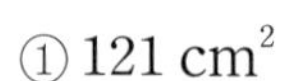

① 121 cm^2　② 224 cm^2
③ 256 cm^2　④ 289 cm^2
⑤ 324 cm^2

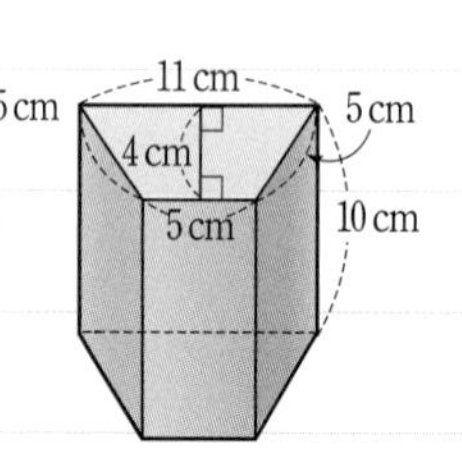

중요도 □ 손도 못댐 □ 과정 실수 □ 틀린 이유:

04 오른쪽 그림과 같은 사각기둥의 겉넓이가 108 cm^2일 때, 높이 h의 값을 구하면?

① 5 cm　② 6 cm
③ 7 cm　④ 8 cm
⑤ 9 cm

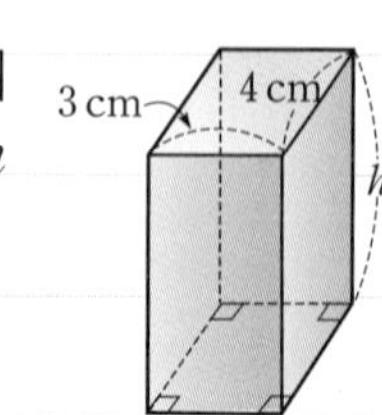

• 정답 및 풀이 20쪽

중요도 ☐ 손도 못댐 ☐ 과정 실수 ☐ 틀린 이유:

05 오른쪽 그림과 같은 원기둥에 대하여 다음을 구하여라.

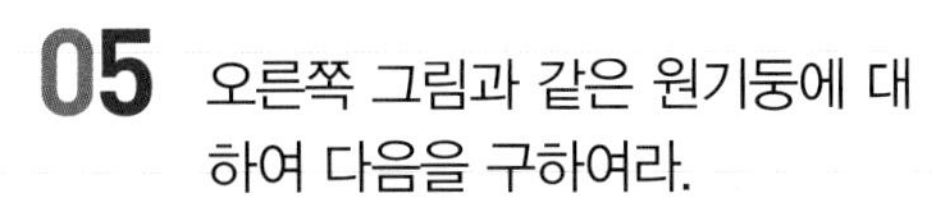

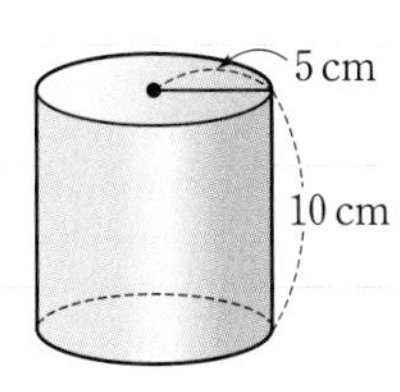

(1) 밑넓이
(2) 옆넓이
(3) 겉넓이

중요도 ☐ 손도 못댐 ☐ 과정 실수 ☐ 틀린 이유:

06 오른쪽 그림과 같은 원기둥의 겉넓이를 구하여라.

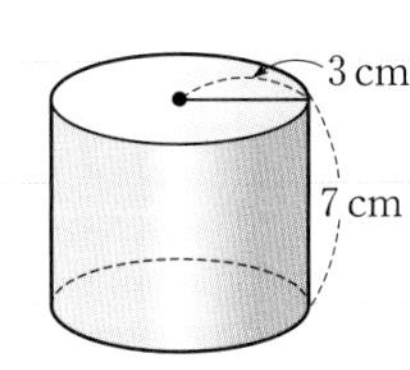

중요도 ☐ 손도 못댐 ☐ 과정 실수 ☐ 틀린 이유:

07 오른쪽 그림과 같은 원기둥의 겉넓이를 구하여라.

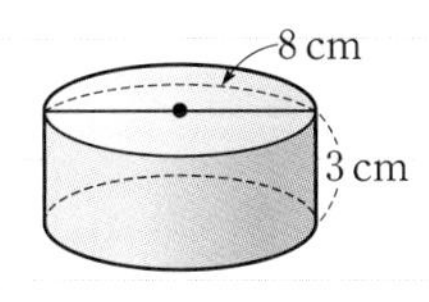

중요도 ☐ 손도 못댐 ☐ 과정 실수 ☐ 틀린 이유:

08 밑면인 원의 지름이 10 cm, 높이가 7 cm인 원기둥의 겉넓이를 구하면?

① 25π cm^2 ② 70π cm^2 ③ 100π cm^2
④ 120π cm^2 ⑤ 150π cm^2

시험에 꼭 나오는 문제

중요도 ☐ 손도 못댐 ☐ 과정 실수 ☐ 틀린 이유:

09 오른쪽 그림과 같은 원기둥의 겉넓이가 $54\pi\ \mathrm{cm}^2$일 때, 높이 h의 값을 구하면?

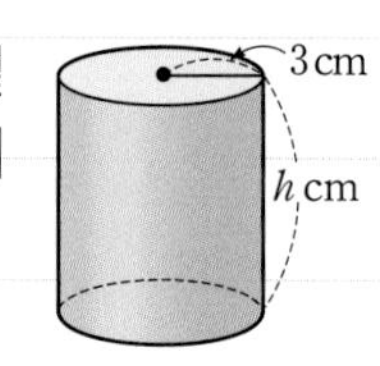

① 6 ② 7
③ 8 ④ 9
⑤ 10

중요도 ☐ 손도 못댐 ☐ 과정 실수 ☐ 틀린 이유:

10 오른쪽 그림과 같은 각기둥의 부피를 구하여라.

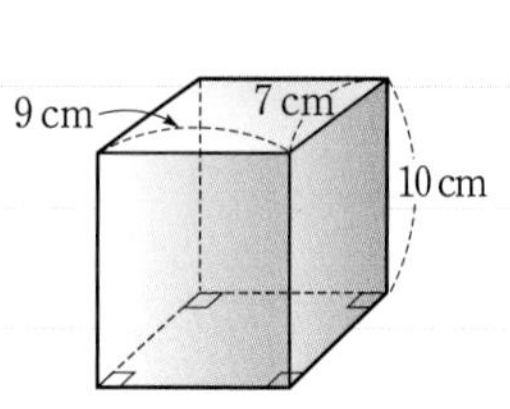

중요도 ☐ 손도 못댐 ☐ 과정 실수 ☐ 틀린 이유:

11 오른쪽 그림과 같은 각기둥의 부피를 구하면?

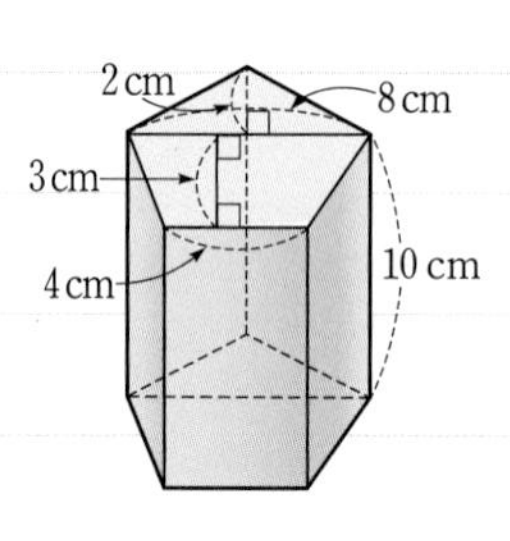

① $180\ \mathrm{cm}^3$
② $260\ \mathrm{cm}^3$
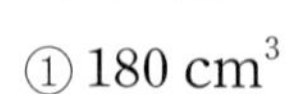
③ $281\ \mathrm{cm}^3$
④ $350\ \mathrm{cm}^3$
⑤ $365\ \mathrm{cm}^3$

중요도 ☐ 손도 못댐 ☐ 과정 실수 ☐ 틀린 이유:

12 오른쪽 그림과 같은 입체도형의 부피를 구하여라.

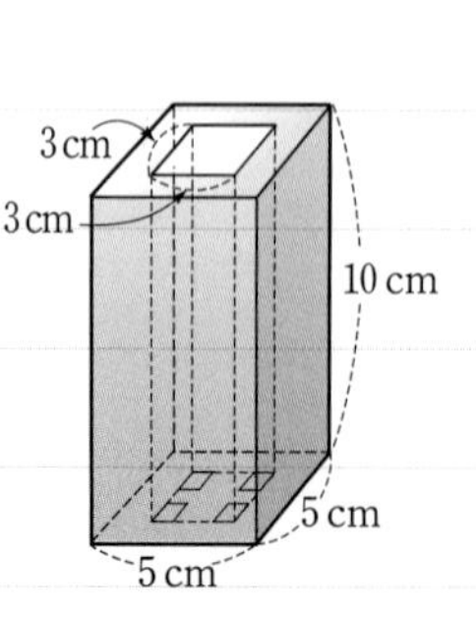

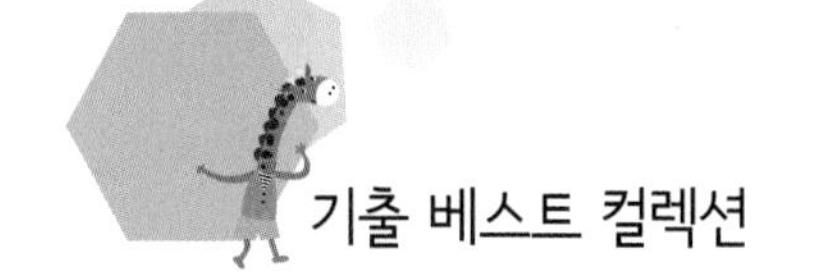

• 정답 및 풀이 20쪽

중요도 ☐ 손도 못댐 ☐ 과정 실수 ☐ 틀린 이유:

13 오른쪽 그림과 같이 높이가 6 cm인 원기둥의 부피가 $150\pi\ \text{cm}^3$일 때, 이 원기둥의 밑면의 반지름의 길이는?

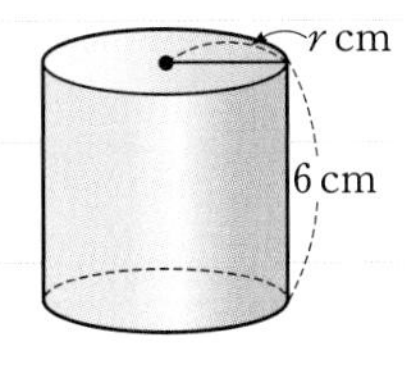

① 5 cm　② 6 cm
③ 7 cm　④ 8 cm
⑤ 9 cm

중요도 ☐ 손도 못댐 ☐ 과정 실수 ☐ 틀린 이유:

14 오른쪽 그림과 같은 가운데가 뚫린 입체도형의 부피를 구하면?

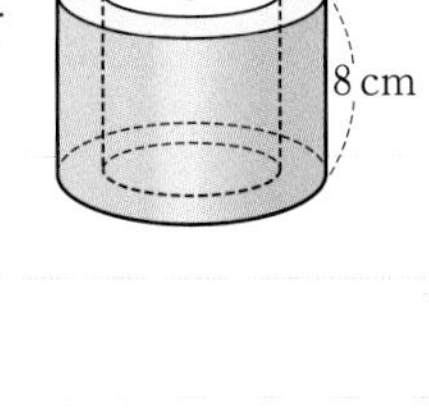

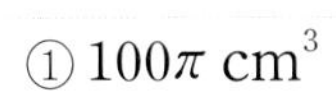
① $100\pi\ \text{cm}^3$　② $120\pi\ \text{cm}^3$
③ $160\pi\ \text{cm}^3$　④ $180\pi\ \text{cm}^3$
⑤ $200\pi\ \text{cm}^3$

중요도 ☐ 손도 못댐 ☐ 과정 실수 ☐ 틀린 이유:

15 오른쪽 그림과 같이 가로의 길이가 6 cm, 세로의 길이가 11 cm인 직사각형을 직선 l을 축으로 하여 1회전시킬 때 생기는 회전체의 부피를 구하여라.

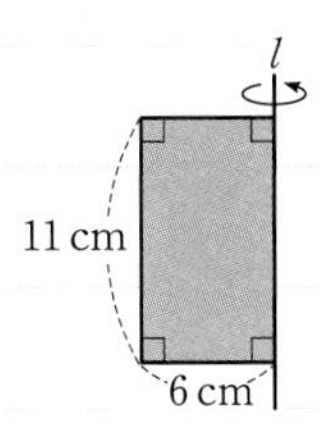

중요도 ☐ 손도 못댐 ☐ 과정 실수 ☐ 틀린 이유:

16 다음 그림과 같은 전개도를 갖는 원기둥의 부피를 구하여라.

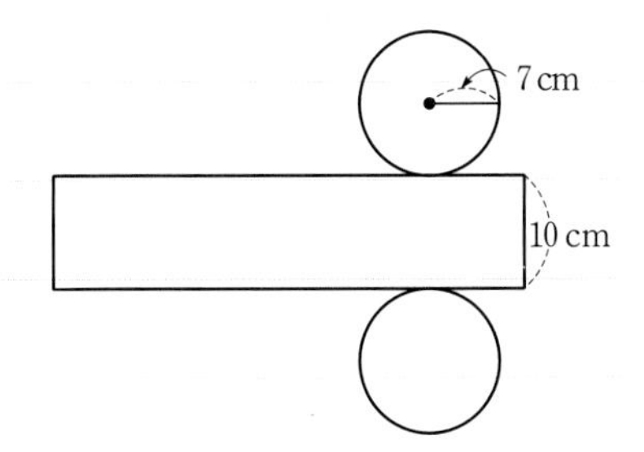

11 뿔과 구의 겉넓이와 부피

학습목표
- 뿔의 겉넓이와 부피를 구할 수 있다.
- 구의 겉넓이와 부피를 구할 수 있다.

기본 체크

01

그림과 같은 전개도를 갖는 정사각뿔에 대하여 다음을 구하여라.

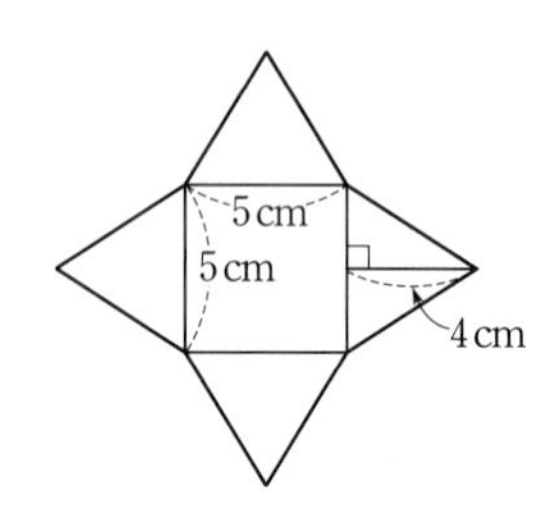

(1) 밑넓이
(2) 옆넓이
(3) 겉넓이

02

오른쪽 그림과 같은 원뿔에 대하여 다음을 구하여라.

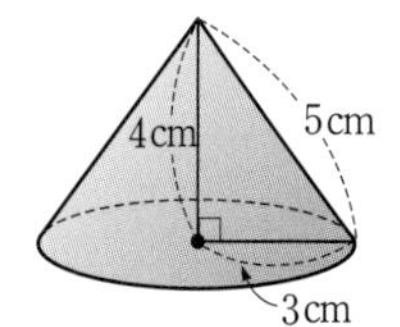

(1) 밑넓이
(2) 옆넓이
(3) 겉넓이
(4) 높이
(5) 부피

03

반지름의 길이가 6 cm인 구에 대하여 다음을 구하여라.

(1) 겉넓이
(2) 부피

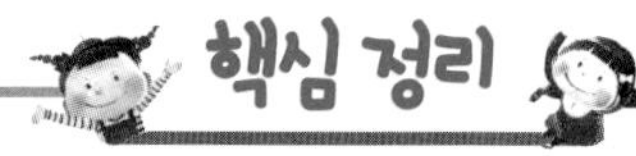

핵심 정리

뿔의 겉넓이

뿔의 겉넓이는 전개도를 이용하여 구하고 밑넓이와 옆넓이의 합으로 구한다.

즉, (뿔의 겉넓이)=(밑넓이)+(옆넓이)

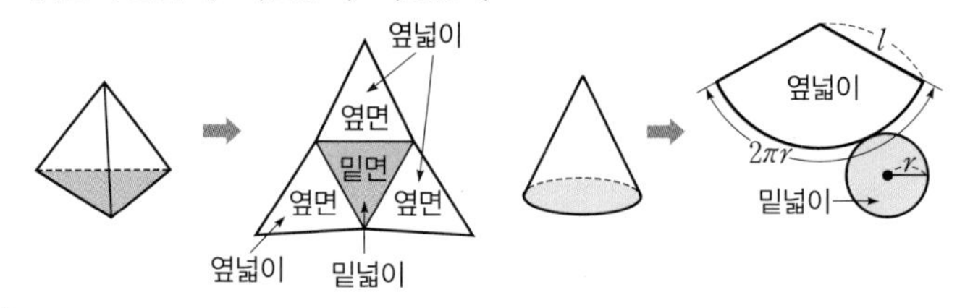

참고 밑면의 반지름의 길이가 r, 모선의 길이가 l인 원뿔의 겉넓이를 S라 하면

$$S=\pi r^2+\frac{1}{2}\times 2\pi r\times l=\pi r^2+\pi rl$$

뿔의 부피

뿔의 밑넓이를 S, 높이를 h, 부피를 V라고 하면

$$(\text{부피})=\frac{1}{3}\times(\text{밑넓이})\times(\text{높이})$$

즉, $V=\frac{1}{3}Sh$

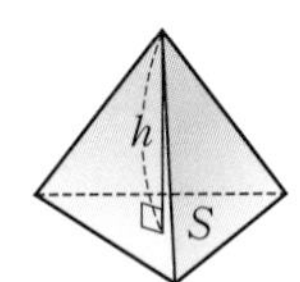

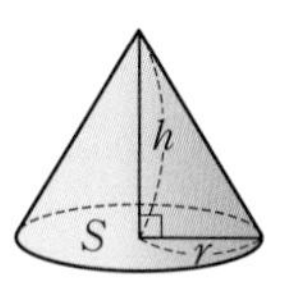

참고 밑면의 반지름의 길이가 r, 높이가 h인 원뿔의 부피를 V라고 하면

$$V=\frac{1}{3}\pi r^2h$$

구의 겉넓이와 부피

반지름의 길이가 r인 구의 겉넓이를 S, 부피를 V라고 하면

$S=4\pi r^2$, $V=\frac{4}{3}\pi r^3$

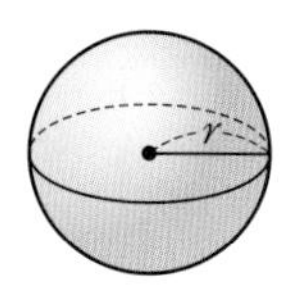

대표예제

• 정답 및 풀이 21쪽

01 오른쪽 그림과 같은 정사각뿔에 대하여 다음을 구하여라.

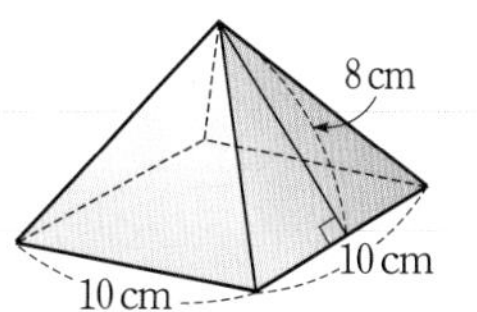

(1) 전개도 (2) 밑넓이
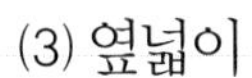
(3) 옆넓이 (4) 겉넓이

풀이 (1) 오른쪽 그림과 같은 전개도를 그릴 수 있다.

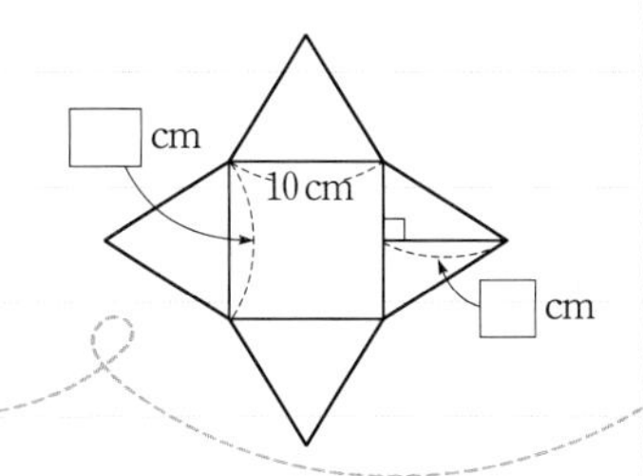

(2) $10\times\square=\square\,(\mathrm{cm}^2)$

(3) $\left(\frac{1}{2}\times10\times\square\right)\times\square=\square\,(\mathrm{cm}^2)$

(4) $\square+\square=\square\,(\mathrm{cm}^2)$

뿔의 겉넓이는 전개도로 펼쳐 각 면의 넓이의 합을 구한다.

02 오른쪽 그림과 같은 원뿔에 대하여 다음을 구하여라.

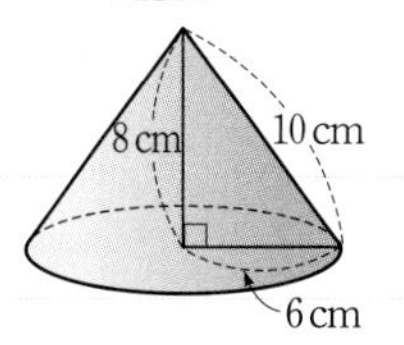

(1) 전개도 (2) 밑넓이
(3) 옆넓이 (4) 겉넓이

(5) 부피

풀이 (1) 오른쪽 그림과 같은 전개도를 그릴 수 있다.

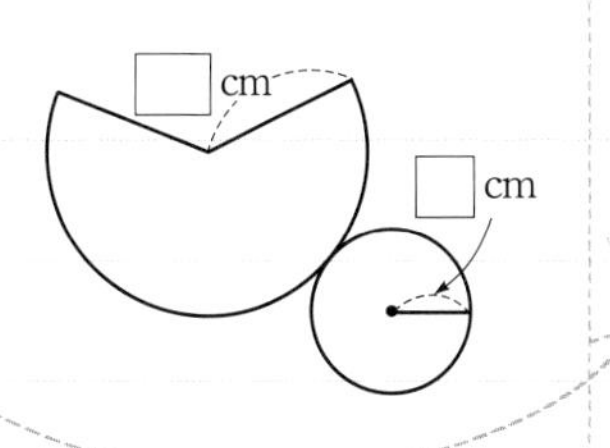

(2) $\pi\times\square^2=\square\,(\mathrm{cm}^2)$

(3) $\pi\times6\times\square=\square\,(\mathrm{cm}^2)$

(4) $\square+\square=\square\,(\mathrm{cm}^2)$

(5) $\frac{1}{3}\times\square\times8=\square\,(\mathrm{cm}^3)$

원뿔의 전개도에서 부채꼴의 반지름의 길이는 원뿔의 모선의 길이와 같고, 부채꼴의 호의 길이는 밑면인 원의 둘레의 길이와 같다.

03 오른쪽 그림은 구의 중심을 지나도록 구의 $\frac{1}{4}$을 잘라낸 입체도형이다. 다음을 구하여라.

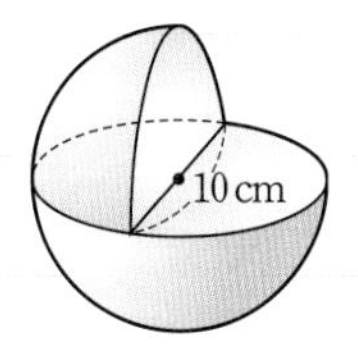

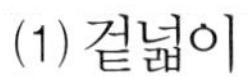
(1) 겉넓이 (2) 부피

풀이 (1) $(4\pi\times\square^2)\times\frac{3}{4}+\left(\pi\times\square^2\times\frac{180^\circ}{360^\circ}\right)\times2=\square\,(\mathrm{cm}^2)$

(2) 반지름의 길이가 5 cm인 구의 부피의 $\frac{3}{4}$이므로

$\left(\frac{4}{3}\times\pi\times\square^3\right)\times\frac{3}{4}=\square\,(\mathrm{cm}^3)$

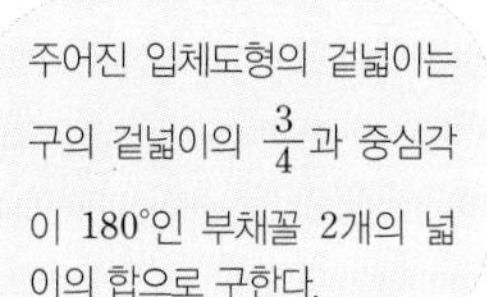

뿔의 부피를 구하는 다른 방법

[방법 Ⅰ] 그림과 같이 정육면체를 3개의 합동인 사각뿔로 나눌 수 있다.
따라서 뿔의 부피는 기둥의 부피의 $\frac{1}{3}$이다.

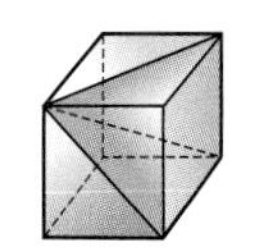
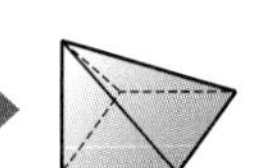
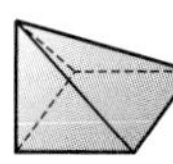
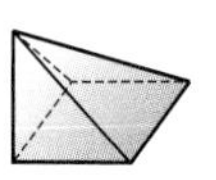

[방법 Ⅱ] 그림과 같이 정육면체를 밑면은 정육면체와 같고 높이는 정육면체의 $\frac{1}{2}$인 사각뿔로 나누어 보면 정육면체는 6개의 사각뿔로 나뉨을 알 수 있다. 따라서 사각뿔 3개의 부피의 합은 사각뿔과 같은 높이를 갖는 직육면체의 부피와 같으므로 뿔의 부피는 기둥의 부피의 $\frac{1}{3}$이다.

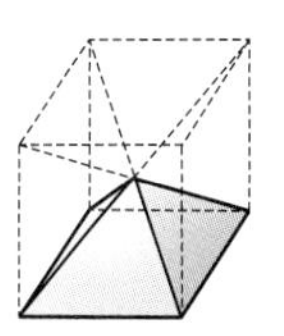
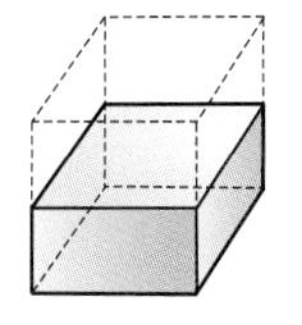

어떤 교과서에나 나오는 문제

[01~02] 다음 그림과 같은 뿔의 겉넓이를 구하여라.

중요도 ☐ 손도 못댐 ☐ 과정 실수 ☐ 틀린 이유:

01

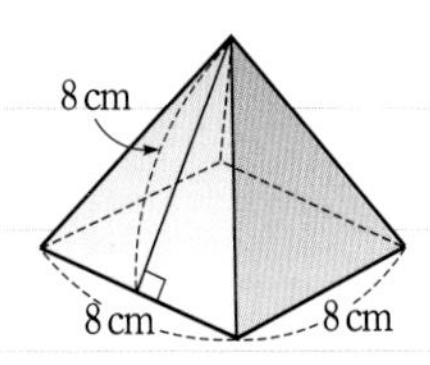

중요도 ☐ 손도 못댐 ☐ 과정 실수 ☐ 틀린 이유:

02

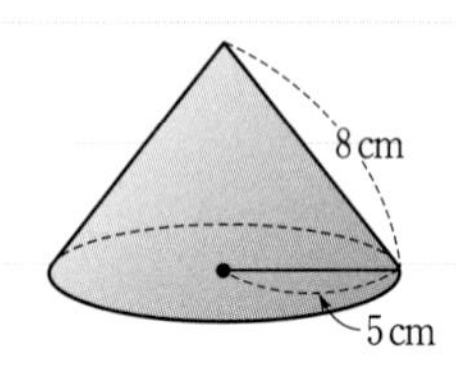

[03~04] 다음 그림과 같은 뿔의 부피를 구하여라.

중요도 ☐ 손도 못댐 ☐ 과정 실수 ☐ 틀린 이유:

03

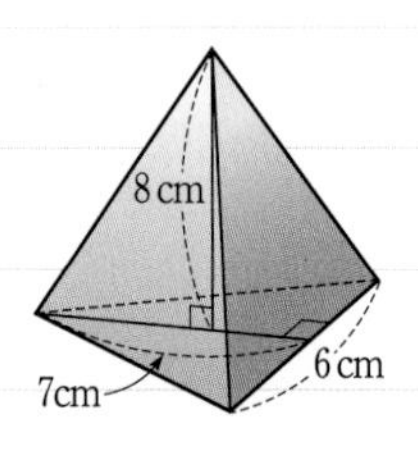

중요도 ☐ 손도 못댐 ☐ 과정 실수 ☐ 틀린 이유:

04

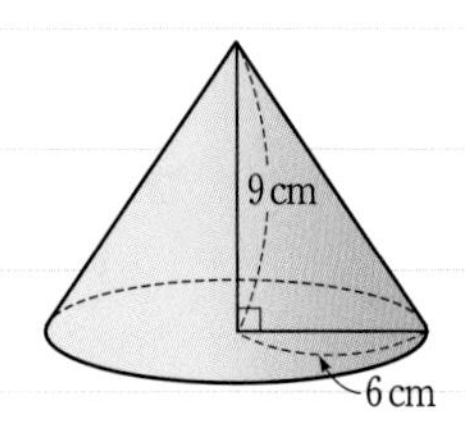

• 정답 및 풀이 21쪽

[05~06] 오른쪽 그림과 같은 사다리꼴을 직선 l을 축으로 하여 1회전시킬 때 생기는 입체도형에 대하여 다음을 구하여라.

l 5 cm 4 cm 3 cm 5 cm 4 cm 6 cm

중요도 ☐ 손도 못댐 ☐ 과정 실수 ☐ 틀린 이유:

05 겉넓이

중요도 ☐ 손도 못댐 ☐ 과정 실수 ☐ 틀린 이유:

06 부피

[07~08] 오른쪽 그림과 같은 구에 대하여 다음을 구하여라.

3 cm

중요도 ☐ 손도 못댐 ☐ 과정 실수 ☐ 틀린 이유:

07 겉넓이

중요도 ☐ 손도 못댐 ☐ 과정 실수 ☐ 틀린 이유:

08 부피

[09~10] 오른쪽 그림은 구의 중심을 지나도록 구의 $\frac{1}{8}$을 잘라낸 입체도형이다. 이 입체도형에 대하여 다음을 구하여라.

6 cm

중요도 ☐ 손도 못댐 ☐ 과정 실수 ☐ 틀린 이유:

09 겉넓이

중요도 ☐ 손도 못댐 ☐ 과정 실수 ☐ 틀린 이유:

10 부피

시험에 꼭 나오는 문제

중요도 ☐ 손도 못댐 ☐ 과정 실수 ☐ 틀린 이유:

01 오른쪽 그림과 같은 전개도를 갖는 정사각뿔의 겉넓이를 구하면?

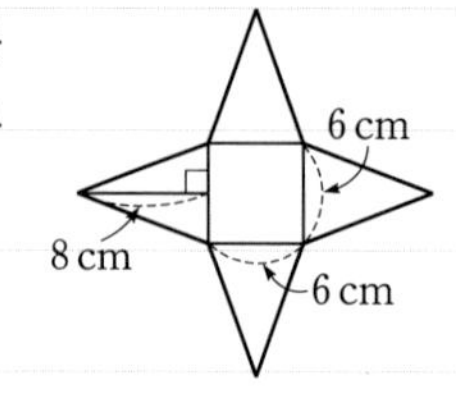

① $81\ \text{cm}^2$ ② $121\ \text{cm}^2$
③ $132\ \text{cm}^2$ ④ $154\ \text{cm}^2$
⑤ $180\ \text{cm}^2$

중요도 ☐ 손도 못댐 ☐ 과정 실수 ☐ 틀린 이유:

02 오른쪽 그림과 같은 정사각뿔의 겉넓이가 $88\ \text{cm}^2$일 때, 옆면인 이등변삼각형의 높이 h의 값은?

① 8 cm ② 9 cm
③ 10 cm ④ 12 cm
⑤ 15 cm

중요도 ☐ 손도 못댐 ☐ 과정 실수 ☐ 틀린 이유:

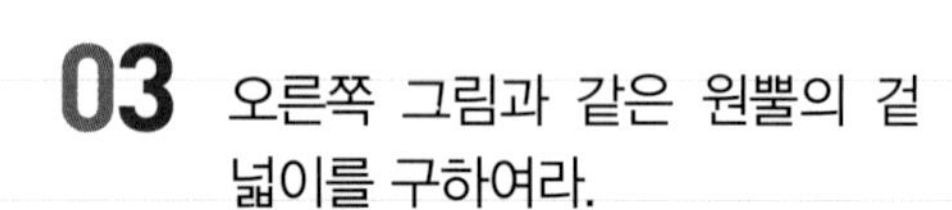

03 오른쪽 그림과 같은 원뿔의 겉넓이를 구하여라.

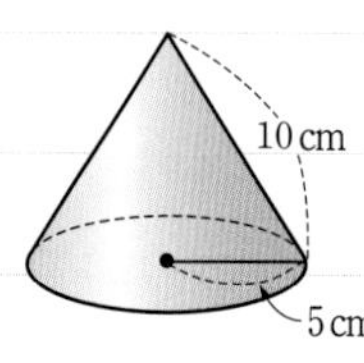

중요도 ☐ 손도 못댐 ☐ 과정 실수 ☐ 틀린 이유:

04 밑면의 반지름이 4 cm, 모선의 길이가 7 cm인 원뿔의 겉넓이를 구하면?

① $16\pi\ \text{cm}^2$ ② $28\pi\ \text{cm}^2$ ③ $37\pi\ \text{cm}^2$
④ $44\pi\ \text{cm}^2$ ⑤ $56\pi\ \text{cm}^2$

• 정답 및 풀이 22쪽

중요도 ☐ 손도 못댐 ☐ 과정 실수 ☐ 틀린 이유:

05 오른쪽 그림과 같이 밑면이 정사각형인 사각뿔대의 겉넓이를 구하여라.

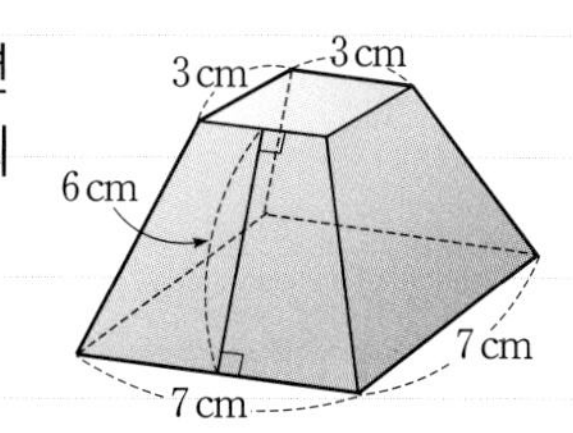

중요도 ☐ 손도 못댐 ☐ 과정 실수 ☐ 틀린 이유:

06 오른쪽 그림과 같이 사다리꼴을 직선 l을 축으로 하여 1회전시킬 때 생기는 입체도형의 겉넓이를 구하면?

① 48π cm^2 ② 51π cm^2
③ 54π cm^2 ④ 57π cm^2
⑤ 60π cm^2

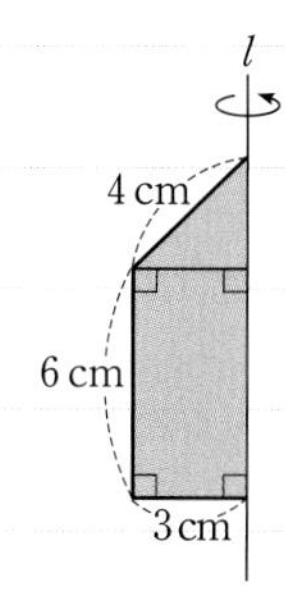

중요도 ☐ 손도 못댐 ☐ 과정 실수 ☐ 틀린 이유:

07 오른쪽 그림과 같은 정사각뿔의 부피를 구하여라.

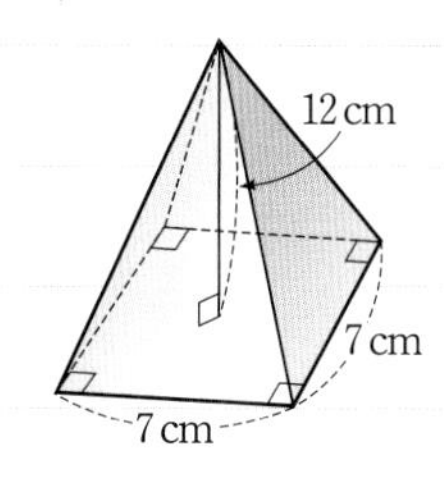

중요도 ☐ 손도 못댐 ☐ 과정 실수 ☐ 틀린 이유:

08 오른쪽 그림과 같은 삼각뿔의 부피를 구하면?

① 24 cm^3 ② 36 cm^3
③ 48 cm^3 ④ 60 cm^3
⑤ 72 cm^3

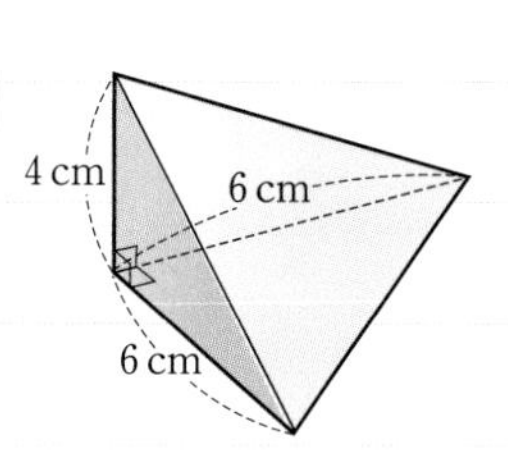

중요도 ☐ 손도 못댐 ☐ 과정 실수 ☐ 틀린 이유:

09 오른쪽 그림과 같은 사각뿔의 부피를 구하여라.

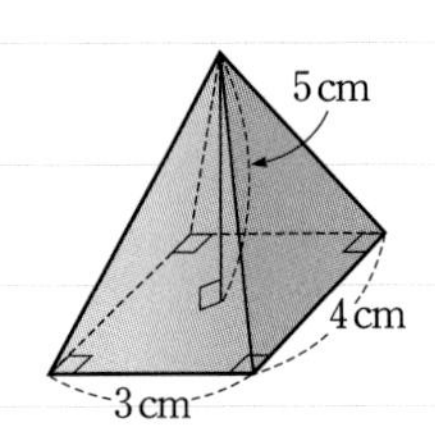

중요도 ☐ 손도 못댐 ☐ 과정 실수 ☐ 틀린 이유:

10 오른쪽 그림과 같은 삼각뿔의 부피를 구하여라.

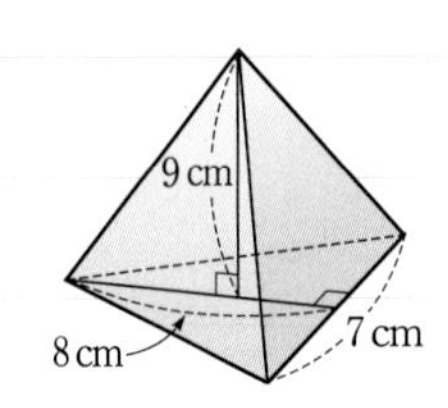

중요도 ☐ 손도 못댐 ☐ 과정 실수 ☐ 틀린 이유:

11 오른쪽 그림과 같이 직육면체를 세 꼭짓점을 지나는 평면으로 잘라서 생기는 삼각뿔의 부피를 구하여라.

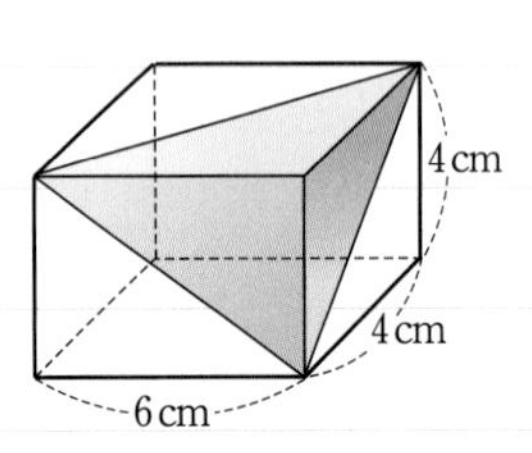

중요도 ☐ 손도 못댐 ☐ 과정 실수 ☐ 틀린 이유:

12 오른쪽 그림과 같은 원뿔의 부피를 구하여라.

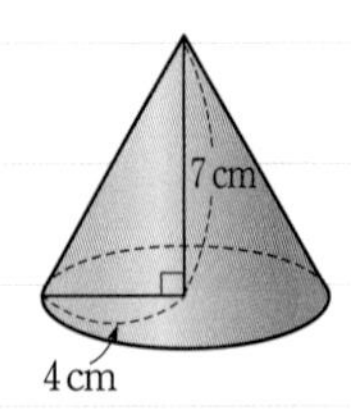

• 정답 및 풀이 22쪽

중요도 □ 손도 못댐 □ 과정 실수 □ 틀린 이유:

13 오른쪽 그림과 같은 원뿔의 부피가 $48\ \text{cm}^3$일 때, 이 원뿔의 높이를 구하면?

① 6 cm ② 9 cm
③ 11 cm ④ 12 cm
⑤ 15 cm

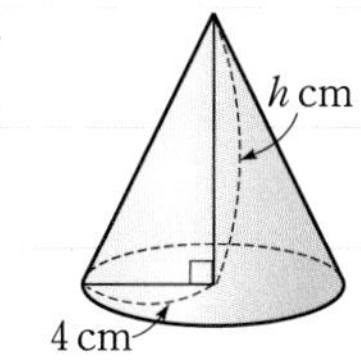

중요도 □ 손도 못댐 □ 과정 실수 □ 틀린 이유:

14 오른쪽 그림과 같이 사다리꼴을 직선 l을 축으로 하여 1회전시킬 때 생기는 입체도형의 부피를 구하여라.

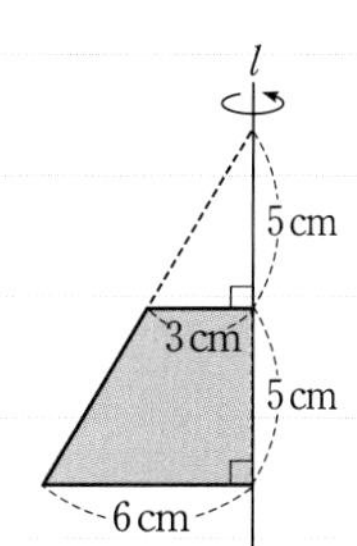

중요도 □ 손도 못댐 □ 과정 실수 □ 틀린 이유:

15 오른쪽 그림과 같은 구의 겉넓이를 구하여라.

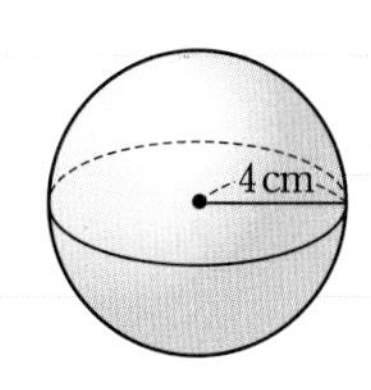

중요도 □ 손도 못댐 □ 과정 실수 □ 틀린 이유:

16 오른쪽 그림과 같은 반구의 겉넓이를 구하여라.

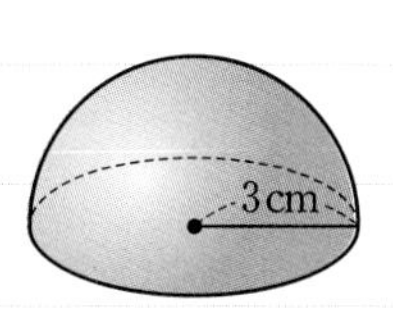

중요도 ☐ 손도 못댐 ☐ 과정 실수 ☐ 틀린 이유:

17 구의 중심을 지나는 평면으로 자른 단면의 넓이가 25π cm^2일 때, 구의 겉넓이를 구하면?

① 25π cm^2 ② 50π cm^2 ③ 75π cm^2
④ 100π cm^2 ⑤ 125π cm^2

중요도 ☐ 손도 못댐 ☐ 과정 실수 ☐ 틀린 이유:

18 오른쪽 그림과 같이 구의 중심을 지나도록 구의 $\frac{1}{8}$을 잘라낸 입체도형의 겉넓이를 구하면?

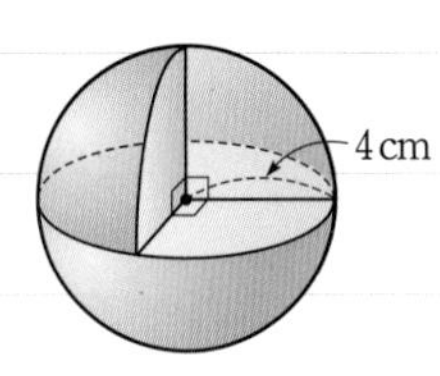

① 64π cm^2 ② 68π cm^2
③ 72π cm^2 ④ 76π cm^2 ⑤ 80π cm^2

중요도 ☐ 손도 못댐 ☐ 과정 실수 ☐ 틀린 이유:

19 오른쪽 그림과 같은 구의 부피를 구하여라.

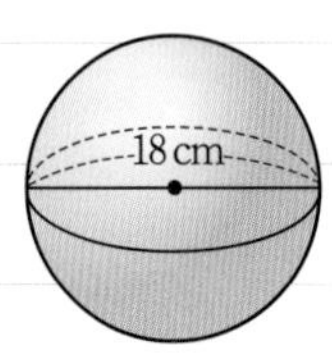

중요도 ☐ 손도 못댐 ☐ 과정 실수 ☐ 틀린 이유:

20 겉넓이가 256π cm^2인 구의 부피는?

① $\frac{512}{3}\pi$ cm^3 ② $\frac{1024}{3}\pi$ cm^3 ③ 576π cm^3
④ $\frac{2048}{3}\pi$ cm^3 ⑤ 972π cm^3

• 정답 및 풀이 22쪽

중요도 ☐ 손도 못댐 ☐ 과정 실수 ☐ 틀린 이유:

21 오른쪽 그림과 같은 평면도형을 직선 l을 축으로 하여 1회전시킬 때 생기는 입체도형의 부피를 구하여라.

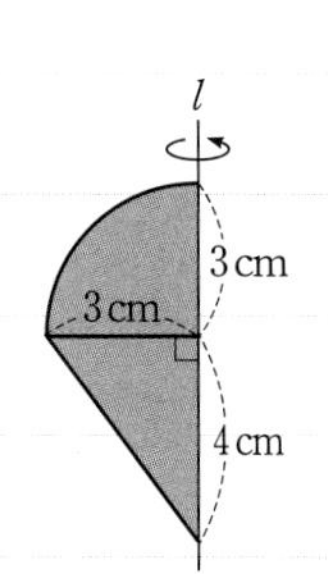

중요도 ☐ 손도 못댐 ☐ 과정 실수 ☐ 틀린 이유:

22 오른쪽 그림과 같이 원기둥에 구와 원뿔이 꼭맞게 들어 있다. 구의 부피가 $\frac{32}{3}\pi\ \text{cm}^3$일 때, 원뿔의 부피를 구하여라.

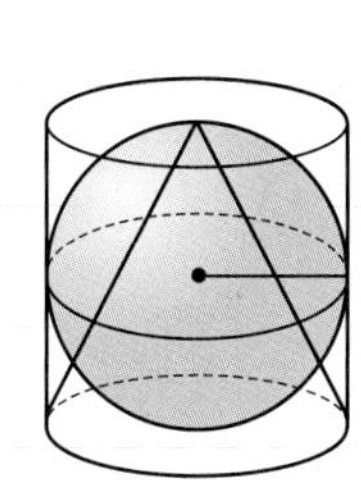

중요도 ☐ 손도 못댐 ☐ 과정 실수 ☐ 틀린 이유:

23 오른쪽 그림과 같은 원뿔 모양의 물통이 있다. 1분에 $4\pi\ \text{cm}^3$씩 일정하게 물을 넣을 때, 빈 통을 가득 채우는 데 걸리는 시간은 몇 분인지 구하여라.

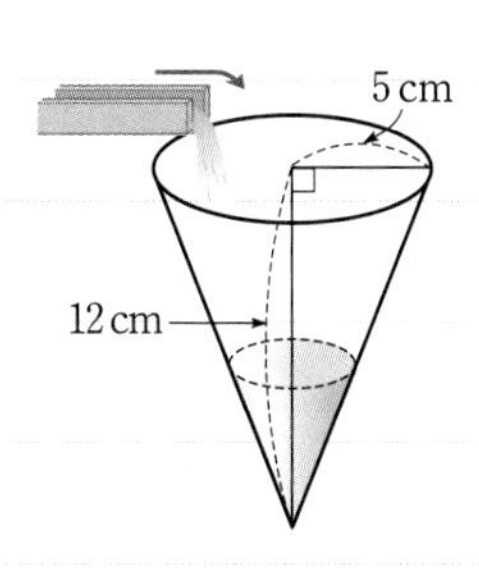

Ⅲ 입체도형

단원종합문제 [08~11]

01 중요도 ☐ 손도 못댐 ☐ 과정 실수 ☐ 틀린 이유:

다음 중 각뿔대에 대한 설명으로 옳지 않은 것은?

① 옆면은 사다리꼴이다.
② 두 밑면은 서로 평행하다.
③ 두 밑면은 합동이다.
④ 삼각뿔보다 삼각뿔대의 면이 1개 많다.
⑤ 오각기둥과 오각뿔대의 꼭짓점과 모서리의 개수는 각각 같다.

02 중요도 ☐ 손도 못댐 ☐ 과정 실수 ☐ 틀린 이유:

모서리의 개수가 21개인 각기둥의 면의 개수를 x개, 꼭짓점의 개수를 y개라고 할 때, $x+y$의 값은?

① 17 ② 23 ③ 25
④ 29 ⑤ 34

03 중요도 ☐ 손도 못댐 ☐ 과정 실수 ☐ 틀린 이유:

다음의 입체도형 중에서 꼭짓점의 개수와 면의 개수가 같은 것을 고르면?

① 삼각기둥 ② 오각뿔 ③ 원기둥
④ 사각뿔대 ⑤ 정팔면체

04 중요도 ☐ 손도 못댐 ☐ 과정 실수 ☐ 틀린 이유:

육각뿔의 모서리의 개수를 x개, 칠각뿔대의 모서리의 개수를 y개라고 할 때, $x+y$의 값을 구하여라.

05 중요도 ☐ 손도 못댐 ☐ 과정 실수 ☐ 틀린 이유:

다음 그림과 같은 전개도로 만든 입체도형에 대한 설명으로 옳지 않은 것을 고르면?

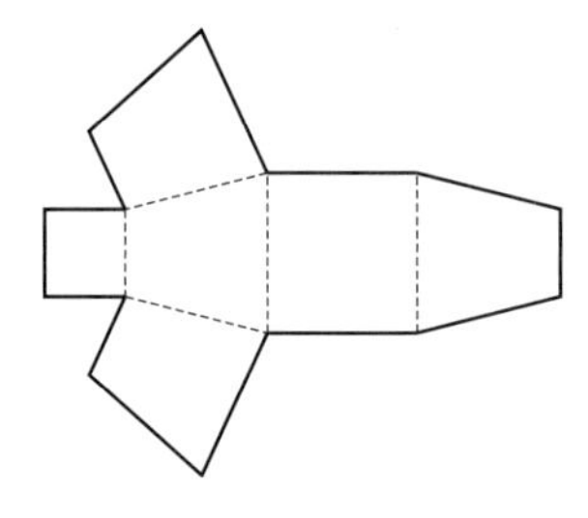

① 면이 6개인 다면체이다.
② 꼭짓점의 개수가 8개이다.
③ 모서리의 개수가 12개이다.
④ 두 밑면이 평행한 각기둥이다.
⑤ 옆면의 모양은 사다리꼴이다.

06 중요도 ☐ 손도 못댐 ☐ 과정 실수 ☐ 틀린 이유:

다음 중 정다면체의 면의 모양과 한 꼭짓점에 모인 면의 개수가 바르게 짝지어지지 않은 것은?

① 정사면체 – 정삼각형 – 3개
② 정육면체 – 정사각형 – 3개
③ 정팔면체 – 정사각형 – 3개
④ 정십이면체 – 정오각형 – 3개
⑤ 정이십면체 – 정삼각형 – 5개

07
중요도 ☐ 손도 못댐 ☐ 과정 실수 ☐ 틀린 이유:

정팔면체의 각 면의 한가운데에 있는 점을 연결하여 만든 정다면체는?

① 정사면체 ② 정육면체 ③ 정팔면체
④ 정십이면체 ⑤ 정이십면체

08
중요도 ☐ 손도 못댐 ☐ 과정 실수 ☐ 틀린 이유:

다음 〈보기〉에 대한 설명으로 옳지 않은 것은?

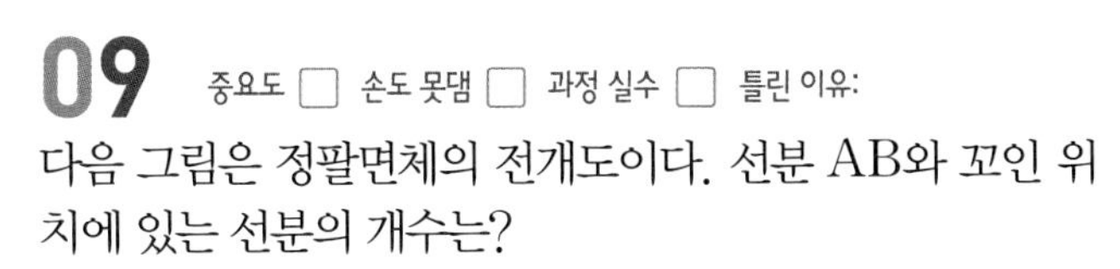

① 회전체는 4개이다.
② 다면체는 3개이다.
③ 정다면체는 1개이다.
④ 팔면체는 3개이다.
⑤ 회전축을 포함한 평면으로 자를 때의 단면이 원인 것은 구뿐이다.

09
중요도 ☐ 손도 못댐 ☐ 과정 실수 ☐ 틀린 이유:

다음 그림은 정팔면체의 전개도이다. 선분 AB와 꼬인 위치에 있는 선분의 개수는?

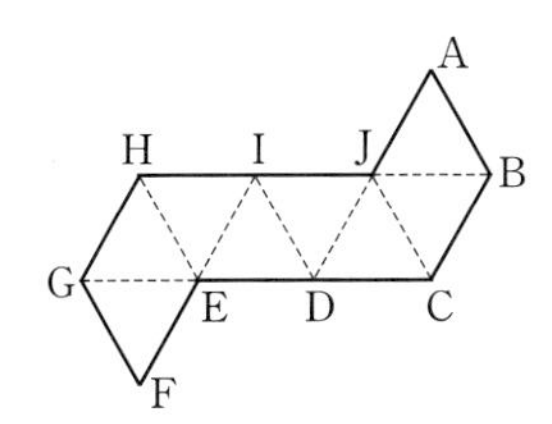

① 1개 ② 2개 ③ 3개
④ 4개 ⑤ 5개

10
중요도 ☐ 손도 못댐 ☐ 과정 실수 ☐ 틀린 이유:

오른쪽 그림과 같은 원뿔의 전개도에서 옆면인 부채꼴의 중심각의 크기를 구하여라.

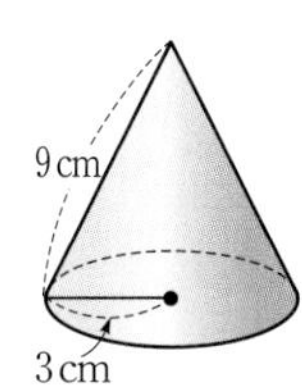

11
중요도 ☐ 손도 못댐 ☐ 과정 실수 ☐ 틀린 이유:

오른쪽 그림과 같은 사다리꼴을 직선 l을 축으로 하여 1회전시킬 때 생기는 입체도형에 대하여 다음을 구하여라.

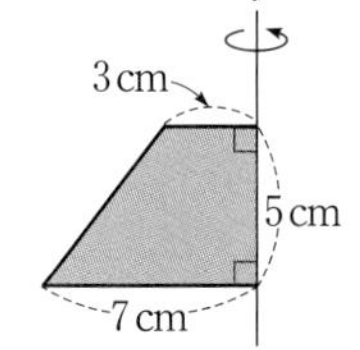

(1) 회전체의 이름
(2) 회전축을 포함한 평면으로 자를 때, 그 단면의 넓이

12
중요도 ☐ 손도 못댐 ☐ 과정 실수 ☐ 틀린 이유:

다음 중 회전체에 대한 설명으로 옳지 않은 것은?

① 구를 구의 중심을 지나지 않는 평면으로 자를 때 생기는 단면은 원이다.
② 회전체를 회전축에 수직인 평면으로 자르면 그 단면은 항상 원이다.
③ 회전체를 회전축에 수직인 평면으로 자르면 그 단면은 항상 합동이다.
④ 회전체를 회전축을 포함하는 평면으로 자르면 그 단면은 회전축에 대하여 선대칭도형이다.
⑤ 회전체를 회전축을 포함하는 평면으로 자르면 그 단면은 모두 합동이다.

13 중요도 ☐ 손도 못댐 ☐ 과정 실수 ☐ 틀린 이유:

오른쪽 그림과 같은 오각기둥의 겉넓이를 구하면?

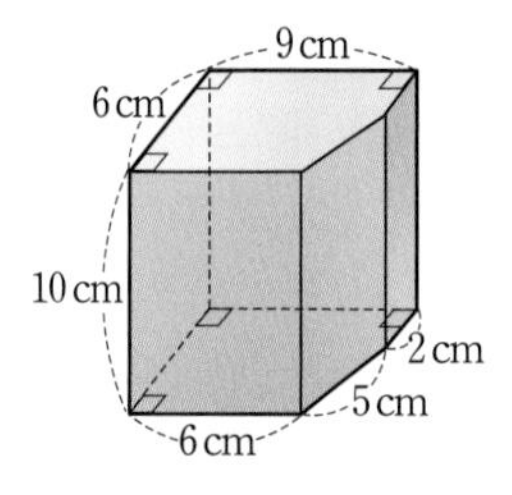

① 144 cm^2 ② 192 cm^2
③ 280 cm^2 ④ 328 cm^2
⑤ 376 cm^2

14 중요도 ☐ 손도 못댐 ☐ 과정 실수 ☐ 틀린 이유:

오른쪽 그림과 같은 원기둥의 전개도에서 옆면의 모양은 직사각형이다. 이 직사각형의 넓이를 구하면?

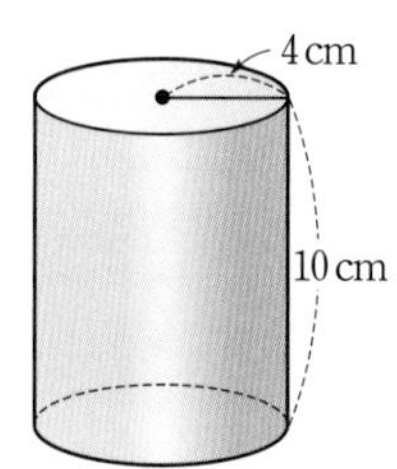

① $40\pi\text{ cm}^2$ ② $80\pi\text{ cm}^2$
③ $120\pi\text{ cm}^2$ ④ $160\pi\text{ cm}^2$
⑤ $200\pi\text{ cm}^2$

15 중요도 ☐ 손도 못댐 ☐ 과정 실수 ☐ 틀린 이유:

오른쪽 그림과 같은 기둥의 겉넓이를 구하면?

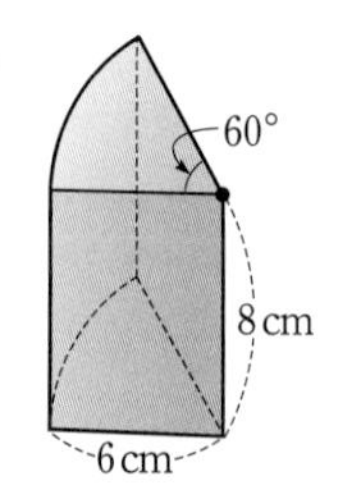

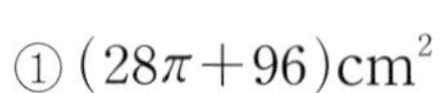

① $(28\pi+96)\text{cm}^2$
② $(30\pi+82)\text{cm}^2$
③ $(32\pi+55)\text{cm}^2$
④ $(32\pi+102)\text{cm}^2$
⑤ $(38\pi+132)\text{cm}^2$

16 중요도 ☐ 손도 못댐 ☐ 과정 실수 ☐ 틀린 이유:

오른쪽 그림과 같은 입체도형의 겉넓이를 구하면?

5 cm 7 cm 12 cm

① $120\pi\text{ cm}^2$ ② $168\pi\text{ cm}^2$
③ $216\pi\text{ cm}^2$ ④ $240\pi\text{ cm}^2$
⑤ $336\pi\text{ cm}^2$

17 중요도 ☐ 손도 못댐 ☐ 과정 실수 ☐ 틀린 이유:

오른쪽 그림과 같은 각기둥의 부피는?

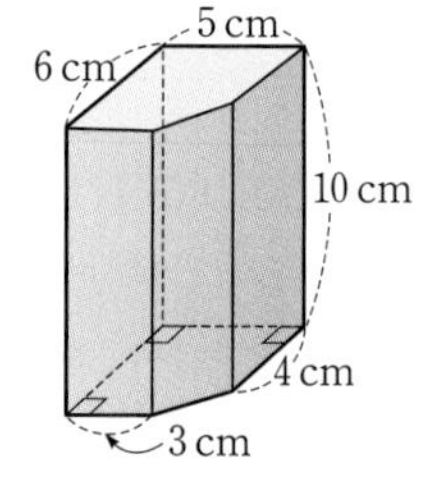

① 210 cm^3 ② 240 cm^3
③ 260 cm^3 ④ 280 cm^3
⑤ 310 cm^3

18 중요도 ☐ 손도 못댐 ☐ 과정 실수 ☐ 틀린 이유:

다음 그림과 같이 반지름이 2 cm인 원뿔을 꼭짓점 O를 중심으로 평면 위를 굴린다. 3바퀴를 회전하고 다시 제자리로 돌아올 때, 이 원뿔의 겉넓이를 구하여라.

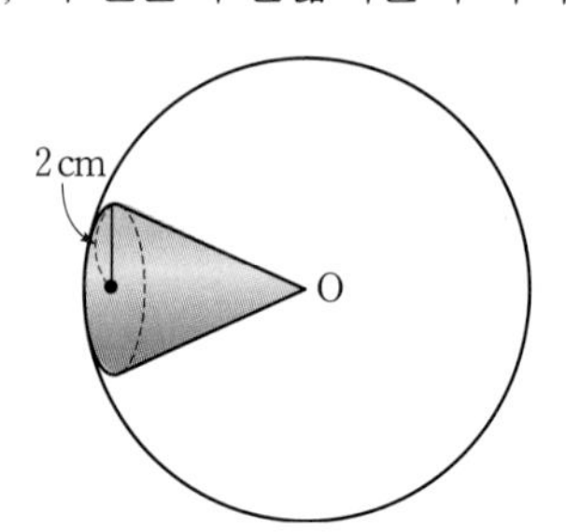

19

중요도 ☐ 손도 못댐 ☐ 과정 실수 ☐ 틀린 이유:

오른쪽 그림과 같이 직각삼각형을 직선 l을 축으로 하여 1회전시킬 때 생기는 회전체의 겉넓이를 구하면?

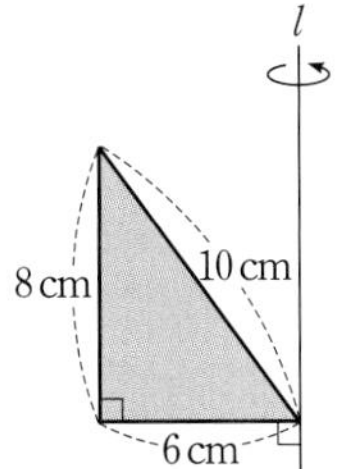

① 135π cm^2 ② 192π cm^2
③ 225π cm^2 ④ 269π cm^2
⑤ 325π cm^2

20

중요도 ☐ 손도 못댐 ☐ 과정 실수 ☐ 틀린 이유:

정사각뿔 모양의 피라미드가 있다. 이 피라미드의 밑면의 한 변의 길이가 7 m이고 부피가 147 m^{3}일 때, 높이를 구하면?

① 7 m ② 8 m ③ 9 m
④ 10 m ⑤ 11 m

21

중요도 ☐ 손도 못댐 ☐ 과정 실수 ☐ 틀린 이유:

오른쪽 그림과 같은 평면도형을 직선 l을 축으로 하여 1회전시킬 때 생기는 입체도형의 겉넓이를 구하면?

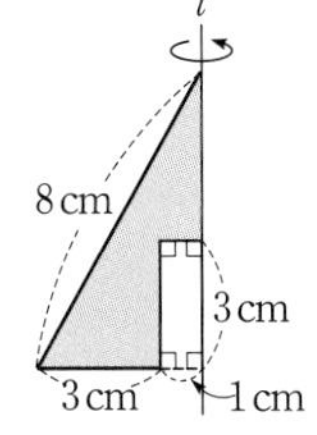

① 32π cm^2 ② 54π cm^2
③ 63π cm^2 ④ 75π cm^2
⑤ 87π cm^2

22

중요도 ☐ 손도 못댐 ☐ 과정 실수 ☐ 틀린 이유:

오른쪽 그림과 같이 직육면체를 세 꼭짓점을 지나는 평면으로 자르고 남은 입체도형의 부피를 구하여라.

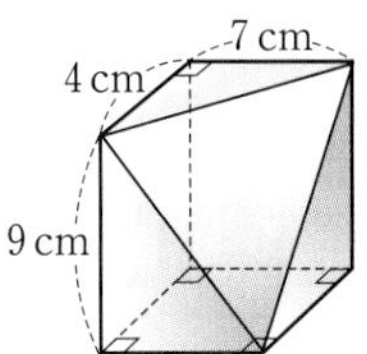

23

중요도 ☐ 손도 못댐 ☐ 과정 실수 ☐ 틀린 이유:

오른쪽 그림과 같이 반지름이 각각 5 cm, 3 cm인 반구를 붙여놓은 입체도형의 겉넓이를 구하여라.

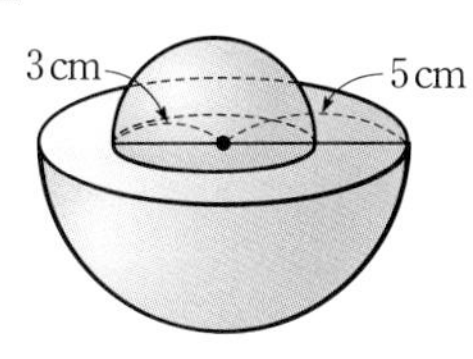

24

중요도 ☐ 손도 못댐 ☐ 과정 실수 ☐ 틀린 이유:

오른쪽 그림과 같이 부피가 108π cm^{3}인 원기둥 안에 둘레가 꼭 맞는 구를 2개 넣었더니 두 밑면에 접하였다. 이때, 구 1개의 부피는?

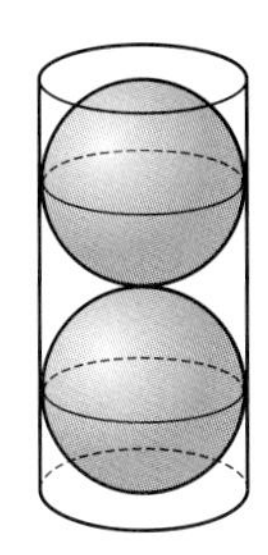

① 36π cm^3 ② 48π cm^3
③ 54π cm^3 ④ 60π cm^3
⑤ 72π cm^3

12 줄기와 잎 그림, 도수분포표

학습목표 • 줄기와 잎 그림, 도수분포표를 이해하고 해석할 수 있다.

기본 체크

01

다음은 현우네 반 학생들의 하루에 읽은 책의 쪽수를 기록하여 줄기와 잎 그림으로 나타낸 것이다. 물음에 답하여라.

(단, 2|3은 23쪽을 나타낸다.)

줄기	잎
2	3 4 5 8
3	1 2 2 2 5 8 9 9
4	1 2 3 4 7
5	0 2 3

(1) 줄기가 4인 잎을 모두 말하여라.
(2) 현우네 반 학생 수를 구하여라.

02

오른쪽 도수분포표를 보고 다음을 구하여라.

점수(점)	도수(명)
50이상 ~ 60미만	A
60 ~ 70	6
70 ~ 80	13
80 ~ 90	15
90 ~ 100	4
합계	40

(1) 계급의 개수
(2) 계급의 크기
(3) A의 값
(4) 도수가 가장 작은 계급
(5) 도수가 가장 큰 계급의 계급값

핵심 정리

줄기와 잎 그림

자료를 줄기와 잎으로 구분하여 줄기는 왼쪽에 크기순으로 나열하고, 잎은 해당하는 줄기에 수평으로 적은 그림

(단, 2|3은 23쪽을 나타낸다.)

줄기	잎
2	3 4 5 8
3	1 2 2 2 5 8 9 9
4	1 2 3 4 7
5	0 2 3

참고 자료를 일일이 나열하는 것보다 줄기와 잎 그림으로 나타내면 자료의 분포를 쉽게 알아볼 수 있다.

도수분포표

(1) 변량 : 자료를 수량으로 나타낸 것
(2) 계급 : 변량을 일정한 간격으로 나눈 구간
(3) 계급의 크기 : 변량을 나눈 구간의 너비
(4) 도수 : 각 계급에 속하는 변량의 개수
(5) 도수분포표 : 전체 자료를 몇 개의 계급으로 나누고 각 계급의 도수를 구하여 나타낸 표

점수(점)	도수(명)
50이상 ~ 60미만	2
60 ~ 70	3
70 ~ 80	5
80 ~ 90	7
90 ~ 100	3
합계	20

참고 계급값
각 계급을 대표하는 값으로 각 계급의 가운데 값

대표예제

• 정답 및 풀이 25쪽

01

다음은 어느 모둠 학생들의 턱걸이 횟수를 기록한 자료이다. 물음에 답하여라.

(단위 : 회)

27	5	17	0	12	11	3	30
16	8	11	19	2	20	17	5

(1) 오른쪽의 줄기와 잎 그림을 완성하여라.
(2) 잎이 가장 많은 줄기를 말하여라.
(3) 턱걸이 기록이 20회 이상인 학생의 수를 구하여라.

(단, 3|0은 30회를 나타낸다.)

줄기	잎
0	0 2 3 5 5 8
□	1 □
□	0 □
3	0

풀이 (1) 가장 작은 값은 □이고, 가장 큰 값은 □이므로 줄기를 □으로 정하고 오른쪽과 같이 줄기와 잎 그림을 그린다.
(2) (1)의 줄기와 잎 그림에서 잎이 가장 많은 줄기는 □이다.
(3) 줄기가 2인 잎이 □개, 줄기가 3인 잎이 □개이므로 턱걸이 기록이 20회 이상인 학생의 수는 □명이다.

(단, 3|0은 30회를 나타낸다.)

줄기	잎
0	0 2 3 5 5 8
□	1 □
□	0 □
3	0

※ 줄기와 잎 그림을 그리는 순서
① 자료의 가장 큰 값과 가장 작은 값을 보고, 줄기와 잎을 정한다.
② 세로선을 긋고, 줄기의 수를 세로선 왼쪽에 하나씩 쓴다.
③ 줄기에 해당하는 잎의 수를 세로선 오른쪽에 크기 순으로 쓴다.
④ $a|b$를 설명한다.

[02~04] 오른쪽 표는 어느 반 학생 30명을 대상으로 하루 평균 자기 주도적 학습 시간을 나타낸 도수분포표이다. 물음에 답하여라.

시간(분)	도수(명)
$0^{이상} \sim 30^{미만}$	1
30 ~ 60	4
60 ~ 90	11
90 ~ 120	8
120 ~ 150	A
150 ~ 180	2
합계	30

02 A의 값을 구하여라.

$A=30-(1+4+11+8+2)$
$=$□

전체 도수가 30임을 이용하여 A의 값을 구할 수 있다.

03 자기 주도적 학습 시간이 75분인 학생이 속하는 계급을 구하여라.

풀이 자기 주도적 학습 시간이 75분인 학생은 □분 이상 □분 미만인 계급에 속한다.

75분이 속하는 구간을 찾는다.

04 자기 주도적 학습 시간이 2시간 이상인 학생은 전체의 몇 %인지 구하여라.

풀이 자기 주도적 학습 시간이 120분 이상 150분 미만인 학생이 $A=$□명이고 전체 학생 수가 30명이므로 백분율은

$\frac{□}{30}\times 100=$□(%)이다.

백분율(%)$=\frac{일부}{전체}\times 100$

도수분포표를 만들 때 계급의 개수 정하기

도수분포표는 같은 자료라 하더라도 계급의 크기를 어떻게 정하느냐에 따라 다르게 나타난다. 계급의 개수가 너무 많거나 적으면 분포를 잘 알 수 없기 때문에 자료의 성격, 자료의 수에 따라 계급의 개수를 5~15개 정도로 하여 만든다.

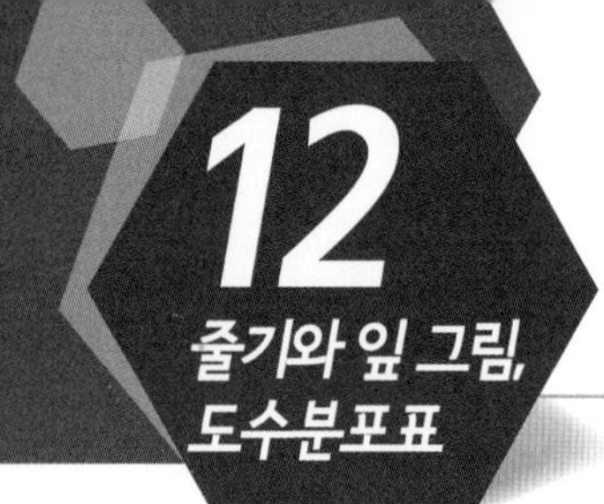

어떤 교과서에나 나오는 문제

[01~03] 다음은 지우네 반 학생들의 키를 조사하여 줄기와 잎 그림으로 나타낸 것이다. 물음에 답하여라.

(단, 14|6은 146 cm를 나타낸다.)

줄기	잎
14	6 6 7 9 9 9
15	0 0 5 5 8 8 8
16	1 4 4 4 6 6 8 9
17	0 1 2 4

01 키가 가장 큰 학생의 키는 몇 cm인지 구하여라.

중요도 ☐ 손도 못댐 ☐ 과정 실수 ☐ 틀린 이유:

02 키가 160 cm 이상인 학생의 수를 구하여라.

중요도 ☐ 손도 못댐 ☐ 과정 실수 ☐ 틀린 이유:

03 키가 작은 순서대로 세워 번호를 정할 때, 10번 학생의 키는 몇 cm인지 구하여라.

중요도 ☐ 손도 못댐 ☐ 과정 실수 ☐ 틀린 이유:

[04~05] 다음은 어느 학급 학생 20명의 수학 성적을 나타낸 것이다. 물음에 답하여라.

(단위 : 점)

70	95	85	60	85	55	85	60	70	65
75	80	85	95	75	90	50	85	70	85

04 (1) 가장 작은 변량을 구하여라.

(2) 가장 큰 변량을 구하여라.

중요도 ☐ 손도 못댐 ☐ 과정 실수 ☐ 틀린 이유:

05 다음 도수분포표를 완성하여라.

중요도 ☐ 손도 못댐 ☐ 과정 실수 ☐ 틀린 이유:

점수(점)	도수(명)	
50 이상 ~ 60 미만	//	2
60 ~ 70	///	3
70 ~ 80	////|	
80 ~ 90		
90 ~ 100		
합계	20	

[06~09] 오른쪽 표는 어느 학급 학생들의 하루 동안의 인터넷 검색 시간을 조사한 도수분포표이다. 물음에 답하여라.

시간(분)	도수(명)
$0^{이상}$ ~ $20^{미만}$	1
20 ~ 40	3
40 ~ 60	7
60 ~ 80	5
80 ~ 100	4
합계	20

중요도 □ 손도 못댐 □ 과정 실수 □ 틀린 이유:

06 도수가 가장 작은 계급을 구하여라.

중요도 □ 손도 못댐 □ 과정 실수 □ 틀린 이유:

07 도수가 가장 큰 계급의 계급값을 구하여라.

중요도 □ 손도 못댐 □ 과정 실수 □ 틀린 이유:

08 인터넷 검색 시간이 60분 이상인 학생의 수를 구하여라.

중요도 □ 손도 못댐 □ 과정 실수 □ 틀린 이유:

09 인터넷 검색 시간이 40분 미만인 학생은 전체의 몇 %인지 구하여라.

12
줄기와 잎 그림, 도수분포표

시험에 꼭 나오는 문제

중요도 □ 손도 못댐 □ 과정 실수 □ 틀린 이유:

01 다음은 어느 반 남학생과 여학생의 수학 수행평가 점수를 조사하여 나타낸 것이다. 물음에 답하여라.

(단, |1|2는 12점을 나타내고, 0|1|은 10점을 나타낸다.)

잎(남학생)	줄기	잎(여학생)
9 8 3	0	6 6 9 9
9 6 0 0	1	2 5 5 8 8
0 0 0	2	0

(1) 수학 수행평가 점수가 가장 낮은 학생은 남학생인가 여학생인가?
(2) 이 반 학생들의 수학 수행평가 점수 중 가장 많은 잎이 속한 줄기를 말하여라.
(3) 수학 수행평가 점수가 10점 이상인 학생의 수를 구하여라.

[02~03] 오른쪽 표는 워드프로세서 초급반 학생들의 한글 타자 입력 속도를 나타낸 것이다. 물음에 답하여라.

속도(타/분)	도수(명)
$0^{이상}$ ~ $100^{미만}$	6
100 ~ 200	14
200 ~ 300	A
300 ~ 400	7
400 ~ 500	1
합계	40

중요도 □ 손도 못댐 □ 과정 실수 □ 틀린 이유:

02 A의 값을 구하여라.

중요도 □ 손도 못댐 □ 과정 실수 □ 틀린 이유:

03 도수분포표에 대한 설명으로 옳지 않은 것은?

① 계급의 크기는 100이다.
② 0타 이상 100타 미만인 계급의 도수는 6이다.
③ 도수가 가장 큰 계급은 100타 이상 200타 미만이다.
④ 빨리 치는 순서로 3번째인 학생이 속한 계급의 도수는 6이다.
⑤ 300타 이상 치는 학생은 모두 8명이다.

• 정답 및 풀이 26쪽

[04~06] 오른쪽 표는 어느 학급 학생 20명의 여름방학 기간 중의 봉사활동 시간을 조사하여 나타낸 도수분포표이다. 물음에 답하여라.

시간(시간)	도수(명)
$0^{이상} \sim 5^{미만}$	2
$5 \sim 10$	6
$10 \sim 15$	7
$15 \sim 20$	4
$20 \sim 25$	1
합계	20

중요도 ☐ 손도 못댐 ☐ 과정 실수 ☐ 틀린 이유:

04 도수가 2인 계급의 계급값을 구하여라.

중요도 ☐ 손도 못댐 ☐ 과정 실수 ☐ 틀린 이유:

05 도수가 가장 큰 계급의 계급값을 구하여라.

중요도 ☐ 손도 못댐 ☐ 과정 실수 ☐ 틀린 이유:

06 봉사활동 시간이 10시간 미만인 학생의 수를 구하여라.

중요도 ☐ 손도 못댐 ☐ 과정 실수 ☐ 틀린 이유:

07 오른쪽 표는 어느 학급 남학생들의 팔굽혀펴기 횟수를 조사한 도수분포표이다. 도수가 가장 큰 계급의 계급값을 a회, 도수가 가장 작은 계급의 계급값을 b회라고 할 때, $a-b$의 값을 구하면?

횟수(회)	도수(명)
$0^{이상} \sim 10^{미만}$	2
$10 \sim 20$	5
$20 \sim 30$	A
$30 \sim 40$	13
$40 \sim 50$	6
$50 \sim 60$	3
합계	40

① 10 ② 20 ③ 30
④ 40 ⑤ 50

시험에 꼭 나오는 문제

중요도 ☐ 손도 못댐 ☐ 과정 실수 ☐ 틀린 이유:

08 어떤 도수분포표에서 계급의 크기가 10이고, a 이상 b 미만인 계급의 계급값이 35일 때, $a+b$의 값을 구하면?

① 60 ② 70 ③ 80
④ 90 ⑤ 100

중요도 ☐ 손도 못댐 ☐ 과정 실수 ☐ 틀린 이유:

09 오른쪽 표는 어느 학급 학생들의 키를 조사한 도수분포표이다. 키가 150 cm 이상 160 cm 미만인 학생은 전체 학생의 몇 %인가?

키(cm)	도수(명)
140이상 ~ 150미만	6
150 ~ 160	A
160 ~ 170	13
170 ~ 180	7
합계	40

① 27.5 % ② 30 % ③ 32.5 %
④ 35 % ⑤ 37.5 %

[10~11] 오른쪽 표는 건우네 학교 학생들의 하루 동안 사용한 핸드폰 통화량을 조사하여 나타낸 도수분포표이다. 통화량이 9건 이상 12건 미만인 학생이 전체의 20%일 때, 물음에 답하여라.

통화량(건)	도수(명)
0이상 ~ 3미만	22
3 ~ 6	
6 ~ 9	28
9 ~ 12	32
12 ~ 15	42
합계	

중요도 ☐ 손도 못댐 ☐ 과정 실수 ☐ 틀린 이유:

10 이 학교의 전체 학생의 수는?

① 150명 ② 155명 ③ 160명
④ 165명 ⑤ 170명

중요도 ☐ 손도 못댐 ☐ 과정 실수 ☐ 틀린 이유:

11 건우는 하루에 평균 5건의 전화를 한다. 건우가 속한 계급의 학생들은 전체의 몇 %인가?

① 15 % ② 17.5 % ③ 20 %
④ 22.5 % ⑤ 25 %

중요도 ☐ 손도 못댐 ☐ 과정 실수 ☐ 틀린 이유:

12 다음은 어느 운동부 학생들의 키를 조사하여 나타낸 도수분포표이다. 키가 160 cm 미만인 학생의 수가 전체의 12 %일 때, 이 운동부 전체 학생의 수를 구하여라.

키(cm)	학생 수(명)
150이상 ~ 155미만	1
155 ~ 160	2
160 ~ 165	9
165 ~ 170	
170 ~ 175	
합계	

[13~14] 다음은 어느 학교 체육대회에서 50 m 달리기 종목에 참가한 20명의 기록을 조사하여 나타낸 도수분포표이다. 물음에 답하여라.

달리기(초)	도수(명)
6이상 ~ 7미만	4
7 ~ 8	6
8 ~ 9	5
9 ~ 10	A
10 ~ 11	2
합계	20

중요도 ☐ 손도 못댐 ☐ 과정 실수 ☐ 틀린 이유:

13 A의 값을 구하여라.

중요도 ☐ 손도 못댐 ☐ 과정 실수 ☐ 틀린 이유:

14 보기 중에서 옳은 것을 모두 찾아라.

보기
ㄱ. 계급의 개수는 5이다.
ㄴ. 도수가 가장 큰 계급의 계급값은 7.5초이다.
ㄷ. 달리기 기록이 9초 이상인 학생은 전체의 20 %이다.

13 히스토그램과 도수분포다각형

학습목표 • 히스토그램과 도수분포다각형을 이해하고 해석할 수 있다.

기본 체크

01

다음 히스토그램을 보고 물음에 답하여라.

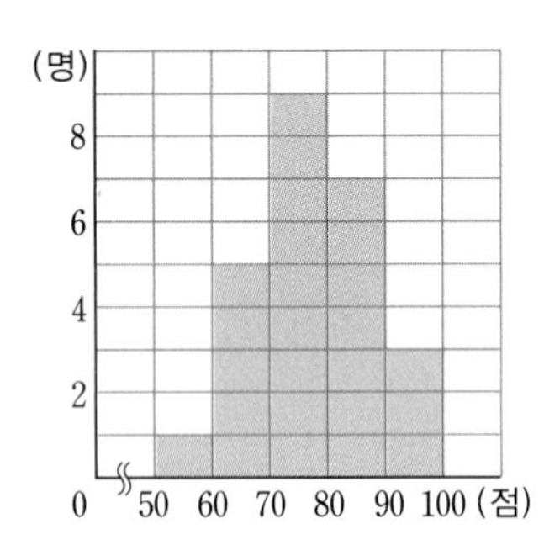

(1) 계급의 개수
(2) 계급의 크기
(3) 도수가 가장 큰 계급의 도수
(4) 도수가 가장 작은 계급
(5) 전체 도수
(6) 80점 이상 90점 미만인 계급의 계급값

02

다음 도수분포다각형을 보고 물음에 답하여라.

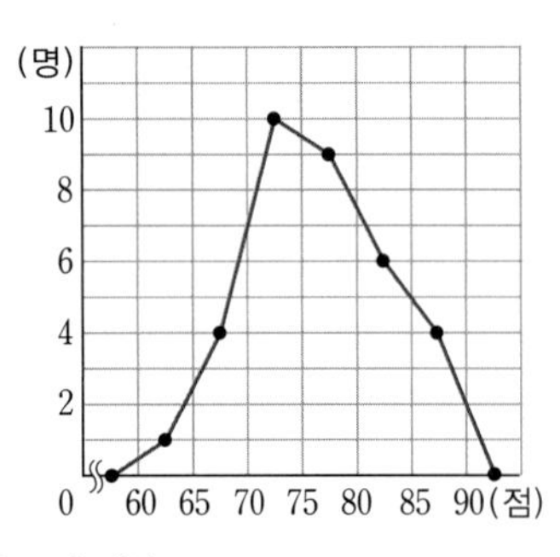

(1) 계급의 개수
(2) 계급의 크기
(3) 도수가 가장 큰 계급의 도수
(4) 도수가 가장 작은 계급
(5) 전체 도수
(6) 70점 이상 80점 미만인 계급의 계급값

핵심 정리

히스토그램

도수분포표에서 각 계급을 가로로, 그 계급의 도수를 세로로 하여 직사각형으로 나타낸 그래프

키(cm)	도수(명)
140이상 ~ 145미만	1
145 ~ 150	3
150 ~ 155	5
155 ~ 160	6
160 ~ 165	7
165 ~ 170	5
170 ~ 175	3
합계	30

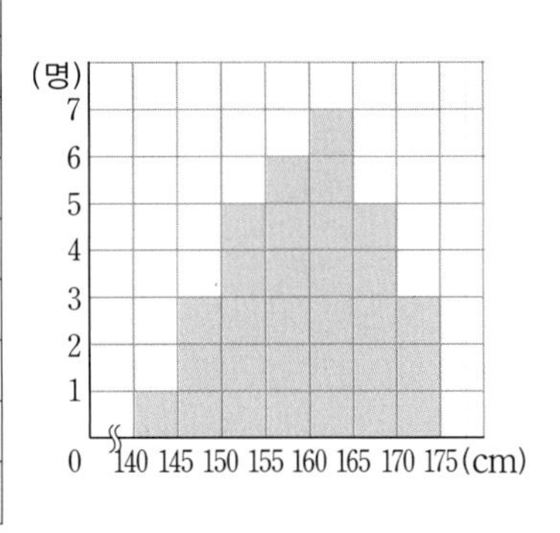

참고 히스토그램의 성질

① 도수분포표보다 도수의 분포 상태를 한눈에 알 수 있다.

② 각 직사각형의 넓이는 각 계급의 도수에 정비례한다.

(직사각형의 넓이의 합)={(각 계급의 크기)×(그 계급의 도수)}의 합
=(계급의 크기)×(도수의 합)

도수분포다각형

히스토그램에서 각 직사각형의 윗변의 중점을 차례로 선분으로 연결하고 양끝은 도수가 0인 계급을 하나씩 추가하여 나타낸 그래프

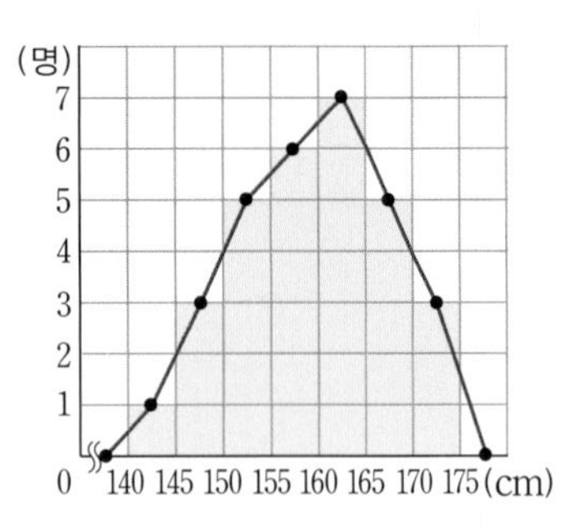

참고 도수분포다각형의 성질

(도수분포다각형과 가로축으로 둘러싸인 부분의 넓이)
=(히스토그램의 직사각형의 넓이의 합)

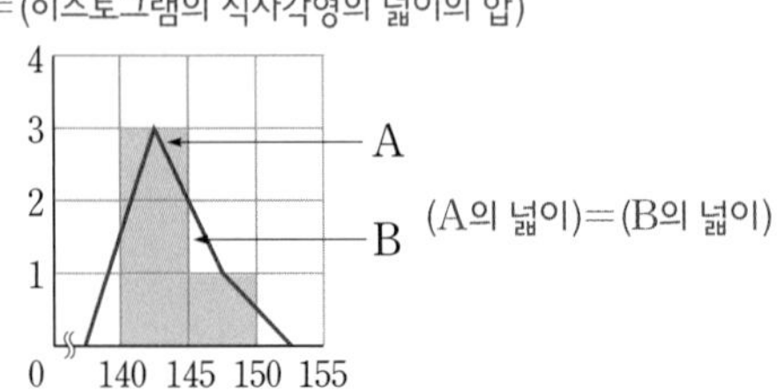

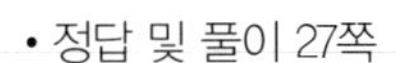

01 다음 도수분포표를 보고 히스토그램을 그려라.

가슴둘레(cm)	학생 수(명)
60이상 ~ 65미만	1
65 ~ 70	5
70 ~ 75	9
75 ~ 80	12
80 ~ 85	3
합계	30

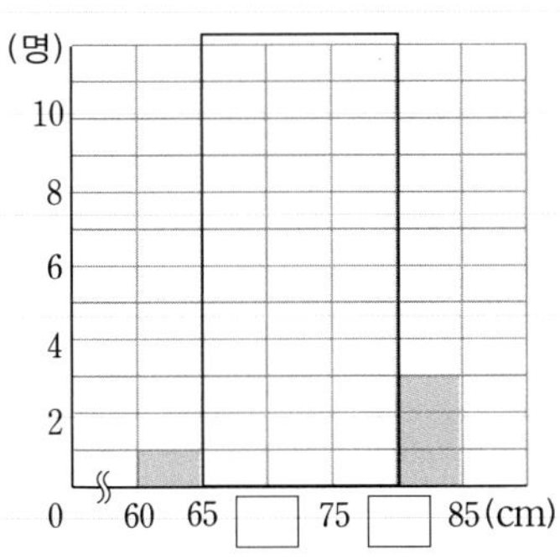

풀이 각 계급의 도수를 세로로 하는 직사각형을 그린다.

※ 히스토그램을 그리는 순서
① 가로축에 각 계급의 양 끝 값을 써넣는다.
② 세로축에 도수를 써넣는다.
③ 각 계급의 크기를 가로로, 도수를 세로로 하는 직사각형을 차례로 그린다.

[02~03] 오른쪽 그림은 희수네 반 학생들의 미술 실기 성적을 조사하여 나타낸 도수분포다각형이다. 물음에 답하여라.

(명) 8, 6, 4, 2, 0, 5, 15, 25, 35, 45, 55(점)

02 희수네 반 전체 학생 수를 구하여라.

풀이 희수네 반 전체 학생 수는 모든 계급의 도수의 합인
4+□+□+6+□=□(명)이다.

도수분포다각형은 각 계급의 중앙의 값에 그 계급의 도수를 대응시켜 만든 그래프이다. 즉, 점의 좌표는 (계급값, 도수)이다.

03 미술 실기 성적이 35점 이상인 학생 수를 구하여라.

풀이 미술 실기 성적이 35점 이상인 학생 수는
6+□=□(명)이다.

주어진 도수분포다각형에서 35점 이상인 학생 수는 35~45, 45~55의 계급값에 해당하는 도수의 합이다.

막대그래프와 히스토그램

막대그래프는 좋아하는 과목, 혈액형 등과 같은 연속적이지 않은 변량에 대한 그래프이고, 히스토그램은 성적, 키, 몸무게 등과 같은 연속적인 변량에 대한 그래프이다.

13
히스토그램과 도수분포다각형

어떤 교과서에나 나오는 문제

중요도 ☐ 손도 못댐 ☐ 과정 실수 ☐ 틀린 이유:

01 다음은 어느 반 학생들의 하루 동안 수학 공부하는 시간을 조사하여 나타낸 도수분포표이다. 도수분포표를 보고 히스토그램을 그려라.

공부 시간(분)	도수(명)
0이상 ~ 30미만	2
30 ~ 60	3
60 ~ 90	6
90 ~ 120	8
120 ~ 150	7
150 ~ 180	4
합계	30

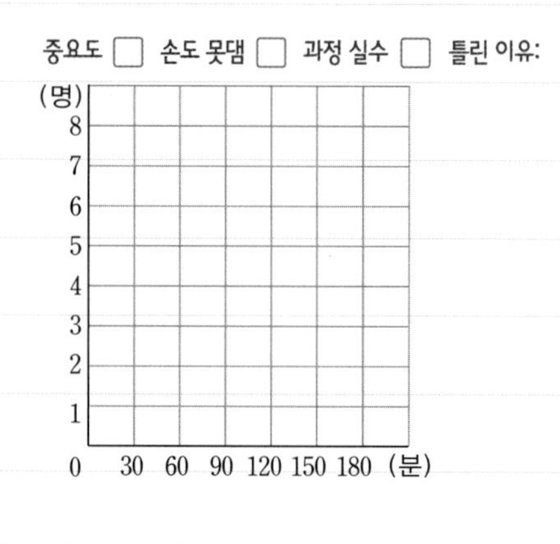

[02~04] 오른쪽 그림은 어느 반 학생들의 수학 성적을 조사하여 나타낸 히스토그램이다. 물음에 답하여라.

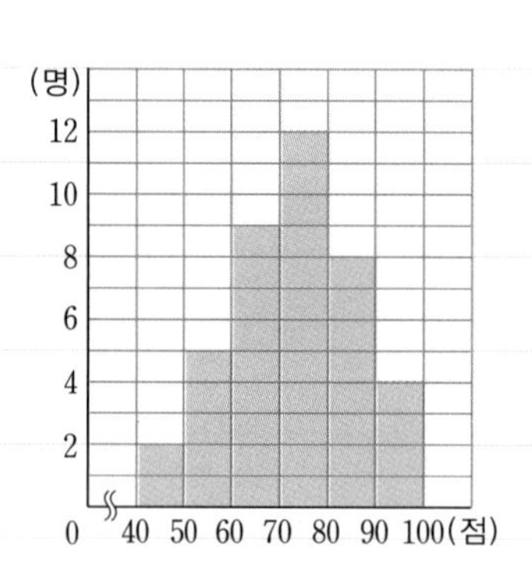

중요도 ☐ 손도 못댐 ☐ 과정 실수 ☐ 틀린 이유:

02 이 학급의 전체 학생의 수를 구하여라.

중요도 ☐ 손도 못댐 ☐ 과정 실수 ☐ 틀린 이유:

03 직사각형의 넓이의 합을 구하여라.

중요도 ☐ 손도 못댐 ☐ 과정 실수 ☐ 틀린 이유:

04 넓이가 가장 넓은 직사각형의 넓이와 90점 이상 100점 미만인 계급의 직사각형의 넓이와의 비를 구하면?

① 1:1 ② 1:3 ③ 2:1
④ 3:1 ⑤ 3:2

• 정답 및 풀이 27쪽

05 다음 도수분포표를 보고 도수분포다각형을 그려라.

계급(점)	도수(명)
60이상 ~ 70미만	3
70 ~ 80	5
80 ~ 90	8
90 ~ 100	4
합계	20

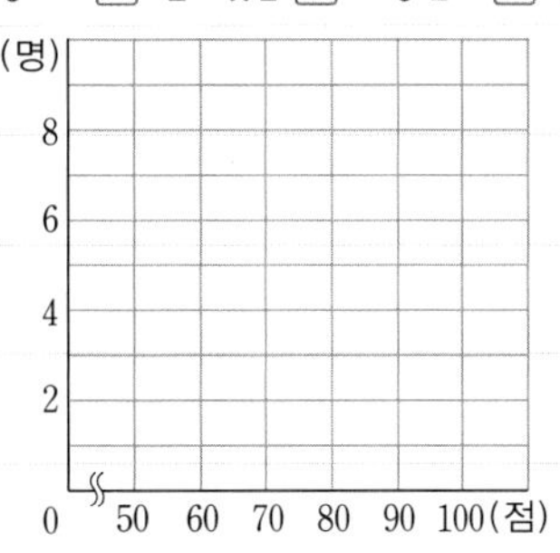

[06~08] 다음 그림은 어느 반 학생들의 수학 성적을 조사하여 나타낸 도수분포다각형이다. 물음에 답하여라.

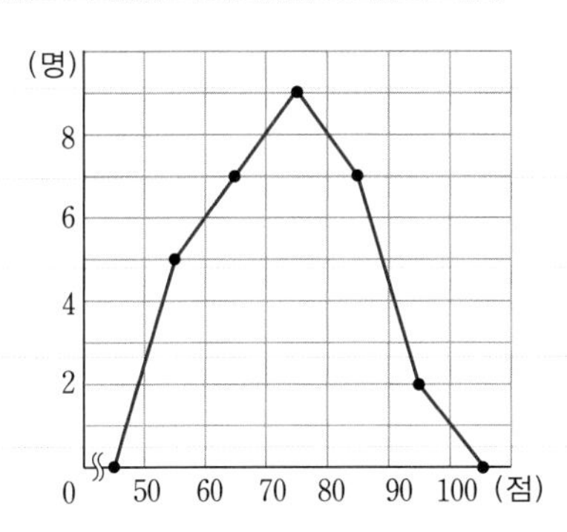

중요도 ☐ 손도 못댐 ☐ 과정 실수 ☐ 틀린 이유:

06 수학 성적이 80점 이상인 학생의 수를 구하여라.

중요도 ☐ 손도 못댐 ☐ 과정 실수 ☐ 틀린 이유:

07 도수분포다각형과 가로축으로 둘러싸인 부분의 넓이를 구하여라.

중요도 ☐ 손도 못댐 ☐ 과정 실수 ☐ 틀린 이유:

08 수학 성적이 70점 미만인 학생은 전체의 몇 %인지 구하여라.

시험에 꼭 나오는 문제

중요도 ☐ 손도 못댐 ☐ 과정 실수 ☐ 틀린 이유:

01 오른쪽 그림은 어느 학급 학생들의 영어 성적을 조사하여 나타낸 히스토그램이다. 다음 설명 중 옳지 않은 것은?

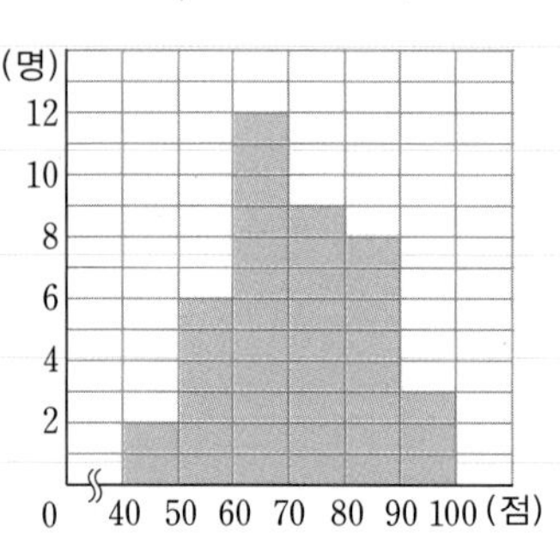

① 계급의 크기는 10이다.
② 전체 학생의 수는 40명이다.
③ 도수가 가장 큰 계급의 도수는 12명이다.
④ 도수가 가장 작은 계급의 계급값은 45점이다.
⑤ 영어 성적이 80점 이상 90점 미만인 학생은 전체의 22.5 %이다.

[02~03] 다음은 어느 학급 학생들의 몸무게를 조사하여 나타낸 히스토그램과 도수분포표이다. 물음에 답하여라.

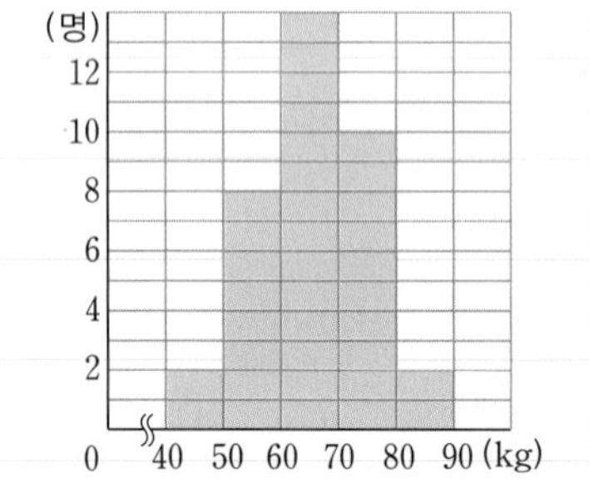

몸무게(kg)	학생 수(명)
40이상 ~ 50미만	2
50 ~ 60	A
60 ~ 70	14
70 ~ 80	10
80 ~ 90	2
합계	B

중요도 ☐ 손도 못댐 ☐ 과정 실수 ☐ 틀린 이유:

02 A, B의 값을 각각 구하여라.

중요도 ☐ 손도 못댐 ☐ 과정 실수 ☐ 틀린 이유:

03 직사각형의 넓이의 합을 구하여라.

• 정답 및 풀이 28쪽

[04~06] 오른쪽 그림은 어느 학급 학생들의 수학 성적을 조사하여 나타낸 히스토그램이다. 물음에 답하여라.

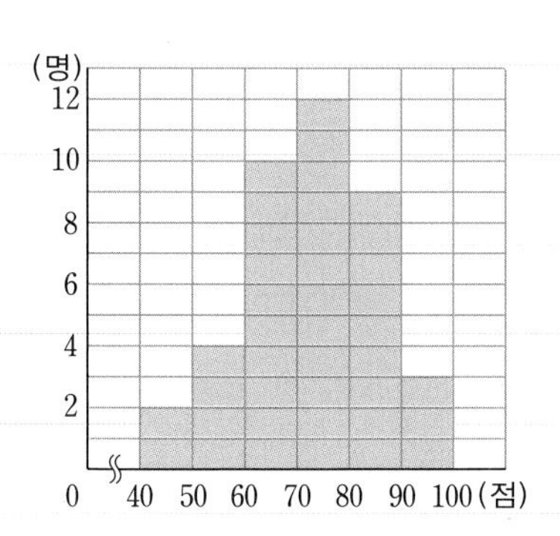

중요도 ☐ 손도 못댐 ☐ 과정 실수 ☐ 틀린 이유:

04 이 학급의 전체 학생의 수를 구하여라.

중요도 ☐ 손도 못댐 ☐ 과정 실수 ☐ 틀린 이유:

05 수학 성적이 5번째로 좋은 학생이 속하는 계급의 계급값을 구하여라.

중요도 ☐ 손도 못댐 ☐ 과정 실수 ☐ 틀린 이유:

06 수학 성적이 80점 이상인 학생은 전체의 몇 %인가?

① 7.5 % ② 10 % ③ 22.5 %
④ 25 % ⑤ 30 %

[07~08] 오른쪽 그림은 어느 학급 학생들의 턱걸이 횟수를 조사하여 히스토그램으로 나타낸 것이다. 물음에 답하여라.

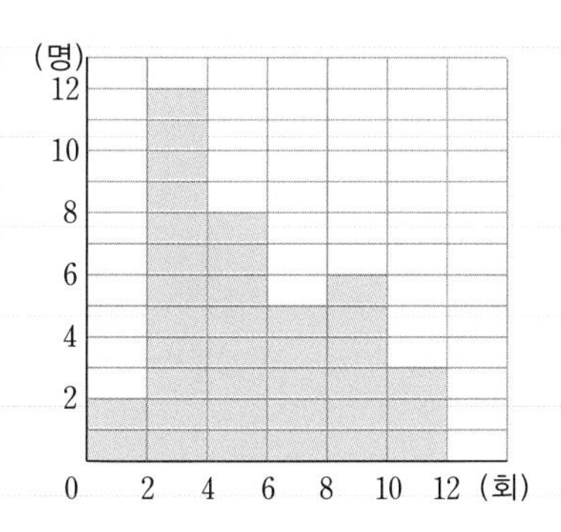

중요도 ☐ 손도 못댐 ☐ 과정 실수 ☐ 틀린 이유:

07 직사각형의 넓이의 합을 구하여라.

중요도 ☐ 손도 못댐 ☐ 과정 실수 ☐ 틀린 이유:

08 도수가 가장 큰 계급의 직사각형의 넓이는 도수가 가장 작은 계급의 직사각형 넓이의 몇 배인지 구하여라.

시험에 꼭 나오는 문제

중요도 ☐ 손도 못댐 ☐ 과정 실수 ☐ 틀린 이유:

09 다음은 어느 학급 35명의 자기주도적 학습시간을 조사하여 나타낸 히스토그램인데 일부가 찢어졌다. 자기주도적 학습시간이 60분 이상 90분 미만인 학생의 수를 구하여라.

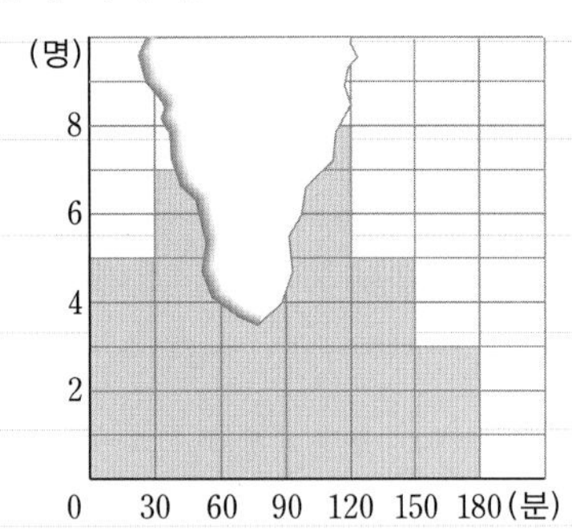

[10~11] 다음 그림은 어느 학급 학생들의 멀리뛰기 기록을 조사하여 나타낸 도수분포다각형이다. 물음에 답하여라.

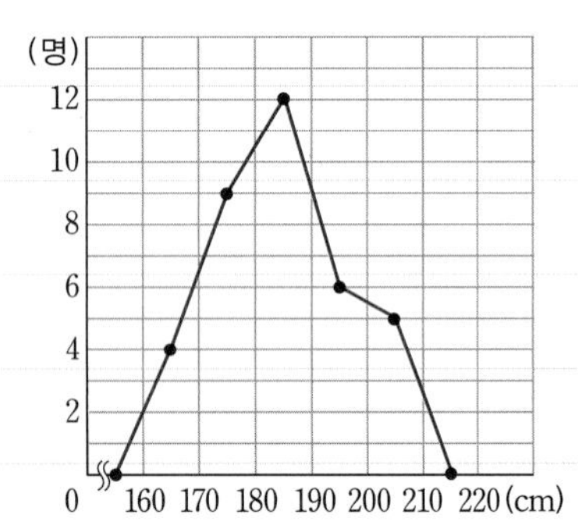

중요도 ☐ 손도 못댐 ☐ 과정 실수 ☐ 틀린 이유:

10 다음 설명 중 옳은 것은?

① 계급의 개수는 7개이다.
② 계급의 크기는 210 cm이다.
③ 이 학급의 전체 학생의 수는 36명이다.
④ 도수가 가장 큰 계급의 계급값은 180 cm이다.
⑤ 도수가 가장 작은 계급의 계급값은 215 cm이다.

중요도 ☐ 손도 못댐 ☐ 과정 실수 ☐ 틀린 이유:

11 멀리뛰기 기록이 상위 10등인 학생이 속한 계급의 계급값을 구하여라.

• 정답 및 풀이 28쪽

[12~14] 다음은 현우네 반 학생들의 수학 성적을 조사하여 나타낸 도수분포다각형이다. 물음에 답하여라.

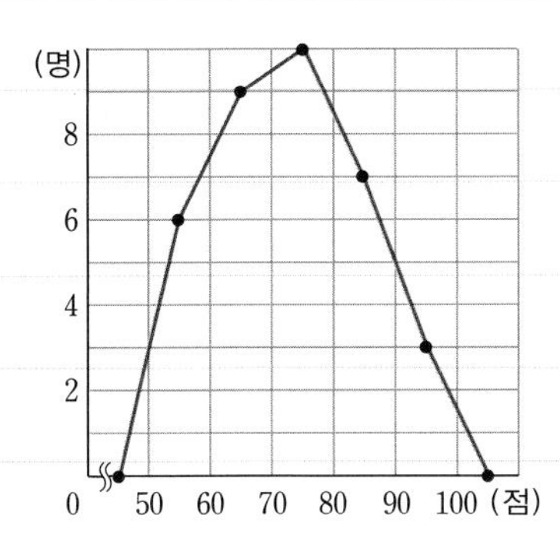

중요도 ☐ 손도 못댐 ☐ 과정 실수 ☐ 틀린 이유:

12
도수분포다각형과 가로축으로 둘러싸인 부분의 넓이를 구하여라.

중요도 ☐ 손도 못댐 ☐ 과정 실수 ☐ 틀린 이유:

13
수학 성적이 좋은 쪽에서 14번째인 학생은 상위 몇 %인지 구하여라.

중요도 ☐ 손도 못댐 ☐ 과정 실수 ☐ 틀린 이유:

14
현우의 성적이 좋은 쪽에서 5번째라고 할 때, 현우가 속한 계급의 계급값을 구하여라.

중요도 ☐ 손도 못댐 ☐ 과정 실수 ☐ 틀린 이유:

15
어떤 자료를 정리하여 그린 도수분포다각형과 히스토그램이 있다. 이 도수분포다각형과 가로축으로 둘러싸인 부분의 넓이를 A라 하고 히스토그램에서 각 직사각형의 넓이의 합을 B라고 할 때, 다음 중 옳은 것은?

① $A=B$ ② $A>B$ ③ $A<B$
④ $A=2B$ ⑤ 자료에 따라 다르다.

14 상대도수와 그 그래프

학습목표
• 상대도수를 구할 수 있다.
• 상대도수를 그래프로 나타내고, 상대도수의 분포를 이해한다.

 기본 체크 

01

다음 표의 빈칸에 알맞은 것을 써넣어라.

통학 시간(분)	도수(명)	상대도수
5이상 ~ 15미만	10	
15 ~ 25	8	
25 ~ 35	12	
35 ~ 45	6	
45 ~ 55	4	
합계	40	

02

위 자료의 상대도수의 그래프를 그려라.

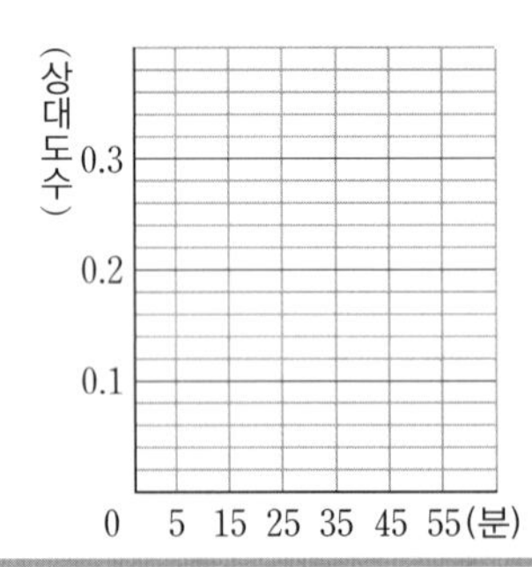

핵심 정리

상대도수

(1) 상대도수 : 전체 도수에 대한 각 계급의 비율

$$(\text{상대도수})=\frac{(\text{그 계급의 도수})}{(\text{도수의 총합})}$$

참고 ① 상대도수의 합은 항상 1이다.
② 각 계급의 상대도수는 그 계급의 도수에 정비례한다.
③ 전체 도수가 다른 두 집단의 분포상태를 비교할 때 편리하다.

(2) 상대도수의 분포표 : 각 계급의 상대도수를 구하여 나타낸 표

상대도수의 그래프 그리기

① 가로축에는 각 계급의 양 끝값을 써넣는다.
② 세로축에는 상대도수를 써넣는다.
③ 히스토그램이나 도수분포다각형 모양의 그래프를 그린다.

• 정답 및 풀이 29쪽

01 다음 표는 어느 학교 컴퓨터 동아리 학생 50명의 하루 동안의 컴퓨터 사용 시간을 나타낸 것이다. 빈칸에 알맞은 수를 구하여라.

시간(분)	도수(명)	상대도수
0이상 ~ 30미만	4	0.08
30 ~ 60	6	(1)
60 ~ 90	9	(2)
90 ~ 120	19	0.38
120 ~ 150	12	(3)
합계	50	1

(상대도수) $=\frac{(\text{그 계급의 도수})}{(\text{도수의 총합})}$

풀이 (1) $\frac{6}{50}=\square$  (2) $\frac{\square}{50}=\square$ 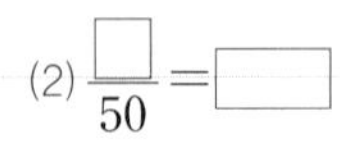 (3) $\frac{\square}{50}=\square$ 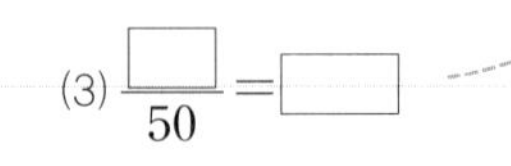

02 다음 표는 어느 반 학생들의 턱걸이 횟수를 조사하여 나타낸 것이다. 빈칸에 알맞은 수를 구하여라.

횟수(회)	도수(명)	상대도수
0^{이상} ~ 2^{미만}	8	0.2
2 ~ 4	12	(1)
4 ~ 6	(2)	0.25
6 ~ 8	6	0.15
8 ~10	(3)	(4)
합계	40	(5)

풀이 (1) $\frac{\square}{40}=\square$　　(2) $40\times0.25=\square$

(3) $40-(8+12+\square+6)=\square$　　(4) $\frac{\square}{40}=\square$

(5) (상대도수의 총합)$=\square$

(그 계급의 도수)
=(전체 도수)×(상대도수)

상대도수의 총합은 항상 1이다.

[03~04] 오른쪽 그림은 어느 중학교 1학년 학생 40명의 국어 성적을 상대도수의 분포다각형 모양의 그래프로 나타낸 것이다. 물음에 답하여라.

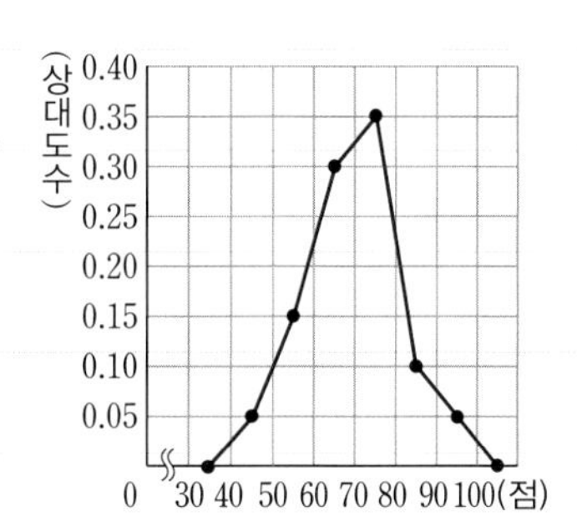

03 도수가 가장 큰 계급과 그 계급의 학생의 수를 구하여라.

풀이 상대도수는 그 계급의 도수에 정비례하므로
70점 이상 80점 미만의 상대도수가 $\square$로 상대도수가 가장 크고, 이때의 학생의 수는
$40\times\square=\square$(명)이다.

(그 계급의 도수)
=(전체 도수)×(상대도수)

04 국어 성적이 80점 이상인 학생은 전체의 몇 %인지 구하여라.

풀이 80점 이상 90점 미만인 계급의 상대도수가 $\square$,
90점 이상 100점 미만인 계급의 상대도수가 $\square$이다.
따라서 80점 이상인 계급의 상대도수의 합이 $\square$이므로
$\square\times100=\square$(%)

상대도수는 전체를 1로 본 비율이므로 백분율로 나타내려면 100을 곱한다.
백분율(%)=상대도수×100

상대도수를 이용하여 분포 비교하기

도수의 합이 다른 두 집단을 비교할 때에 이용하면 좋다. 그 이유는 도수를 그대로 비교하면 잘못된 정보를 이끌어낼 수 있기 때문이다. 따라서 도수의 합이 다른 두 집단의 분포를 비교하는 경우에는 각 계급의 도수가 전체에서 차지하는 비율, 즉 상대도수를 구하여 비교하는 것이 바람직하다.

14 상대도수와 그 그래프

어떤 교과서에나 나오는 문제

01 다음은 어느 학교 과학퀴즈대회에 참가한 학생들이 퀴즈에서 맞춘 개수를 나타낸 상대도수의 분포표이다.

중요도 ☐ 손도 못댐 ☐ 과정 실수 ☐ 틀린 이유:

계급(개)	도수(명)	상대도수
0이상 ~ 10미만	6	0.12
10 ~ 20	A	0.28
20 ~ 30	18	B
30 ~ 40	10	0.2
40 ~ 50	C	D
합계	E	1

다음 중 옳지 않은 것은?

① $A=14$ ② $B=0.32$ ③ $C=2$
④ $D=0.04$ ⑤ $E=50$

02 다음은 어느 학급 학생들의 교통카드 잔액을 조사하여 나타낸 상대도수의 분포표인데 일부가 찢어졌다. 잔액이 15000원 이상 20000원 미만인 학생의 수를 구하여라.

중요도 ☐ 손도 못댐 ☐ 과정 실수 ☐ 틀린 이유:

잔액(원)	도수(명)	상대도수
0이상 ~ 5000미만	2	0.05
5000 ~ 10000	12	0.3
10000 ~ 15000		0.45
15000 ~ 2000		0.15
20000 ~ 25		0.05
합계		

03 상대도수의 분포표에서 도수가 6인 계급의 상대도수가 0.12일 때, 도수가 10인 계급의 상대도수를 구하여라.

중요도 ☐ 손도 못댐 ☐ 과정 실수 ☐ 틀린 이유:

04 오른쪽 표는 어느 자료에 대한 상대도수의 분포표이다. 상대도수의 분포를 도수분포다각형 모양의 그래프로 그려라.

중요도 ☐ 손도 못댐 ☐ 과정 실수 ☐ 틀린 이유:

성적(점)	상대도수
50이상 ~ 60미만	0.1
60 ~ 70	0.25
70 ~ 80	0.35
80 ~ 90	0.2
90 ~ 100	0.1
합계	1

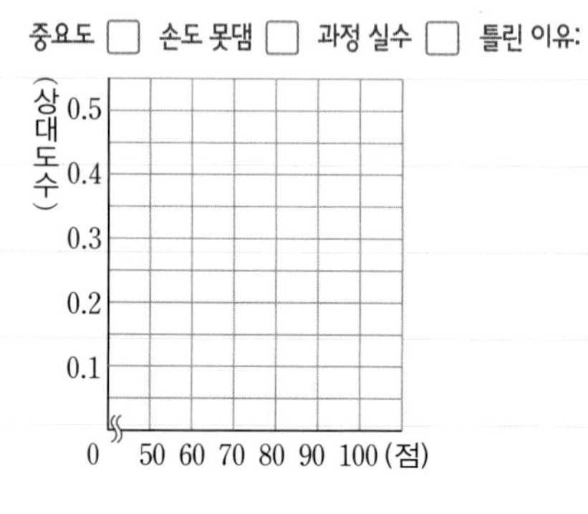

• 정답 및 풀이 29쪽

[05~06] 오른쪽 표는 어느 자료에 대한 상대도수의 분포표이다. 물음에 답하여라.

성적(점)	상대도수
50이상 ~ 60미만	x
60 ~ 70	$4x$
70 ~ 80	$5x$
80 ~ 90	0.35
90 ~ 100	$3x$
합계	

중요도 ☐ 손도 못댐 ☐ 과정 실수 ☐ 틀린 이유:

05 x의 값을 구하여라.

중요도 ☐ 손도 못댐 ☐ 과정 실수 ☐ 틀린 이유:

06 상대도수의 분포를 도수분포다각형 모양의 그래프로 그려라.

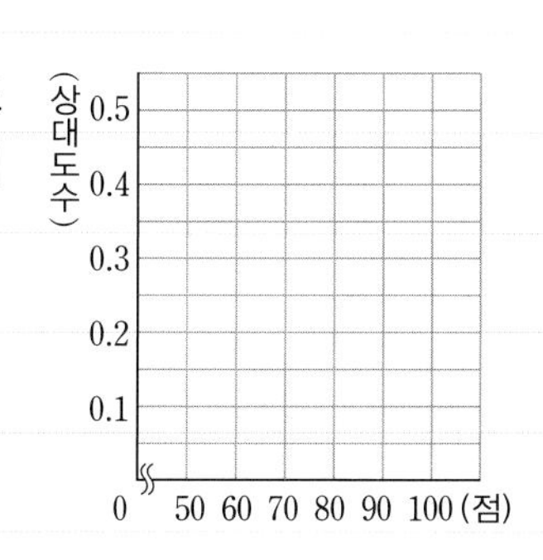

[07~08] 오른쪽 그림은 상주네 학교 학생들의 체육 성적에 대한 상대도수의 그래프이다. 상대도수가 가장 낮은 계급의 도수가 20명일 때, 물음에 답하여라.

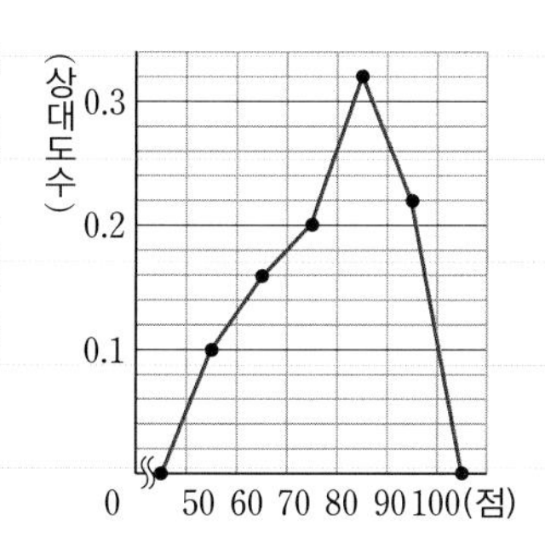

중요도 ☐ 손도 못댐 ☐ 과정 실수 ☐ 틀린 이유:

07 전체 학생의 수를 구하여라.

중요도 ☐ 손도 못댐 ☐ 과정 실수 ☐ 틀린 이유:

08 체육 성적이 70점 미만인 학생의 수를 구하여라.

14 상대도수와 그 그래프

시험에 꼭 나오는 문제

중요도 □ 손도 못댐 □ 과정 실수 □ 틀린 이유:

01 다음은 성진이네 반 학생들의 과학 성적을 조사하여 나타낸 상대도수의 분포표이다. $A \sim E$의 값으로 옳지 않은 것은?

성적(점)	도수(명)	상대도수
60이상 ~ 70미만	3	0.15
70 ~ 80	A	0.4
80 ~ 90	7	
90 ~ 100	B	C
합계	D	E

① $A=8$　② $B=2$　③ $C=0.05$
④ $D=20$　⑤ $E=1$

중요도 □ 손도 못댐 □ 과정 실수 □ 틀린 이유:

02 다음 표는 어느 반 학생들의 멀리던지기 기록을 조사하여 나타낸 상대도수의 분포표이다.

계급(m)	도수(명)	상대도수
0이상 ~ 10미만	2	0.08
10 ~ 20	7	0.28
20 ~ 30	A	0.4
30 ~ 40	B	0.2
40 ~ 50	1	C
합계	D	1

다음 설명 중 옳지 않은 것은?

① 전체 학생의 수는 25명이다.
② 도수가 가장 큰 계급의 도수는 10명이다.
③ 6번째로 기록이 좋은 학생이 속한 계급의 계급값은 25 m이다.
④ 40 m 이상 던진 학생의 상대도수는 0.04이다.
⑤ 30 m 이상 던진 학생은 전체의 24 %이다.

중요도 □ 손도 못댐 □ 과정 실수 □ 틀린 이유:

03 어느 설문조사의 자료를 정리하여 표로 나타내었더니 어떤 계급의 도수가 108이고 그 상대도수가 0.12이었다. 이 설문조사에 응답한 사람의 수는?

① 800명　② 850명　③ 900명
④ 950명　⑤ 1000명

[04~05] 다음은 영아네 반 학생들의 수학 성적을 나타낸 상대도수의 분포표인데 일부가 찢어졌다. 물음에 답하여라.

수학 성적(점)	학생 수(명)	상대도수
50이상 ~ 60미만	1	0.04
60 ~ 70	2	
70 ~ 80	10	
80 ~ 90	8	
90 ~ 100		
합계		1

중요도 ☐ 손도 못댐 ☐ 과정 실수 ☐ 틀린 이유:

04 전체 학생의 수를 구하여라.

중요도 ☐ 손도 못댐 ☐ 과정 실수 ☐ 틀린 이유:

05 영아의 수학 성적은 92점이다. 영아가 속한 계급의 상대도수를 구하여라.

중요도 ☐ 손도 못댐 ☐ 과정 실수 ☐ 틀린 이유:

06 오른쪽 표는 어느 학급 40명의 수학 성적을 나타낸 상대도수의 분포표이다. 수학 성적이 15등인 학생이 속하는 계급의 계급값을 구하여라.

성적(점)	상대도수
50이상 ~ 60미만	0.15
60 ~ 70	0.2
70 ~ 80	0.3
80 ~ 90	0.25
90 ~ 100	0.1
합계	1

중요도 ☐ 손도 못댐 ☐ 과정 실수 ☐ 틀린 이유:

07 오른쪽 그림은 어느 학교 학생 100명의 키를 재어 나타낸 상대도수의 그래프이다. 다음 중 옳지 않은 것은?

(상대도수) 0.40, 0.35, 0.30, 0.25, 0.20, 0.15, 0.10, 0.05, 0, 150, 155, 160, 165, 170, 175 (cm)

① 상대도수의 총합은 1이다.

② 계급의 도수가 클수록 상대도수는 크다.

③ 상대도수가 가장 큰 계급의 계급값은 162.5 cm이다.

④ 170 cm 이상 175 cm 미만인 학생은 전체의 0.1 %이다.

⑤ 160 cm 이상 170 cm 미만인 학생은 모두 61명이다.

시험에 꼭 나오는 문제

[08~10] 다음은 가은이네 반 학생 40명의 하루 평균 자기주도적 학습 시간을 조사하여 나타낸 상대도수의 그래프이다. 물음에 답하여라.

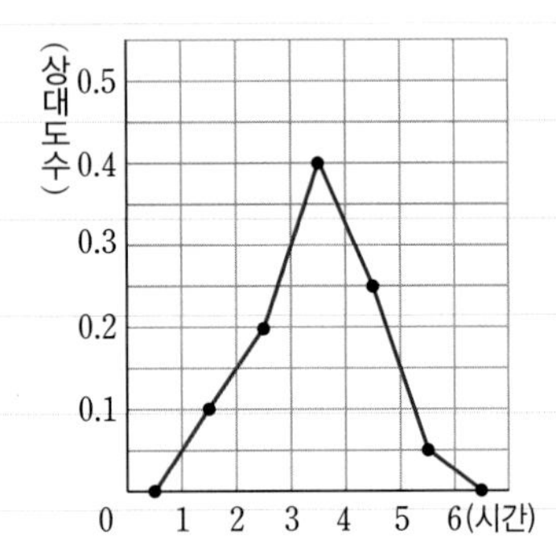

중요도 ☐ 손도 못댐 ☐ 과정 실수 ☐ 틀린 이유:

08 하루에 3시간 이상 4시간 미만으로 공부하는 학생의 수를 구하여라.

중요도 ☐ 손도 못댐 ☐ 과정 실수 ☐ 틀린 이유:

09 가은이는 공부를 많이 하는 순으로 10번째이다. 가은이가 속한 계급의 도수를 구하여라.

중요도 ☐ 손도 못댐 ☐ 과정 실수 ☐ 틀린 이유:

10 하루에 4시간 이상 공부하는 학생은 전체의 몇 %인가?

① 5 %　② 25 %　③ 30 %
④ 40 %　⑤ 70 %

중요도 ☐ 손도 못댐 ☐ 과정 실수 ☐ 틀린 이유:

11 다음은 어느 학교 1학년 학생들의 수학 성적에 대한 상대도수의 그래프인데 일부가 찢어져 보이지 않는다. 수학 성적이 60점 이상 70점 미만인 학생의 수가 30명이라고 할 때, 이 학교의 1학년 전체 학생의 수를 구하여라.

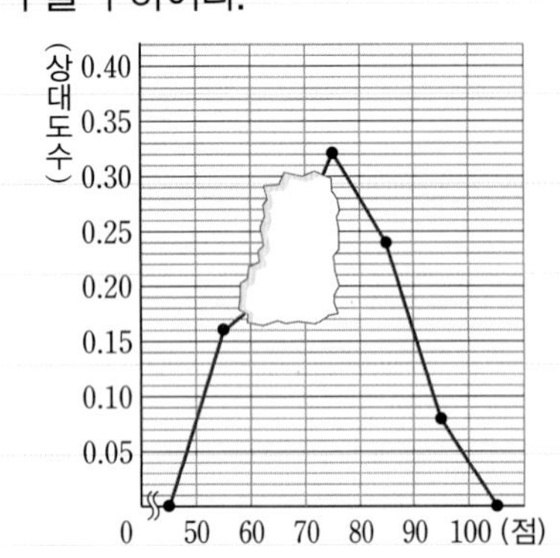

• 정답 및 풀이 30쪽

[12~13] 오른쪽 그림은 어느 학급 학생들의 수학 성적을 상대도수의 그래프로 나타낸 것이다. 물음에 답하여라.

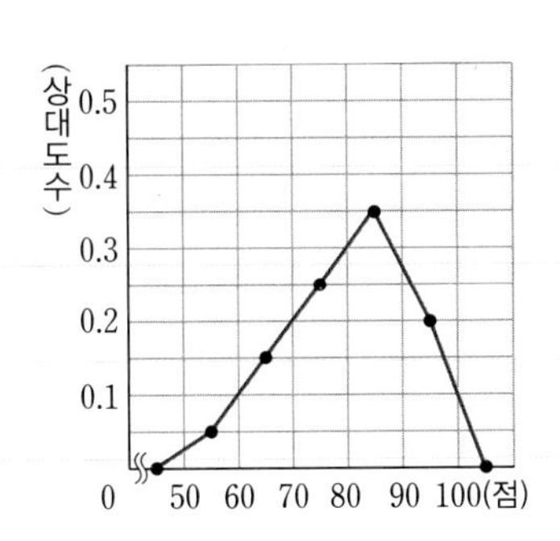

중요도 ☐ 손도 못댐 ☐ 과정 실수 ☐ 틀린 이유:

12

도수가 가장 큰 계급에 속한 학생의 수가 14일 때, 이 학급의 전체 학생의 수는?

① 30명　② 35명　③ 40명
④ 45명　⑤ 50명

중요도 ☐ 손도 못댐 ☐ 과정 실수 ☐ 틀린 이유:

13

수학 성적이 90점 이상인 학생의 수는?

① 6명　② 8명　③ 10명
④ 12명　⑤ 14명

[14~15] 오른쪽 그림은 같은 문항의 시험지로 치른 A, B 두 학교 학생 각각 50명, 100명의 수학 성적을 조사하여 나타낸 그래프이다. 물음에 답하여라.

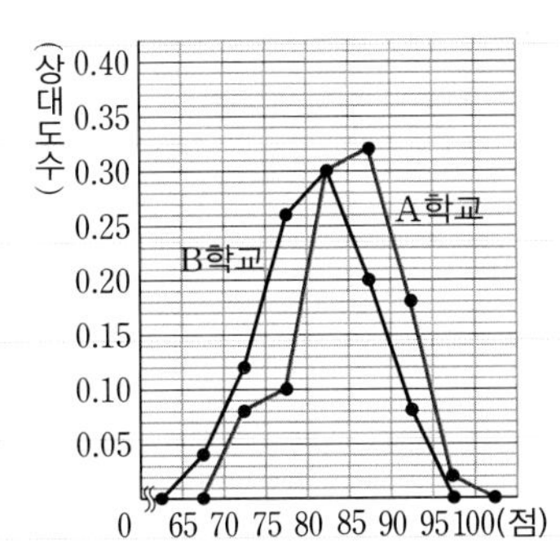

중요도 ☐ 손도 못댐 ☐ 과정 실수 ☐ 틀린 이유:

14

어느 학교 학생들의 수학 성적이 대체로 더 좋다고 말할 수 있는가?

중요도 ☐ 손도 못댐 ☐ 과정 실수 ☐ 틀린 이유:

15

상대도수의 차가 가장 큰 계급에서는 어느 학교가 몇 명 더 많은가?

단원종합문제 [12~14]

01
중요도 ☐ 손도 못댐 ☐ 과정 실수 ☐ 틀린 이유:

다음은 서우네 반 학생들의 수학 성적을 조사하여 줄기와 잎 그림으로 나타낸 것이다. 물음에 답하여라.

(단, 6|0은 60점을 나타낸다.)

줄기	잎
6	0 0 4 5 7 8
7	2 4 5 6 6 6 8 9
8	0 1 1 2 5
9	1 8 8 9
10	0 0

(1) 서우네 반 전체 학생의 수를 구하여라.
(2) 수학 성적이 80점 미만인 학생의 수를 구하여라.
(3) 서우의 점수가 91점일 때, 서우보다 성적이 좋은 학생의 수를 구하여라.

02
중요도 ☐ 손도 못댐 ☐ 과정 실수 ☐ 틀린 이유:

아래는 어느 학급 학생 20명의 신발의 크기를 나타낸 자료이다. 다음 설명 중 옳지 않은 것은?

(단위 : mm)

265, 230, 255, 270, 280, 275, 265, 260, 255, 250, 245, 275, 260, 270, 245, 265, 270, 285, 275, 280

계급(mm)	도수(명)
230이상 ~ 240미만	1
240 ~ 250	
250 ~ 260	
260 ~ 270	
270 ~ 280	
280 ~ 290	
합계	20

① 위와 같은 표를 도수분포표라고 한다.
② 계급의 개수는 6개이다.
③ 계급의 크기는 10 mm이다.
④ 도수가 가장 큰 계급은 270 mm 이상 280 mm 미만이다.
⑤ 신발의 크기가 270 mm 이상인 학생의 수는 모두 6명이다.

[03~04] 오른쪽 표는 어느 학교 학생 35명의 하루 동안 사용한 핸드폰 통화량을 조사하여 나타낸 도수분포표이다. 물음에 답하여라.

통화량(분)	도수(명)
0이상 ~ 2미만	6
2 ~ 4	
4 ~ 6	7
6 ~ 8	4
8 ~ 10	10
합계	40

03
중요도 ☐ 손도 못댐 ☐ 과정 실수 ☐ 틀린 이유:

도수가 가장 큰 계급의 계급값을 구하면?

① 1분 ② 3분 ③ 5분
④ 7분 ⑤ 9분

04
중요도 ☐ 손도 못댐 ☐ 과정 실수 ☐ 틀린 이유:

통화량이 많은 쪽에서 20번째인 학생이 속하는 계급의 계급값을 구하여라.

05
중요도 ☐ 손도 못댐 ☐ 과정 실수 ☐ 틀린 이유:

어떤 도수분포표에서 계급의 크기가 8이고 a 이상 b 미만인 계급의 계급값이 20일 때, 다음 중 이 계급에 속하는 변량이 될 수 없는 것은?

① 14 ② 16 ③ 18
④ 20 ⑤ 22

06
중요도 ☐ 손도 못댐 ☐ 과정 실수 ☐ 틀린 이유:

오른쪽 표는 어느 반 학생들의 몸무게를 조사하여 나타낸 도수분포표이다. 몸무게가 60 kg 이상 70 kg 미만인 학생은 전체의 몇 %인지 구하여라.

몸무게(kg)	학생 수(명)
30이상 ~ 40미만	2
40 ~ 50	4
50 ~ 60	9
60 ~ 70	12
70 ~ 80	3
합계	30

• 정답 및 풀이 31쪽

[07~09] 오른쪽 표는 어느 반 학생들의 수학 성적을 조사하여 나타낸 것이다. 물음에 답하여라.

성적(점)	도수(명)
40^이상^ ~ 50^미만^	A
50 ~ 60	9
60 ~ 70	11
70 ~ 80	B
80 ~ 90	4
90 ~ 100	1
합계	40

07 중요도 □ 손도 못댐 □ 과정 실수 □ 틀린 이유:

60점 미만인 학생이 전체의 35 %일 때, A와 B의 값을 각각 구하여라.

08 중요도 □ 손도 못댐 □ 과정 실수 □ 틀린 이유:

도수가 가장 큰 계급의 계급값을 a점, 도수가 가장 작은 계급의 계급값을 b점이라고 할 때, $a+b$의 값을 구하면?

① 120　② 130　③ 140
④ 150　⑤ 160

09 중요도 □ 손도 못댐 □ 과정 실수 □ 틀린 이유:

수학 성적이 17등인 학생이 속하는 계급의 계급값을 구하여라.

10 중요도 □ 손도 못댐 □ 과정 실수 □ 틀린 이유:

다음은 어느 학급 학생들의 휴대전화 문자서비스 발신 건수를 나타낸 도수분포다각형이다. 도수분포다각형과 가로축으로 둘러싸인 부분의 넓이를 구하여라.

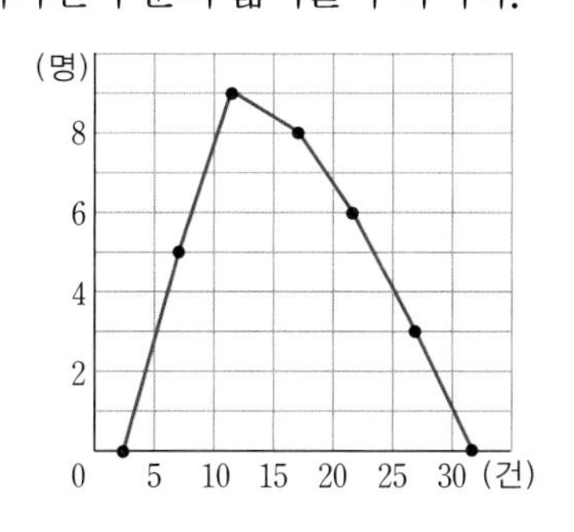

11 중요도 □ 손도 못댐 □ 과정 실수 □ 틀린 이유:

아래 그림은 유미네 반 학생들의 지난 1학기 동안 교내 도서관 도서 대출 현황을 조사하여 나타낸 도수분포다각형이다. 다음 설명 중 옳지 않은 것은?

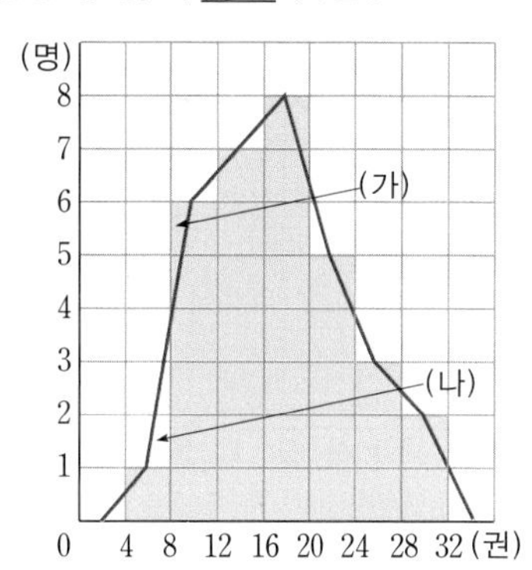

① 유미네 반 학생의 수는 32명이다.
② 16권 이상 20권 미만으로 대출한 학생의 수가 가장 많다.
③ 12권 미만으로 대출한 학생의 수는 6명이다.
④ (가)와 (나)의 넓이는 같다.
⑤ 20권 이상 28권 미만으로 대출한 학생은 전체의 25 %이다.

12 중요도 □ 손도 못댐 □ 과정 실수 □ 틀린 이유:

광수는 64 GB USB를 구입하기 위해 인터넷으로 30개의 가격을 조사하여 아래와 같이 도수분포다각형을 나타내었는데 일부가 찢어져 보이지 않는다. 계급값이 20000원인 계급에 속하는 64 GB USB의 개수를 구하여라.

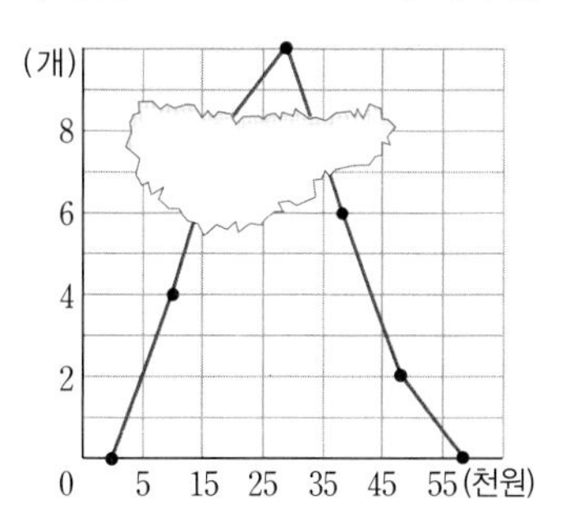

단원종합문제 [12~14]

13

중요도 ☐ 손도 못댐 ☐ 과정 실수 ☐ 틀린 이유:

다음은 어느 반 학생들의 수학 성적을 나타낸 도수분포다각형이다. 수학 성적이 20등인 학생이 속하는 계급의 계급값을 구하여라.

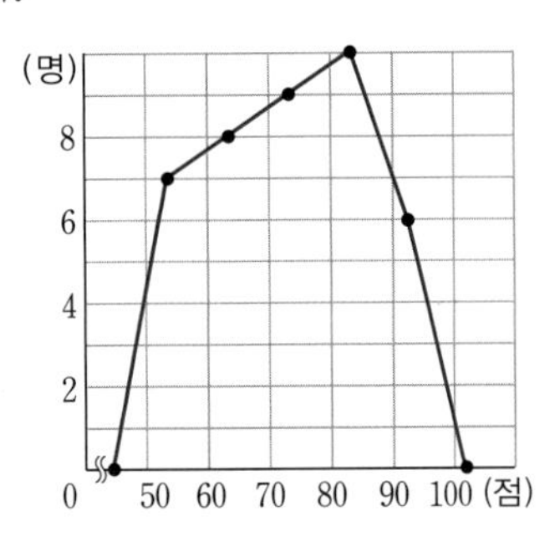

14

중요도 ☐ 손도 못댐 ☐ 과정 실수 ☐ 틀린 이유:

아래 그림은 1반과 2반 학생들의 영어 듣기 평가 시험 결과를 나타낸 도수분포다각형이다. 다음 중 옳지 않은 것은?

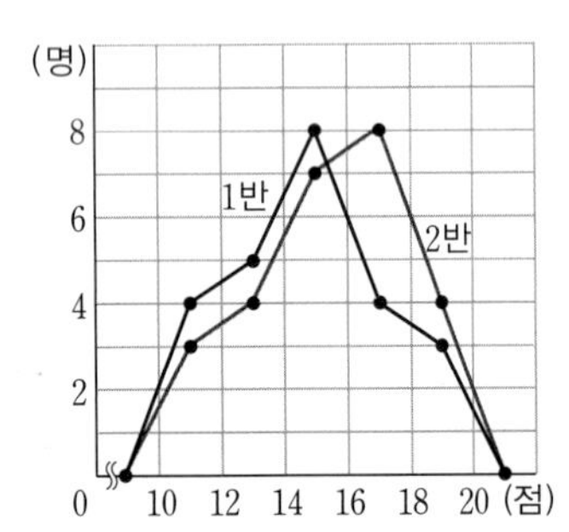

① 1반의 도수분포다각형과 2반의 도수분포다각형의 넓이는 같다.

② 2반의 성적이 좀 더 우수하다고 볼 수 있다.

③ 16점 이상 받은 학생은 전체의 38 %이다.

④ 1반과 2반의 도수의 합이 가장 큰 계급의 계급값은 15점이다.

⑤ 16점 이상 18점 미만인 학생은 2반이 1반보다 4명 더 많다.

[15~17] 다음은 퍼즐 동아리 학생들이 큐브를 맞추는데 걸린 시간을 조사하여 나타낸 상대도수의 분포표이다. 물음에 답하여라.

시간(초)	상대도수
30이상 ~ 60미만	0.025
60 ~ 90	0.1
90 ~ 120	A
120 ~ 150	0.25
150 ~ 180	0.15
180 ~ 210	0.125
210 ~ 240	0.05
합계	

15

중요도 ☐ 손도 못댐 ☐ 과정 실수 ☐ 틀린 이유:

A의 값을 구하여라.

16

중요도 ☐ 손도 못댐 ☐ 과정 실수 ☐ 틀린 이유:

퍼즐을 맞추는데 210초 이상 걸리는 학생의 수가 2명일 때, 전체 학생의 수를 구하여라.

17

중요도 ☐ 손도 못댐 ☐ 과정 실수 ☐ 틀린 이유:

퍼즐을 맞추는데 120초 미만이 걸리는 학생의 수를 구하여라.

• 정답 및 풀이 31쪽

18 중요도 ☐ 손도 못댐 ☐ 과정 실수 ☐ 틀린 이유:

다음은 어느 중학교 1학년 1반과 2반의 영어 성적을 나타낸 도수분포표이다. 상대도수가 같은 계급의 계급값은?

성적(점)	도수(명)	
	1반	2반
30이상 ~ 40미만	1	2
40 ~ 50	3	4
50 ~ 60	4	5
60 ~ 70	6	8
70 ~ 80	9	9
80 ~ 90	7	9
90 ~ 100	2	3
합계	32	40

① 45점 ② 55점 ③ 65점
④ 75점 ⑤ 95점

[19~20] 다음 표는 어느 반 학생 40명의 등교 시간을 조사하여 나타낸 상대도수의 분포표이다. 물음에 답하여라.

등교 시간(분)	상대도수
5이상 ~ 15미만	0.1
15 ~ 25	A
25 ~ 35	0.25
35 ~ 45	0.25
45 ~ 55	0.05
합계	1

19 중요도 ☐ 손도 못댐 ☐ 과정 실수 ☐ 틀린 이유:

A의 값을 구하여라.

20 중요도 ☐ 손도 못댐 ☐ 과정 실수 ☐ 틀린 이유:

등교 시간이 7번째로 적게 걸리는 학생이 속한 계급의 계급값을 구하여라.

[21~23] 다음 그림은 어느 중학교의 남학생 100명, 여학생 100명을 대상으로 한 달 동안 과학 문제집을 푼 쪽수를 조사하여 나타낸 상대도수의 분포다각형 모양의 그래프이다. 물음에 답하여라.

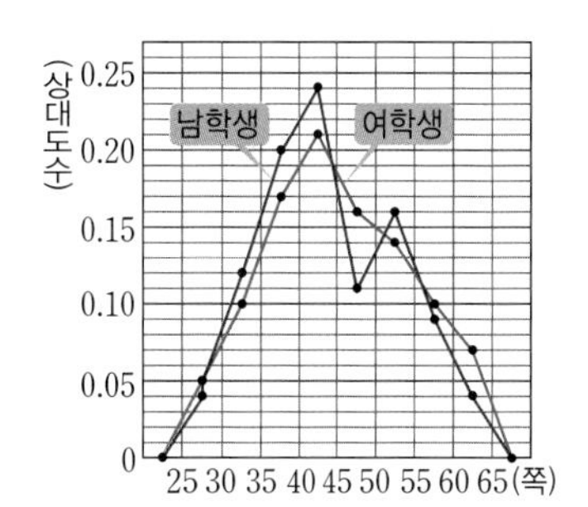

21 중요도 ☐ 손도 못댐 ☐ 과정 실수 ☐ 틀린 이유:

남학생 중 도수가 가장 큰 계급의 상대도수를 a, 여학생 중 도수가 가장 작은 계급의 상대도수를 b라고 할 때, $a-b$의 값을 구하여라.

22 중요도 ☐ 손도 못댐 ☐ 과정 실수 ☐ 틀린 이유:

남학생 중 과학 문제집을 12번째로 많이 푼 학생은 최소 몇 쪽 이상 풀었는지 구하여라.

23 중요도 ☐ 손도 못댐 ☐ 과정 실수 ☐ 틀린 이유:

남학생과 여학생 수의 차가 가장 큰 계급에서의 도수의 차를 구하여라.

MEMO

한눈에 보는 정답/오답 체크

01 점, 선, 면, 각

	번호	○/×
어떤 교과서에나 나오는 문제	1	
	2	
	3	
	4	
	5	
	6	
	7	
시험에 꼭 나오는 문제	1	
	2	
	3	
	4	
	5	
	6	
	7	
	8	
	9	
	10	
	11	
	12	
	13	
	14	

02 위치 관계

	번호	○/×
어떤 교과서에나 나오는 문제	1	
	2	
	3	
	4	
	5	
	6	
	7	
시험에	1	
	2	
	3	
	4	
	5	

	번호	○/×
꼭 나오는 문제	6	
	7	
	8	
	9	
	10	
	11	
	12	
	13	

03 기본도형의 작도

	번호	○/×
어떤 교과서에나 나오는 문제	1	
	2	
	3	
	4	
	5	
	6	
시험에 꼭 나오는 문제	1	
	2	
	3	
	4	
	5	
	6	
	7	
	8	
	9	
	10	
	11	
	12	
	13	

04 삼각형의 작도와 합동조건

	번호	○/×
어떤 교과서에나 나오는	1	
	2	
	3	
	4	
	5	

	번호	○/×
문제	6	
	7	
시험에 꼭 나오는 문제	1	
	2	
	3	
	4	
	5	
	6	
	7	
	8	
	9	
	10	
	11	
	12	
	13	

05 다각형

	번호	○/×
어떤 교과서에나 나오는 문제	1	
	2	
	3	
	4	
	5	
	6	
	7	
	8	
	9	
시험에 꼭 나오는 문제	1	
	2	
	3	
	4	
	5	
	6	
	7	
	8	
	9	
	10	
	11	
	12	
	13	
	14	
	15	

06 다각형의 내각과 외각의 크기

	번호	○/×
어떤 교과서에나	1	
	2	
	3	
	4	

	번호	○/×
나오는 문제	5	
	6	
	7	
	8	
시험에 꼭 나오는 문제	1	
	2	
	3	
	4	
	5	
	6	
	7	
	8	
	9	
	10	
	11	
	12	
	13	
	14	
	15	

07 원과 부채꼴

	번호	○/×
어떤 교과서에나 나오는 문제	1	
	2	
	3	
	4	
	5	
	6	
	7	
	8	
	9	
	10	
시험에 꼭 나오는 문제	1	
	2	
	3	
	4	
	5	
	6	
	7	
	8	
	9	
	10	
	11	
	12	
	13	
	14	

Mathematics
교과서
노트
중학 수학 1 (하)
정답 및 해설

Mathematics
교과서
노트
중학 수학 1 (하)

Ⅰ. 도형의 기초

1 점, 선, 면, 각 본문 pp. 6~13

기본 체크

01 (1) 8개 (2) 12개

02 (1) $\overline{BM}$, $\overline{AB}$, 4 (2) $\overline{AM}$, 2

03 $\angle a=115^\circ$, $\angle b=65^\circ$, $\angle c=115^\circ$

대표 예제

01 (1) 두 점 A, B를 포함하여 점 A에서 점 B까지의 부분, 즉 선분이므로 $\boxed{\overline{AB}}$

(2) 시작점이 A이고 점 B를 지나 뻗어나가는 반직선이므로 $\boxed{\overrightarrow{AB}}$

(3) 점 A, B를 지나 양쪽으로 뻗어나가는 직선이므로 $\boxed{\overleftrightarrow{AB}}$

(4) 점 B에서 시작해 점 A를 지나 뻗어나가는 반직선이므로 $\boxed{\overrightarrow{BA}}$

02 $\overline{AM}=\overline{BM}=\frac{1}{2}\overline{AB}=\frac{1}{2}\times\boxed{16}=\boxed{8}$(cm)

$\overline{NM}=\frac{1}{2}\boxed{\overline{AM}}=\frac{1}{2}\times\boxed{8}=\boxed{4}$(cm)

03 (1) $48^\circ+\angle x+2\angle x+3\angle x=\boxed{180^\circ}$에서

$6\angle x=\boxed{132^\circ}$ $\therefore\ \angle x=\boxed{22^\circ}$

(2) 맞꼭지각의 크기는 같으므로

$2\angle x+15^\circ=5\angle x-45^\circ$

$3\angle x=\boxed{60^\circ}$ $\therefore\ \angle x=\boxed{20^\circ}$

04 점 P와 직선 l 사이의 거리는 점 P에서 직선 l에 내린 $\boxed{\text{수선의 발}}$까지의 길이이므로 $\boxed{16}$ cm이다.

어떤 교과서에나 나오는 문제 출제율 100% 기본기 쌓기

01 ② 02 ⑤ 03 6 cm 04 55°

05 $\angle x=50^\circ$, $\angle y=40^\circ$ 06 ③

07 (1) 점 B (2) 3 cm (3) $\overline{AB}$ (4) $\overline{AB}\perp\overline{AD}$, $\overline{AB}\perp\overline{BC}$

01 교점의 개수는 $a=$(꼭짓점의 개수)$=8$,

교선의 개수는 $b=$(모서리의 개수)$=12$이므로

$b-a=12-8=4$

02 ① $\overleftrightarrow{AB}=\overleftrightarrow{CD}$

② $\overrightarrow{AB}=\overrightarrow{AC}$

③ $\overrightarrow{BA}\neq\overrightarrow{BC}$

④ $\overline{AC}=\overline{CA}$

⑤ $\overleftrightarrow{BC}\neq\overrightarrow{BC}$

03 $\overline{AB}=\overline{AC}+\overline{CB}=2\overline{MC}+2\overline{CN}=2\overline{MN}$

$\therefore\ \overline{MN}=\frac{1}{2}\overline{AB}=\frac{1}{2}\times12=6$(cm)

04 $\angle b=35^\circ$ (맞꼭지각)

$\angle a+\angle b=90^\circ$

$\therefore\ \angle a=90^\circ-35^\circ=55^\circ$

05 $\angle y=90^\circ-50^\circ=40^\circ$

$\angle x+\angle y=90^\circ$에서 $\angle x=90^\circ-40^\circ=50^\circ$

06 $4\angle x+5^\circ+3\angle x=180^\circ$

$7\angle x=175$

$\therefore\ \angle x=25^\circ$

07 (2) 점 D와 $\overline{BC}$ 사이의 거리는 점 A와 $\overline{BC}$ 사이의 거리와 같다.

즉, $\overline{AB}=3$ cm

(3) $\overline{BC}$와 수직인 선분은 $\overline{AB}$이다.

시험에 꼭 나오는 문제 기출 베스트 컬렉션

01 ④ 02 ② 03 ③

04 (1) 6 (2) $\overline{BC}$ (3) $\overline{AC}$, 7 (4) $\overline{MC}$, $\overline{BC}$, 4

05 (1) 3 cm (2) 6 cm 06 ①

07 $\angle x=150^\circ$, $\angle y=30^\circ$ 08 $\angle x=75^\circ$, $\angle y=65^\circ$ 09 36°

10 65° 11 28° 12 35° 13 ⑤ 14 ③

01 교점의 개수는 $a=$(꼭짓점의 개수)$=4$,

교선의 개수는 $b=$(모서리의 개수)$=6$이므로

$a+b=4+6=10$

02 시작점이 점 B이고 오른쪽으로 뻗어나가는 반직선은 $\overrightarrow{BC}$ 또는 $\overrightarrow{BD}$ 또는 $\overrightarrow{BE}$이다.

03 직선 PA, PB, PC, AB의 4개이므로 $a=4$
반직선 PA, PB, PC, AP, AB, BP, BA, BC, CP, CB의 10개이므로 $b=10$
선분 PA, PB, PC, AB, AC, BC의 6개이므로 $c=6$
$\therefore a+b-c=4+10-6=8$

05 (1) $\overline{BM}=\overline{AM}=3$ cm
(2) $\overline{AM}=\overline{BM}=\frac{1}{2}\overline{AB}$에서
$\overline{AB}=2\overline{AM}=2\times3=6(\text{cm})$

06 ① $\overline{AO}=\overline{AM}+\overline{MO}=\overline{BN}+\frac{1}{2}\overline{BN}=\frac{3}{2}\overline{BN}$
② $\overline{MO}=\overline{AO}-\overline{AM}=\frac{1}{2}\overline{AB}-\frac{1}{3}\overline{AB}=\frac{1}{6}\overline{AB}$
$\overline{MN}=\frac{1}{3}\overline{AB}$이므로
$\overline{MO}=\frac{1}{2}\overline{MN}$

07 $\angle x=150^\circ$ (맞꼭지각), $\angle y=180^\circ-\angle x=30^\circ$

08 $\angle x=75^\circ$ (맞꼭지각), $\angle y=180^\circ-(40^\circ+\angle x)=65^\circ$

09 평각의 크기는 180°이므로
$3\angle x-24^\circ+\angle x+60^\circ=180^\circ$에서
$4\angle x=144$ $\therefore \angle x=36^\circ$

10 평각의 크기는 180°이므로
$\angle x+90^\circ+25^\circ=180^\circ$
$\therefore \angle x=65^\circ$

11 맞꼭지각의 크기는 같고, 평각의 크기는 180°이므로
$2\angle x-4^\circ+90^\circ+\angle x+10^\circ=180^\circ$에서
$3\angle x=84^\circ$
$\therefore \angle x=28^\circ$

12 $\angle x+20^\circ+90^\circ+3\angle x+10^\circ=180^\circ$에서
$4\angle x=60^\circ$ $\therefore \angle x=15^\circ$
$\therefore \angle a=\angle x+20^\circ=15^\circ+20^\circ=35^\circ$

13 ⑤ 점 C와 $\overline{AB}$와의 거리는 $\overline{AC}=4$ cm이다.

14 ③ 모서리 AB와 수직인 모서리는 AD, AE, BC, BF이다.

2 위치 관계

본문 pp. 14~21

기본 체크

01 $\angle x=60^\circ$, $\angle y=80^\circ$
02 (1) 모서리 CD, 모서리 EF, 모서리 GH
(2) 모서리 AE, 모서리 AD, 모서리 BF, 모서리 BC
(3) 모서리 DH, 모서리 CG, 모서리 EH, 모서리 FG

대표 예제

01 (1) $\angle$PQC의 동위각은 $\boxed{\angle EPA}$ 이고 그 크기는 $\boxed{105^\circ}$ 이다.
(2) $\angle$APQ의 엇각은 $\boxed{\angle PQD}$ 이고 그 크기는 $\boxed{45^\circ}$ 이다.

02 (1) 두 직선이 평행하면 $\boxed{\text{동위각}}$ 의 크기가 같으므로 $\angle x=\boxed{43^\circ}$
(2) 두 직선이 평행하면 $\boxed{\text{엇각}}$ 의 크기가 같으므로 $\angle x=\boxed{128^\circ}$

03 $\angle x$를 지나고 $l /\!/ m /\!/ n$인 직선 n을 그으면
$l /\!/ n$이므로 $\angle a=\boxed{30^\circ}$ (엇각)
$m /\!/ n$이므로 $\angle b=\boxed{55^\circ}$ (엇각)
$\therefore \angle x=\angle a+\angle b=\boxed{85^\circ}$

04 모서리 AB와 평행한 면은 $\boxed{\text{면 EFGH, 면 CGHD}}$ 이므로
$a=\boxed{2}$
수직인 면은 $\boxed{\text{면 BFGC, 면 AEHD}}$ 이므로
$b=\boxed{2}$
$\therefore a+b=\boxed{4}$

어떤 교과서에나 나오는 문제

출제율 100% 기본기 쌓기

01 ③ **02** ② **03** ④ **04** ② **05** ②
06 (1) 모서리 AG, 모서리 BH, 모서리 CI, 모서리 DJ, 모서리 EK, 모서리 FL
(2) 모서리 AG, 모서리 BH, 모서리 EK, 모서리 FL, 모서리 AF, 모서리 GL
(3) 면 AGLF, 면 CIJD, 면 DJKE, 면 EKLF
(4) 면 ABCDEF, 면 GHIJKL
07 ②

01 $\angle b$와 같은 위치에 있는 각은 $\angle f$, $\angle i$이다.

02 $\angle x$의 동위각을 $\angle a$라고 하면 평행선에서 동위각의 크기는 같으므로
$\angle x=\angle a=80^\circ$ (맞꼭지각)

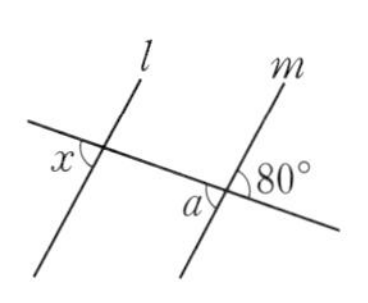

03 꺾인점을 지나고 두 직선과 평행한 보조선을 그으면 엇각의 성질에 의해 오른쪽 그림과 같다.

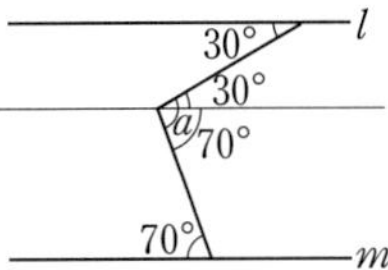
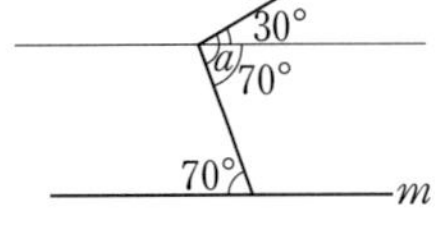

$\therefore \angle a=30^\circ+70^\circ=100^\circ$

04 오른쪽 그림에서

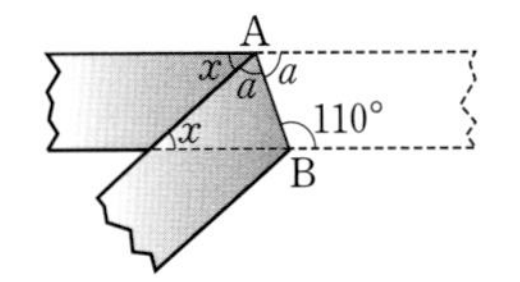

$\angle a=180^\circ-110^\circ=70^\circ$

$\angle x+2\angle a=180^\circ$이므로

$\angle x=180^\circ-2\angle a$

$=180^\circ-140^\circ=40^\circ$

05 $l\perp m$, $m /\!/ n$일 때, $l\perp n$이다.

07 ② 모서리 AC와 꼬인 위치에 있는 모서리는 BE, ED, EF의 3개이다.

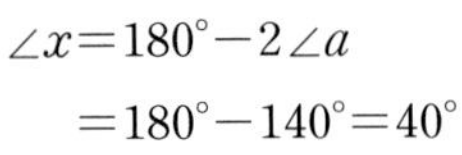

시험에 꼭 나오는 문제 기출 베스트 컬렉션

01 (1) 140° (2) 40° (3) 140° (4) 60°				**02** ⑤
03 ④	**04** ①	**05** ②	**06** 39°	**07** ④
08 ⑤	**09** ③	**10** ②, ③	**11** ④	**12** ③
13 3				

01 (1) $\angle a$와 같은 위치에 있는 각은 140°

(2) $\angle b$와 엇갈린 위치에 있는 각은 $\angle f=40^\circ$

(3) $\angle c$와 엇갈린 위치에 있는 각은 140°

(4) $\angle f$와 같은 위치에 있는 각은 60°

02 두 직선 l과 n에 대하여 $\angle x$의 엇각은 70°에 이웃하는 각이므로

$(\angle x$의 엇각$)=180^\circ-70^\circ=110^\circ$

두 직선 l과 m에 대하여 $\angle x$의 엇각은 55°에 이웃하는 각이므로

$(\angle x$의 엇각$)=180^\circ-55^\circ=125^\circ$

따라서 엇각의 크기의 합은

$110^\circ+125^\circ=235^\circ$

03 $l /\!/ m$이므로 $\angle DCB=\angle ABC=\angle x+40^\circ$이고

$\angle DCB+\angle DCE=180^\circ$에서

$\angle x+40^\circ+3\angle x-20^\circ=180^\circ$

$4\angle x=160^\circ \quad \therefore \angle x=40^\circ$

04 꺾인 점을 지나고 두 직선과 평행한 직선을 각각 그어 엇각의 성질을 이용하면

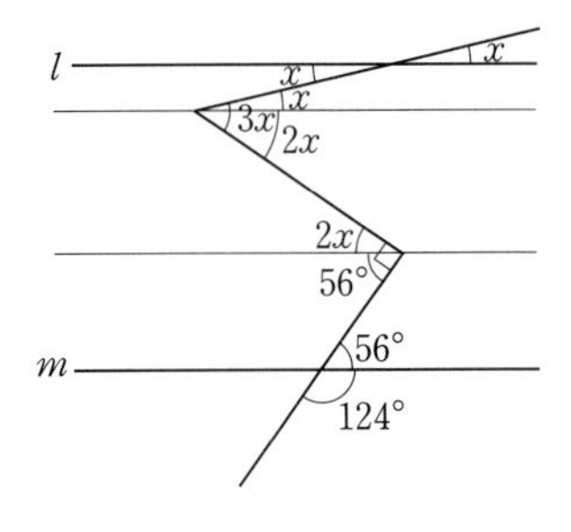

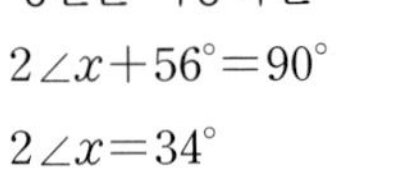
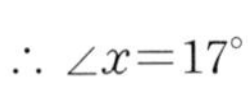

$2\angle x+56^\circ=90^\circ$

$2\angle x=34^\circ$

$\therefore \angle x=17^\circ$

05 $\angle a+35^\circ+75^\circ=180^\circ \quad \therefore \angle a=70^\circ$

06 평행선에서 엇각의 크기가 같으므로

$\angle AGE=\angle GEC=78^\circ$, $\angle FEC=\angle GFE=\angle x$

접은 각의 크기가 같으므로

$\angle GEF=\angle FEC=\angle x$

$2\angle x=78^\circ \quad \therefore \angle x=39^\circ$

07 $\overleftrightarrow{AB}$와 만나는 직선은 $\overleftrightarrow{CD}$, $\overleftrightarrow{EF}$, $\overleftrightarrow{BC}$, $\overleftrightarrow{AF}$의 4개다.

08 ⑤ 꼬인 위치에 있는 두 직선은 한 평면 위에 있지 않다.

09 ①, ②, ④ 꼬인 위치에 있을 수 있다.

⑤ 직선 l이 평면 P에 포함되거나, $Q /\!/ l$일 수 있다.

10 ① 모서리 AB와 모서리 CD는 평행하다.

④ 모서리 CD와 모서리 DH는 한 점에서 만난다.

⑤ 모서리 AB와 모서리 GH는 평행하다.

11 모서리 DH, BF, HG, EF, EH, FG의 6개이다.

12 ① 직선 AB와 직선 FJ는 꼬인 위치에 있다.

② 직선 AB와 직선 CD는 한 점에서 만난다.

④ 면 CDIH와 직선 AB는 한 점에서 만난다.

⑤ 면 ABCDE와 면 ABGF는 한 직선에서 만난다.

13 $\overline{AB} /\!/ \overline{ED} /\!/ \overline{GF}$이므로 $a=2$

$\overline{AB}$와 한 점에서 만나는 모서리는 $\overline{AC}$, $\overline{AD}$, $\overline{BC}$, $\overline{BF}$, $\overline{BE}$로 5개이므로 $b=5$

$\overline{AB}$와 평행하지도 만나지도 않는 모서리는 $\overline{CG}$, $\overline{CF}$, $\overline{DG}$, $\overline{EF}$로 4개이므로 $c=4$

$\therefore a+b-c=2+5-4=3$

3 기본도형의 작도

본문 pp. 22~29

기본 체크

01 (1) ㉢ (2) ㉥ (3) ㉥ (4) ㉢ (5) ㉥

대표 예제

01

❶ 점 O를 중심으로 원을 그려 $\overrightarrow{OX}$, $\overrightarrow{OY}$와의 교점을 각각 A, B라고 한다.

❷ 점 O′을 중심으로 하고 ❶과 반지름의 길이가 같은 원을 그려 $\overrightarrow{O'P}$ 와의 교점을 B′ 이라고 한다.

❸ 점 B를 중심으로 하여 점 A를 지나는 원을 그린다.

❹ 점 B′ 을 중심으로 하고 ❸과 반지름의 길이가 같은 원을 그려 ❷의 원과의 교점을 A′ 이라고 한다.

❺ 점 O′과 A′ 을 잇는다.

02 ㉢ → ㉡ → ㉠ 순으로 작도를 한다.

㉢ 점 O를 중심으로 원을 그려 $\overrightarrow{OX}$와 $\overrightarrow{OY}$와의 교점을 각각 A, B 라고 한다.

㉡ 점 A, B를 중심으로 반지름의 길이가 같은 두 원을 그려 그 교점을 P라고 한다.

㉠ 점 O와 P를 이은 $\overrightarrow{OP}$ 를 긋는다.

03 (1) $\overline{AB}=\overline{AC}=\overline{PQ}=\overline{PR}$

(2) $\overline{BC}=\overline{QR}$

(3) $\angle BAC=\angle QPR$

(4) 위의 작도는 평행선에서 동위각 의 크기가 같다는 성질을 이용한 것이다.

어떤 교과서에나 나오는 문제

출제율 100% 기본기 쌓기

01 ① 02 (1) $\overline{BP}$, $\overline{AQ}$, $\overline{BQ}$ (2) $\overline{BC}$ (3) $\overline{QC}$

03 ㉢ → ㉡ → ㉠ 04 ③, ④ 05 ②

06 풀이 참조

01 컴퍼스로 $\overline{AB}$의 길이를 재어 점 B를 중심으로 반지름의 길이가 $\overline{AB}$인 원을 그려 $\overrightarrow{AB}$와의 교점을 점 C라고 하면 $\overline{AB}=\overline{BC}$이고 $\overline{AC}=2\overline{AB}$이다.

02 (1) $\overline{AP}=\overline{BP}=\overline{AQ}=\overline{BQ}$

(2) $\overline{AC}=\overline{BC}$

(3) $\overline{PC}=\overline{QC}$

04 ③, ④ 점 X, Y는 임의의 점이므로

$\overline{XP}\neq\overline{YP}$, $\angle PXO\neq\angle PYO$

05 ② $90^\circ\times\frac{1}{2}\times\frac{1}{2}=22.5^\circ$

06 ㉠ → ㉤ → ㉣ → ㉥ → ㉢ → ㉡ 순으로 작도를 하고

이때 이용한 평행선의 성질은 평행선에서 엇각의 크기가 같다는 것이다.

시험에 꼭 나오는 문제

기출 베스트 컬렉션

01 ⑤	02 ④	03 ④	04 ㉡ → ㉠ → ㉢	
05 ①	06 ⑤	07 ①	08 ⑤	09 ②
10 ②	11 ①	12 ⑤	13 ④	

01 컴퍼스는 원을 그리고 선분의 길이를 재고, 옮기는 데 사용하며 눈금없는 자는 두 점을 이은 선분을 긋거나 주어진 선분을 연장하는 데 사용한다.

02 ④ $\overline{O'M'}\neq\overline{A'B'}$

03 점 A, B를 중심으로 반지름의 길이가 같은 두 원은 반지름의 길이에 따라 두 교점을 이은 선분 PQ의 길이가 달라지므로

④ $\overline{AB}\neq\overline{PQ}$

04 ㉡ → ㉠ → ㉢ 순으로 작도를 한다.

05 ① $\overline{AO}=\overline{BO}$이지만 $\overline{AO}\neq\overline{PO}$이다.

06 선분을 이등분한 후 또 다시 각각 이등분하면 선분을 4등분할 수 있다.

07 ㉤ → ㉠ → ㉡ → ㉣ → ㉢과 같이 삼등분선을 ㉡보다 먼저할 수 없다.

08 ⑤ $\overline{CD} \neq 3\overline{CP}$

09 45°를 작도할 때 필요한 것은 선분의 수직이등분선의 작도와 각의 이등분선의 작도 ㉠, ㉢이다.

10 ① $90° \times \frac{1}{3} = 30°$
③ $90° + 30° = 120°$
④ $120° + 30° = 150°$
⑤ 180°는 평각이므로 작도할 수 있다.

11 가장 먼저 점 P를 지나는 직선을 긋고 직선 l과 이루는 각의 크기를 컴퍼스로 재어 크기가 같은 각을 작도하면 ㉤ → ㉡ → ㉣ → ㉥ → ㉠ → ㉢ 순이다.

12 ⑤ $\overline{CD} \neq \overline{DE}$

13 엇각의 크기가 같으면 두 직선은 평행하다는 성질을 이용하여 작도한 것이다.

4 삼각형의 작도와 합동 조건

본문 pp. 30~37

기본 체크

01 (1) 점 E (2) 변 EH (3) ∠F
02 (1) △ABC≡△DEF (SSS합동)
(2) △GHI≡△LJK (SAS합동)
(3) △MNO≡△QPR (ASA합동)

대표 예제

01 ① 직선을 긋고 직선 위의 점 B를 중심으로 반지름의 길이가 a인 원을 작도하여 직선과의 교점을 점 $\boxed{C}$ 라고 한다.
② 점 B를 중심으로 반지름의 길이가 $\boxed{c}$ 인 원을 작도한다.
③ 점 C를 중심으로 반지름의 길이가 $\boxed{b}$ 인 원을 작도한다.
④ ②, ③에서 작도한 두 원의 교점을 점 $\boxed{A}$ 라고 한다.

02 (1) $\overline{EF} = \boxed{\overline{AB}} = \boxed{4}$
(2) $\overline{BC} = \boxed{\overline{FG}} = \boxed{6}$
(3) $\angle B = \boxed{\angle F} = \boxed{55°}$

03 △CAB와 △CDE에서
$\angle ACB = \boxed{\angle DCE}$ 이고, $\overline{AC} = \boxed{\overline{DC}}$, $\overline{BC} = \boxed{\overline{EC}}$ 이다.
대응하는 두 변의 길이와 그 끼인각의 크기가 같으므로
△CAB≡△CDE ($\boxed{SAS}$ 합동)이다.

어떤 교과서에나 나오는 문제

출제율 100% 기본기 쌓기

01 ㉢ → ㉣ → ㉠ → ㉡ **02** ⑤ **03** ①
04 $\overline{AB} = 6$ cm, $\angle F = 88°$ **05** (1) 5 cm (2) 75°
06 (1)과 (6), SSS 합동 / (2)와 (4), SAS 합동 / (3)과 (5), ASA 합동 **07** ④

01 ㉢ → ㉣ → ㉠ → ㉡의 순으로 작도한다.

02 x가 가장 길 때, $4+7>x$, $x<11$
7이 가장 길 때, $x+4>7$, $x>3$
따라서 $3<x<11$이다.

03 ② $\overline{AB}=6$, $\angle C=40°$, $\overline{BC}=7$에서 ∠C는 두 변의 끼인각이 아니다.
③ $\overline{AB}=6$, $\overline{CA}=5$, $\angle B=30°$에서 ∠B는 두 변의 끼인각이

아니다.

④ $\angle A=50°$, $\angle B=70°$, $\overline{CA}=5$에서 $\angle B$는 $\overline{CA}$의 끝각이 아니다.

⑤ $\angle A=35°$, $\angle B=55°$, $\angle C=90°$는 수많은 삼각형이 만들어진다.

04 $\overline{AB}=\overline{DE}=6$ cm

$\angle F=\angle C=180°-(60°+32°)=88°$

05 (1) $\overline{EF}=\overline{AB}=5$ cm

(2) $\angle C=\angle G=360°-(125°+95°+65°)=75°$

06 (1)과 (6)은 대응하는 세 변의 길이가 각각 같으므로 SSS 합동이다.

(2)와 (4)는 대응하는 두 변의 길이가 각각 같고, 그 끼인각의 크기가 같으므로 SAS 합동이다.

(3)과 (5)는 대응하는 한 변의 길이가 같고, 그 양 끝각의 크기가 각각 같으므로 ASA 합동이다.

07 $\triangle ACD$, $\triangle BCE$에서

$\overline{AC}=\overline{BC}$, $\overline{CD}=\overline{CE}$, $\angle ACD=\angle BCE=120°$이므로

$\triangle ACD\equiv\triangle BCE$ (SAS 합동)

④ $\overline{PE}\neq\overline{PD}$

시험에 꼭 나오는 문제

기출 베스트 컬렉션

01 ①	**02** ③	**03** ④, ⑤	**04** ③	**05** ①
06 ①	**07** ①	**08** ②	**09** ②	**10** 218
11 120°	**12** ④	**13** ②		

01 $\overline{BC}\rightarrow\angle B\rightarrow\angle C$ 또는 $\angle B\rightarrow\overline{BC}\rightarrow\angle C$ 또는 $\angle C\rightarrow\overline{BC}\rightarrow\angle B$ 순으로 작도한다.

02 $\overline{BC}$가 주어진 경우이므로

① $\overline{AC}$와 $\overline{AB}$가 주어지면 세 변의 길이가 주어진 경우이므로 삼각형은 하나로 작도할 수 있다.

② $\angle B$와 $\angle C$는 양 끝각이므로 하나로 작도할 수 있다.

③ $\overline{AC}$와 $\angle A$에서 $\angle A$는 끼인각이 아니므로 하나로 작도할 수 없다.

④ $\angle B$와 $\overline{AB}$는 두 변의 길이와 끼인각의 크기가 주어진 경우이므로 하나로 작도할 수 있다.

⑤ $\angle A$와 $\angle C$에서 $\angle A$는 $\overline{BC}$의 양 끝각이 아니지만 삼각형 ABC에서 $\angle A$와 $\angle C$의 크기가 주어지면 $\angle B$의 크기가 결정되므로 삼각형을 하나로 작도할 수 있다.

03 $\triangle ABC$에서 $\angle A$가 주어졌을 때 삼각형이 하나로 결정되려면, $\overline{AB}$와 $\overline{AC}$, $\overline{AB}$와 $\angle B$, $\overline{AB}$와 $\angle C$, $\overline{AC}$와 $\angle B$, $\overline{AC}$와 $\angle C$일때 하나로 결정된다.

04 작도 가능한 삼각형의 세 변의 길이를 순서쌍으로 나타내면 $(2, 3, 4)$, $(2, 4, 5)$, $(3, 4, 5)$의 3개이다.

05 삼각형의 가장 긴 변이 나머지 두 변의 길이의 합보다 짧아야 하므로

① $\overline{AB}=2$, $\overline{BC}=5$, $\overline{CA}=8$은 삼각형이 되지 않는다.

06 ① 두 원은 반지름의 길이가 같으면 크기와 모양이 완전히 같아지므로 합동이다.

07 $\overline{DE}=\overline{AB}=9$

$\angle B=\angle E=180°-(70°+75°)=35°$

08 ② 한 변의 길이가 8이고

양 끝각의 크기는 65°와 $180°-(70°+65°)=45°$

대응하는 양 끝각의 크기가 같으므로 ASA 합동이다.

09 $\overline{AB}=\overline{DE}$, $\angle C=\angle F$, $\overline{AC}=\overline{DF}$는 $\angle C=\angle F$가 끼인각이 아니므로 합동이 아니다.

10 $a=6$, $c=2$, $d=60$,

$b=360-(90+60+60)=150$

$\therefore a+b+c+d=6+150+2+60=218$

11 $\overline{AC}=\overline{BC}$, $\overline{CD}=\overline{CE}$,

$\angle ACD=\angle ACE+60°=\angle BCE$이므로

$\triangle ACD\equiv\triangle BCE$(SAS 합동)

$\angle ACD=120°$이므로

$\angle CAD+\angle ADC=180°-120°=60°$

$\angle x=180°-(\angle CBE+\angle ADC)$

$=180°-(\angle CAD+\angle ADC)=120°$

12 $\triangle ABE$와 $\triangle BCF$에서

$\overline{AB}=\overline{BC}$, $\overline{BE}=\overline{CF}$, $\angle ABE=\angle BCF=90°$이므로

$\triangle ABE\equiv\triangle BCF$ (SAS 합동)

따라서 $\overline{AE}=\overline{BF}$, $\angle AEB=\angle BFC$, $\angle BAE=\angle CBF$이다.

13 $\triangle OBP$와 $\triangle OCQ$에서

$\angle OBP=\angle OCQ=45°$, $\overline{OB}=\overline{OC}$

$\angle BOP=\angle COQ=90°-\angle POC$

$\therefore \triangle OBP\equiv\triangle OCQ$ (ASA 합동)

따라서 색칠한 부분의 넓이는

$\triangle OPC+\triangle OCQ=\triangle OPC+\triangle OBP=\triangle OBC$

$=\frac{1}{4}\times$(사각형 ABCD의 넓이)

$=\frac{1}{4}\times100=25(\text{cm}^2)$

단원종합문제 본문 pp. 38~41

01 ④	02 ③	03 ④	04 10 cm	05 ⑤
06 ①	07 ③	08 ②	09 ②	10 ①
11 ③	12 $\angle x=60°$, $\angle y=70°$, $\angle z=50°$		13 ①	
14 ⑤	15 ④	16 ③	17 ③	18 ②
19 ③	20 ⑤	21 (1) 10 cm (2) 90°		
22 △OAB≡△ODC, △ABD≡△DCA, △ABC≡△DBC				
23 ②, ③, ④		24 ④		

01 반직선의 길이는 무한히 길기 때문에 직선과 길이를 비교할 수 없다.

02 교점의 개수는 $a=10$
교선의 개수는 $b=15$
면의 개수는 $c=7$
$\therefore a-b+c=10-15+7=2$

03 직선의 개수는 $a=3$
반직선의 개수는 $b=6$
$b-a=6-3=3$

04 $\overline{AB}=\overline{AC}+\overline{CB}=2\overline{MC}+2\overline{CN}$
$=2\overline{MN}=2\times5=10(\text{cm})$

05 ㄴ. $\overline{BC}=2\overline{BN}$

06 $\overline{AB}$와 수직인 선분은 $\overline{AD}$, $\overline{BC}$의 2개이다.

07 $\angle a=180°-145°=35°$
$\angle b=\angle a=35°$ (맞꼭지각)
$\therefore \angle a+\angle b=70°$

08 $\angle x+60°=3\angle x-40°$
$2\angle x=100°$
$\therefore \angle x=50°$

09 $\angle x+90°=135°$ (맞꼭지각)
$\therefore \angle x=135°-90°=45°$

10 $\angle b$의 엇각은 $\angle d$이고
$\angle d$의 크기는
$180°-115°=65°$이다.

11 $\angle c=40°$(엇각)

12 $l /\!/ m$이므로
동위각의 성질에 의해 $\angle x=60°$
엇각의 성질에 의해 $\angle y=70°$
맞꼭지각의 성질에 의해
$\angle z=180°-(60°+70°)=50°$

13 평면 AEGC와 평행한 모서리는 $\overline{BF}$, $\overline{DH}$의 2개다.

14 ⑤ $\overline{AE}$와 $\overline{DG}$는 만나지도 않고 평행하지도 않으므로 꼬인 위치에 있다.

15 다음 그림에서 $\overline{BC}$와 만나지도 않고 평행하지도 않은 모서리는 $\overline{DE}$이다.

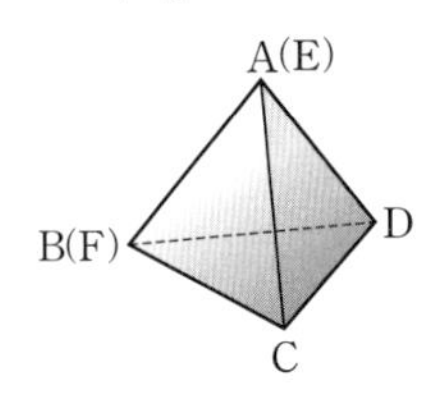

16 90°는 각의 삼등분이 가능하다.

17 ③ 점 P는 임의의 위치에 있으므로
$\overline{PM}\neq\overline{QM}$

18 ② $\overline{OA}\neq\overline{AB}$

19 $90°\rightarrow45°\rightarrow22.5°$
$90°\rightarrow60°\rightarrow30°\rightarrow15°$
$90°+60°=150°$
$90°+45°=135°$
$60°+60°=120°$
따라서 15°, 22.5°, 60°, 120°, 135°, 150°가 작도 가능하다.

20 ③ $\angle A$, $\angle B$의 두 각의 크기가 주어지면 삼각형의 내각의 크기의 합이 180°이므로 $\angle C$의 크기를 알 수 있으므로 삼각형을 하나로 결정할 수 있다.
⑤ $\angle C$, $\overline{AB}$에서 $\angle C$가 $\overline{AB}$, $\overline{BC}$의 끼인각이 아니므로 삼각형을 하나로 결정할 수가 없다.

21 (1) $\overline{BC}$에 대응하는 변이 $\overline{FG}$이고 그 길이는 같으므로
$\overline{BC}=\overline{FG}=10$ cm
(2) $\angle B$에 대응하는 각이 $\angle F$이고 그 각의 크기는 같으므로
$\angle B=\angle F=90°$

22 $\overline{OA}=\overline{OD}$, $\overline{OB}=\overline{OC}$, $\angle AOB=\angle DOC$이므로
$\triangle OAB\equiv\triangle ODC$(SAS 합동)
$\overline{AD}$는 공통, $\overline{AB}=\overline{DC}$, $\overline{BD}=\overline{CA}$이므로
$\triangle ABD\equiv\triangle DCA$(SSS 합동)
$\overline{BC}$는 공통, $\overline{AB}=\overline{DC}$, $\overline{AC}=\overline{DB}$이므로
$\triangle ABC\equiv\triangle DCB$(SSS 합동)

23 $\triangle AOB$와 $\triangle COD$는
$\angle AOB=\angle COD$, $\overline{OA}=\overline{OC}$, $\overline{OB}=\overline{OD}$이므로
$\triangle AOB\equiv\triangle COD$이고 $\overline{AB}=\overline{CD}$
같은 방법으로 $\triangle AOD\equiv\triangle COB$이고 $\overline{AD}=\overline{BC}$
따라서 $\triangle ADB$와 $\triangle CBD$에서 대응하는 세 변의 길이가 같으므로 $\triangle ADB\equiv\triangle CBD$이다.

24 $\triangle ABE$와 $\triangle ACD$에서
$\overline{AE}=\overline{AD}$, $\overline{AB}=\overline{AC}$, $\angle A=40°$이므로
$\triangle ABE\equiv\triangle ACD$이고 $\angle B=18°$이다.
$\triangle ABE$에서 $\angle AEB=180°-(40°+18°)=122°$
$\therefore \angle x=180°-122°=58°$

Ⅱ. 평면도형

5 다각형

본문 pp. 42~49

기본 체크

01 (1) ④ (2) ① (3) ② (4) ③

02 (1) ○ (2) ○ (3) × (4) ○

03 (1) 2개 (2) 20개 (3) $\dfrac{n(n-3)}{2}$개

대표 예제

01 다각형의 한 꼭짓점에서 내각과 외각의 크기의 합이 $\boxed{180°}$이므로
(1) ($\angle B$의 외각)$=\boxed{180°}-60°=\boxed{120°}$
(2) ($\angle C$의 내각)$=\boxed{180°}-130°=\boxed{50°}$

02 (가)조건에서 $\boxed{\text{오각형}}$이고,
(나)조건에서 $\boxed{\text{정다각형}}$이므로
두 조건을 만족하는 다각형은 $\boxed{\text{정오각형}}$이다.

03 (1) n각형의 한 꼭짓점에서 이웃하지 않은 꼭짓점에 그을 수 있는 대각선의 개수는 ($\boxed{n-3}$)개이므로
오각형의 한 꼭짓점에서 그을 수 있는 대각선의 개수는
$5-\boxed{3}=\boxed{2}$(개)
(2) $\dfrac{5\times(5-\boxed{3})}{2}=\boxed{5}$(개)

04 (1) 삼각형의 세 내각의 크기의 합은 $\boxed{180°}$이므로
$\angle a+\angle b+\angle c=\boxed{180°}$
(2) $(\angle a+\angle d)+(\angle b+\angle e)+(\angle c+\angle f)$
$=180°+\boxed{180°}+180°=\boxed{540°}$
(3) $\angle d+\angle e+\angle f$
$=(\angle a+\angle b+\angle c+\angle d+\angle e+\angle f)-(\angle a+\angle b+\angle c)$
$=\boxed{540°}-180°=\boxed{360°}$

어떤 교과서에나 나오는 문제

출제율 100% 기본기 쌓기

01 (1) × (2) ○ (3) ○ (4) × **02** ②, ④ **03** ③
04 (1) 5개 (2) 5개 (3) 3 cm
05 (1) ○ (2) ○ (3) × **06** 108° **07** ④ **08** 2개
09 (1) 6개 (2) 27개

01 (1) 6개의 선분으로 이루어진 다각형은 육각형이다.
(4) 다각형의 한 꼭짓점에서 내각과 외각의 크기의 합이 $180°$이므로 내각과 외각의 크기가 모두 직각일 경우에만 같다.

02 세 개 이상의 선분으로 둘러싸인 평면도형이 다각형이다.

03 다각형의 한 꼭짓점에서 내각과 외각의 크기의 합이 $180°$이므로
$180°-110°=70°$

04 (3) 모든 변의 길이와 모든 내각의 크기가 같은 다각형이 정다각형이므로
$\overline{BC}=\overline{AB}=3\text{ cm}$

05 (3) 모든 변의 길이가 같고, 모든 내각의 크기가 같은 다각형이 정다각형이다.

06 다각형의 한 꼭짓점에서 내각과 외각의 크기의 합이 $180°$이므로
$180°-72°=108°$

07 구하는 다각형을 n각형이라 하면 한 꼭짓점에서 그을 수 있는 대각선은 $(n-3)$개이므로
$n-3=15$ $\therefore n=18$
따라서 십팔각형이다.

08 $\dfrac{4\times(4-3)}{2}=2$(개)

09 (1) $9-3=6$(개)
(2) $\dfrac{9\times(9-3)}{2}=27$(개)

시험에 꼭 나오는 문제 — 기출 베스트 컬렉션

01 ③, ⑤	**02** 8	**03** ④	**04** ①
05 $115°$	**06** ④	**07** 정팔각형	**08** ③
09 (1) 10개 (2) 7개 (3) 35개	**10** ③	**11** 20개	
12 (1) 정십일각형 (2) 44개	**13** ③	**14** ④	
15 ②			

01 다각형인 것 : ①, ②, ④
다각형이 아닌 것 : ③, ⑤

02 $m=3$, $n=5$이므로 $m+n=8$

03 다각형의 한 꼭짓점에서 내각과 외각의 크기의 합이 $180°$이므로
$180°-95°=85°$

04 (내각의 크기)+(외각의 크기)$=180°$이므로
내각의 크기는 $180°\times\dfrac{1}{6}=30°$

05 $\angle ACB$의 외각의 크기는 $180°-120°=60°$, $\angle ACD$의 외각의 크기는 $180°-125°=55°$이다.
따라서 $\angle BCD=60°+55°=115°$

06 ④ 한 내각의 크기와 외각의 크기의 합은 $180°$이고 항상 같지는 않다.

07 (가)조건에서 팔각형이고, (나)조건에서 정다각형이므로 두 조건을 만족하는 다각형은 정팔각형이다.

08 n각형의 한 꼭짓점에서 그을 수 있는 대각선의 개수는 $(n-3)$개이므로
$n-3=5$에서 $n=8$
따라서 팔각형이다.

09 (2) n각형의 한 꼭짓점에서 이웃하지 않은 꼭짓점에 그을 수 있는 대각선의 개수는 $(n-3)$개이므로 $10-3=7$(개)
(3) $\dfrac{10\times(10-3)}{2}=35$(개)

10 (가)의 조건에서 정다각형이고, (나)의 조건에서 $4+3=7$, 즉 칠각형이므로 조건을 만족하는 다각형은 정칠각형이다.

11 $\dfrac{8\times(8-3)}{2}=20$(개)

12 (2) 정십일각형의 대각선의 총 개수는
$\dfrac{11\times(11-3)}{2}=44$(개)

13 n각형이라고 하면 $\dfrac{n(n-3)}{2}=14$에서 $n=7$
따라서 칠각형이다.

14 n각형의 한 꼭짓점에서 대각선을 그었을 때, 나누어지는 삼각형의 개수는 $(n-2)$개이므로 $n-2=7$에서 $n=9$
구각형의 대각선의 총 개수는 $\dfrac{9(9-3)}{2}=27$(개)

15 n각형이라고 하면
$\dfrac{n(n-3)}{2}=20$, $n(n-3)=40$
$8\times5=40$이므로 $n=8$
따라서 팔각형이고 변의 개수는 8개이다.

6 다각형의 내각과 외각의 크기 본문 pp. 50~57

기본 체크

01 (1) $60°$ (2) $30°$ (3) $130°$ (4) $30°$
02 (1) $360°$ (2) $540°$ (3) $180° \times (n-2)$

대표 예제

01 (1) $\angle x + 50° + 35° =$ [180°] 이므로
$\angle x +$ [180°] $- 50° - 35° =$ [95°]
(2) $\angle x + 55° + 65° =$ [180°] 이므로
$\angle x +$ [180°] $- 55° - 65° =$ [60°]

02 (1) $\angle x = 50° + 60° =$ [110°]
(2) $\angle x +$ [40°] $= 105°$이므로 $\angle x =$ [65°]

03 오각형의 한 꼭짓점에서 대각선을 그어 만들 수 있는 삼각형의 개수가 $5-$[2]$=$[3](개)이므로
내각의 크기의 합은 $180° \times (5-$[2]$)=$[540°]이다.

04 다각형의 외각의 크기의 합은 [360°] 이므로
$\angle x + 120° + 60° + 80° =$ [360°] 에서
$\angle x =$ [360°] $- 120° - 60° - 80° =$ [100°]

05 (1) (한 내각의 크기)+(한 외각의 크기)= [180°] 이므로
(한 외각의 크기)= [180°] $\times \frac{1}{6} = 30°$
(2) 정n각형이라 하면 외각의 크기의 합이 [360°] 이므로
$\frac{[360°]}{n} = 30°$ $\therefore n =$ [12]
따라서 [정십이각형] 이다.
(3) [정십이각형] 의 대각선의 총 개수는
$\frac{12 \times (12-[3])}{2} =$ [54] (개)

어떤 교과서에나 나오는 문제 — 출제율 100% 기본기 쌓기

01 $60°$ 02 ㉠ $\angle ECD$, ㉡ $\angle ACD$ 03 $135°$
04 $33°$ 05 ① 06 (1) 10개 (2) $1800°$
07 $1080°$, $135°$ 08 (1) $360°$ (2) $720°$ (3) $360°$

01 두 조건을 만족하는 삼각형은 정삼각형이고, 정삼각형의 한 내각의 크기는 $60°$이다.

02 △ABC에서 $\overline{BC}$의 연장선 위에 점 D를 잡고, $\overline{BA}$에 평행한 반직선 CE를 긋자.
$\overline{BA} /\!/ \overrightarrow{CE}$이므로
$\angle A = \angle ACE$ (엇각), $\angle B =$ [$\angle ECD$] (동위각)
$\therefore \angle A + \angle B = \angle ACE +$ [$\angle ECD$] $=$ [$\angle ACD$]

03 삼각형의 한 외각의 크기는 그와 이웃하지 않은 두 내각의 크기의 합과 같으므로
$\angle x = 63° + 72° = 135°$

04 $\angle x + 87° = 120°$ $\therefore \angle x = 33°$

05 $\angle x + 63° = 85° + 30°$ $\therefore \angle x = 52°$

06 (1) $12-2=10$(개)
(2) $180° \times (12-2) = 1800°$

07 (내각의 크기의 합)$=180° \times (8-2) = 1080°$
(한 내각의 크기)$=\frac{1080°}{8} = 135°$

08 (1) $180° \times (4-2) = 360°$
(2) $180° \times 4 = 720°$
(3) $720° - 360° = 360°$

시험에 꼭 나오는 문제 — 기출 베스트 컬렉션

01 ㉠ $\angle BAD$, ㉡ 엇각, ㉢ $180°$
02 $\angle x = 65°$, $\angle y = 60°$, $\angle z = 55°$
03 $\angle x = 75°$, $\angle y = 50°$ 04 ⑤ 05 $100°$ 06 $68°$
07 (1) 육각형 (2) 십삼각형 08 $2340°$, $156°$
09 ⑤ 10 ④ 11 ③ 12 $360°$ 13 $115°$
14 (1) $120°$, $60°$ (2) $72°$, $108°$ (3) $45°$, $135°$ (4) $30°$, $150°$
15 ①

01 △ABC에서 $\overline{BC}$에 평행하고 꼭짓점 A를 지나는 직선 DE를 긋자.
$\overline{BC} /\!/ \overleftrightarrow{DE}$이므로
$\angle B =$ [$\angle BAD$] (엇각), $\angle C = \angle CAE$ ([엇각])
$\therefore \angle A + \angle B + \angle C = \angle A +$ [$\angle BAD$] $+ \angle CAE$
$= \angle DAE =$ [180°]

02 $\angle x = \angle A = 65°$ (엇각), $\angle y = \angle B = 60°$ (동위각)
$\therefore \angle z = 180° - \angle A - \angle B = 180° - 65° - 60° = 55°$

03 $\angle x = 40° + 35° = 75°$, $\angle y = 30° + 20° = 50°$

04 $\angle x = 35° + 45° = 80°$, $\angle y = 80° + 50° = 130°$
$\therefore \angle x + \angle y = 80° + 130° = 210°$

05 $\angle x=180°-(360°-60°-130°-90°)=100°$

06 $(\angle x+50°)+110°+2\angle x+(\angle x+40°)+\angle x=540°$

$5\angle x+200°=540°$

$\therefore \angle x=68°$

07 구하는 다각형을 n각형이라 하면

(1) $180°\times(n-2)=720°$, $n-2=4$ $\therefore n=6$

따라서 육각형이다.

(2) $180°\times(n-2)=1980°$, $n-2=11$ $\therefore n=13$

따라서 십삼각형이다.

08 $(\text{내각의 크기의 합})=180°\times(15-2)=2340°$

$(\text{한 내각의 크기})=\dfrac{2340°}{15}=156°$

09 오각형의 내각의 크기의 합은

$180°\times(5-2)=540°$이므로

$100°+\angle x+90°+(\angle x+60°)+130°=540°$

$2\angle x=160°$ $\therefore \angle x=80°$

10 $180°\times(n-2)=1440°$에서 $n=10$이고 모든 내각의 크기가 같으므로 정십각형이다.

11 n각형의 한 꼭짓점에서 그을 수 있는 대각선이 9개이므로

$n-3=9$ $\therefore n=12$

따라서 십이각형의 내각의 크기의 합은 $180°\times(12-2)=1800°$

12 다각형의 외각의 크기의 합은 360°이다.

13 $\angle x=360°-(180°-140°)-65°-50°-90°=115°$

14 (1) $(\text{한 외각의 크기})=\dfrac{360°}{3}=120°$,

$(\text{한 내각의 크기})=180°-120°=60°$

(2) $(\text{한 외각의 크기})=\dfrac{360°}{5}=72°$,

$(\text{한 내각의 크기})=180°-72°=108°$

(3) $(\text{한 외각의 크기})=\dfrac{360°}{8}=45°$,

$(\text{한 내각의 크기})=180°-45°=135°$

(4) $(\text{한 외각의 크기})=\dfrac{360°}{12}=30°$,

$(\text{한 내각의 크기})=180°-30°=150°$

15 정다각형에서 (한 내각의 크기)와 (한 외각의 크기)의 합은 180°이므로, 두 각이 같으면 모두 90°이다.

한 외각의 크기 $\dfrac{360°}{n}=90°$에서 $n=4$

7 원과 부채꼴

본문 pp. 58~65

기본 체크

01 (1) 4 (2) 6 (3) 20 (4) 10

02 (1) $l=8\pi$ cm, $S=16\pi$ cm^2 (2) $l=24\pi$ cm, $S=48\pi$ cm^2

(3) $l=20\pi$ cm, $S=50\pi$ cm^2

대표 예제

01 (1) 한 원에서 부채꼴의 호의 길이는 중심각의 크기에 정비례하므로

$x:4=75°:\boxed{25°}$ $\therefore x=\boxed{12}$

(2) 한 원에서 부채꼴의 넓이는 중심각의 크기에 정비례하므로

$x:80°=6:\boxed{12}$ $\therefore x=\boxed{40°}$

02 (1) $l=2\pi\times\boxed{2}=\boxed{4\pi}$ (cm)

$S=\pi\times\boxed{2}^2=\boxed{4\pi}$ (cm^2)

(2) $l=\boxed{2\pi}\times6=\boxed{12\pi}$ (cm)

$S=\boxed{\pi}\times6^2=\boxed{36\pi}$ (cm^2)

03 (1) $l=2\pi\times8\times\dfrac{\boxed{60°}}{360°}=\boxed{\dfrac{8}{3}\pi}$ (cm)

$S=\pi\times8^2\times\dfrac{\boxed{60°}}{360°}=\boxed{\dfrac{32}{3}\pi}$ (cm^2)

(2) $l=2\pi\times3\times\dfrac{\boxed{120°}}{360°}=\boxed{2\pi}$ (cm)

$S=\pi\times3^2\times\dfrac{\boxed{120°}}{360°}=\boxed{3\pi}$ (cm^2)

어떤 교과서에나 나오는 문제

출제율 100% 기본기 쌓기

01 4 cm **02** 30 **03** 75 **04** 106°

05 10π cm **06** $l=(6\pi+12)$ cm, $S=18\pi$ cm^2

07 $l=(2\pi+8)$ cm, $S=4\pi$ cm^2

08 $l=8\pi$ cm, $S=24\pi$ cm^2

09 $l=22\pi$ cm, $S=132\pi$ cm^2

10 둘레의 길이 : 18π cm, 넓이 : $(36\pi-72)$ cm^2

01 $\angle AOB=\angle COD$ (맞꼭지각)이므로, 같은 크기의 중심각에 대한 현의 길이는 같다.

즉, $\overline{AB}=\overline{CD}=4$ cm이다.

02 중심각의 크기와 호의 길이는 정비례하므로

$x:12=115°:46°$

$x:12=5:2$

$\therefore x=30$

03 중심각의 크기와 부채꼴의 넓이는 정비례하므로

$x:15=250°:50°$

$x:15=5:1$

$\therefore x=75$

04 $\overline{AB}=\overline{CD}=\overline{DE}$이므로

$\angle AOB=\angle COD=\angle DOE=53°$

$\therefore \angle COE=53°+53°=106°$

05 $\overline{AD}\,/\!/\,\overline{OC}$이므로 $\angle COB=\angle DAO=40°$ (동위각),

$\overline{OA}=\overline{OD}$이므로 $\angle ADO=\angle DAO=40°$이고,

$\angle AOD=180°-40°-40°=100°$

$\overset{\frown}{AD}:\overset{\frown}{BC}=100°:40°=5:2$이므로

$\overset{\frown}{AD}:4\pi=5:2$

$\therefore \overset{\frown}{AD}=10\pi$ cm

06 $l=\frac{1}{2}\times 2\pi\times 6+12=6\pi+12(\text{cm})$

$S=\frac{1}{2}\times\pi\times 6^2=18\pi(\text{cm}^2)$

07 $l=\frac{1}{4}\times 2\pi\times 4+4+4=2\pi+8(\text{cm})$

$S=\frac{1}{4}\times\pi\times 4^2=4\pi(\text{cm}^2)$

08 $l=2\pi\times 6\times\frac{240°}{360°}=8\pi(\text{cm})$

$S=\frac{1}{2}\times 6\times 8\pi=24\pi(\text{cm}^2)$

09 $l=2\pi\times 12\times\frac{330°}{360°}=22\pi(\text{cm})$

$S=\frac{1}{2}\times 12\times 22\pi=132\pi(\text{cm}^2)$

10 둘레의 길이는

$\left(2\pi\times 6\times\frac{180°}{360°}\right)\times 2+2\pi\times 12\times\frac{90°}{360°}$

$=12\pi+6\pi=18\pi(\text{cm})$

구하는 넓이는 도형을 이동하면 오른쪽 그림과 같은 도형의 넓이와 같으므로

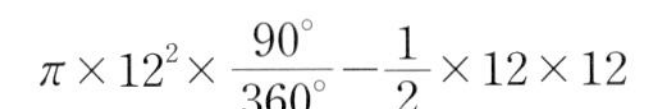

$\pi\times 12^2\times\frac{90°}{360°}-\frac{1}{2}\times 12\times 12$

$=36\pi-72(\text{cm}^2)$

시험에 꼭 나오는 문제

기출 베스트 컬렉션

01 ④ **02** ③ **03** $120°$ **04** ③ **05** ④

06 $\frac{24}{5}\pi\ \text{cm}^2$ **07** (1) 9 cm (2) $81\pi\ \text{cm}^2$

08 14π cm **09** (1) $120°$ (2) 4π cm

10 $l=4\pi$ cm, $S=10\pi\ \text{cm}^2$ **11** ③ **12** ④

13 ③ **14** (1) $3\pi\ \text{cm}^2$ (2) $\frac{15}{2}\pi\ \text{cm}^2$

01 ④ 두 반지름과 호로 이루어진 도형이 부채꼴이다.

02 부채꼴의 중심각의 크기와 호의 길이는 정비례하므로

$x°:(x+10)°=6\text{ cm}:9\text{ cm}$

$9x=6(x+10)$

$3x=60$

$\therefore x=20$

03 호의 길이에 대한 중심각의 크기는 정비례하고

각 호에 대한 중심각의 비는 $1:3:2$이므로

$\angle AOD=360°\times\frac{2}{6}=120°$

04 $\overline{OD}$를 그으면, $\overline{AD}\,/\!/\,\overline{OC}$이므로

$\angle BOC=\angle OAD$ (동위각)

또한 $\overline{OA}=\overline{OD}$이므로 $\angle OAD=\angle ODA$

여기서 $\angle ODA=\angle COD$ (엇각)이므로 $\angle BOC=\angle COD$

그러므로 $\overline{BC}$, $\overline{CD}$에 대한 중심각이 같으므로

$\overline{CD}=\overline{BC}=3$ cm

05 ④ 한 원에서 중심각의 크기와 현의 길이는 비례하지 않는다.

단, 같은 크기의 중심각에 대한 현의 길이는 같다.

즉, $\overline{CE}\neq 2\overline{AB}$

06 $\overline{AB}\,/\!/\,\overline{DC}$이므로

$\angle AOD=\angle CDO=50°$ (엇각)이고,

$\overline{OD}=\overline{OC}$(반지름)이므로 $\angle DCO=\angle CDO=50°$

따라서 $\angle DOC=180°-50°-50°=80°$

부채꼴의 넓이는 중심각의 크기와 정비례하므로

(부채꼴 AOD의 넓이):(부채꼴 DOC의 넓이)

$=50°:80°=5:8$

3π:(부채꼴 DOC의 넓이)$=5:8$

$\therefore$ (부채꼴 DOC의 넓이)$=\frac{24}{5}\pi(\text{cm}^2)$

07 (1) $2\pi r=18\pi\quad\therefore r=9$ cm

(2) $\pi\times 9^2=81\pi(\text{cm}^2)$

08 반지름의 길이를 r cm라고 하면

$\pi\times r^2=49\pi \quad \therefore r=7$ cm

따라서 원의 둘레의 길이는 $2\pi\times7=14\pi(\text{cm})$

09 (1) 중심각의 크기를 x라 하면

$\pi\times6^2\times\frac{x}{360^\circ}=12\pi \quad \therefore x=120^\circ$

(2) 호의 길이는 $2\pi\times6\times\frac{120^\circ}{360^\circ}=4\pi(\text{cm})$

10 $l=2\pi\times5\times\frac{144^\circ}{360^\circ}=4\pi(\text{cm})$

$S=\pi\times5^2\times\frac{144^\circ}{360^\circ}=10\pi(\text{cm}^2)$

11 큰 원의 지름이 10 cm이므로 색칠한 부분의 넓이는

$\pi\times5^2-\pi\times3^2-\pi\times2^2=12\pi(\text{cm}^2)$

12 정사각형의 넓이에서 중심각이 90°인 부채꼴의 넓이를 빼면 색칠한 부분의 넓이의 반을 구할 수 있으므로 구하는 넓이는

$2\times\left(8\times8-\pi\times8^2\times\frac{1}{4}\right)=128-32\pi(\text{cm}^2)$

13 $2\pi\times6\times\frac{270^\circ}{360^\circ}+2\pi\times4\times\frac{270^\circ}{360^\circ}+2+2$

$=9\pi+6\pi+4=15\pi+4(\text{cm})$

14 반지름의 길이가 r인 부채꼴의 호의 길이를 l, 넓이를 S라 하면 $S=\frac{1}{2}rl$이므로

(1) $\frac{1}{2}\times3\times2\pi=3\pi(\text{cm}^2)$

(2) $\frac{1}{2}\times3\times5\pi=\frac{15}{2}\pi(\text{cm}^2)$

단원종합문제 본문 pp. 66~69

01 ②	02 ③	03 ⑤	04 ④	05 ⑤
06 ③	07 93°	08 ④	09 ③	10 ②
11 ②	12 (1) 20° (2) 정십팔각형 (3) 135개			
13 (1) 13개 (2) 65개		14 35개	15 110°	16 ③
17 ③	18 ①	19 ③	20 20π cm	
21 4π cm²	22 ④	23 36π cm	24 ③	25 ①
26 3π cm				

01 다각형은 세 개 이상의 선분으로 둘러싸인 평면도형이다. 따라서 팔각형, 정삼각형이 다각형이다.

02 $\angle x=180^\circ-142^\circ=38^\circ$

03 $\angle x=180^\circ-120^\circ=60^\circ$,

$\angle y=180^\circ-48^\circ=132^\circ$이므로

$\angle x+\angle y=60^\circ+132^\circ=192^\circ$

04 ④ 모든 변의 길이가 같고, 모든 내각의 크기가 같은 다각형을 정다각형이라고 한다.

05 $\angle x=180^\circ-60^\circ=120^\circ$, $\angle y=180^\circ-140^\circ=40^\circ$,

$\angle z=180^\circ-60^\circ-\angle y=80^\circ$이므로

$\angle x+\angle y+\angle z=120^\circ+40^\circ+80^\circ=240^\circ$

06 ③ 변의 길이가 모두 같고, 내각의 크기가 모두 같은 사각형을 정사각형이라고 한다.

07 $\angle\text{BAC}=180^\circ-63^\circ-57^\circ=60^\circ$이므로

$\angle\text{DAC}=60^\circ\div2=30^\circ$

$\therefore \angle x=180^\circ-57^\circ-30^\circ=93^\circ$

08 삼각형의 한 외각의 크기는 이웃하지 않은 두 내각의 크기의 합과 같으므로

$(2\angle x-10^\circ)+(\angle x+10^\circ)=120^\circ$, $3\angle x=120^\circ$

$\therefore \angle x=40^\circ$

09 삼각형의 한 외각의 크기는 이웃하지 않은 두 내각의 크기의 합과 같으므로 다음 그림과 같다.

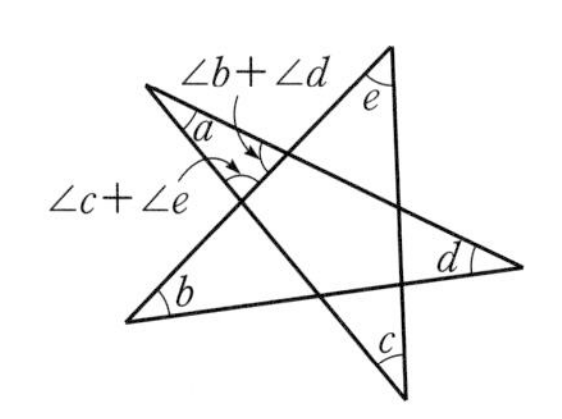

$\therefore \angle a+(\angle b+\angle d)+(\angle c+\angle e)=180^\circ$

10 $\angle a=180°-50°-70°=60°$,
$\angle b=130°-60°=70°$이므로
$\angle x=180°-60°-70°=50°$

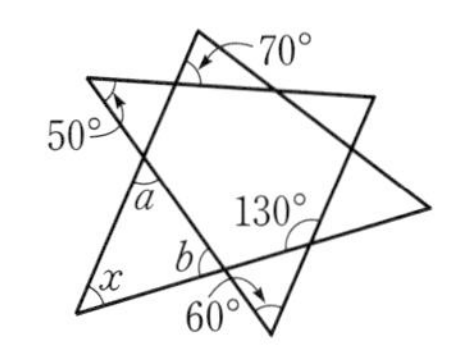

11 구하는 다각형을 n각형이라고 하면
$180°\times(n-2)=1080°$ $\therefore n=8$
따라서 팔각형이다.

12 (1) (한 외각의 크기)$=180°\times\frac{1}{9}=20°$
(2) 정n각형에서 외각의 크기의 합이 360°이므로
$360°\div n=20°$ $\therefore n=18$
따라서 정십팔각형이다.
(3) 정십팔각형의 대각선의 총 개수는
$\frac{18\times(18-3)}{2}=135$(개)

13 (1) n각형의 한 꼭짓점에서 그을 수 있는 대각선은 $(n-3)$개이므로
$n-3=10$ $\therefore n=13$
따라서 십삼각형이므로 꼭짓점은 13개이다.
(2) $\frac{13\times10}{2}=65$(개)

14 n각형이라 하면
$x=n-3$, $y=n-2$이다.
따라서 $(n-3)+(n-2)=15$ $\therefore n=10$
십각형의 대각선의 총 개수를 구하면
$\frac{10\times(10-3)}{2}=35$(개)

15 오각형의 내각의 크기의 합은 $180°\times(5-2)=540°$이고,
$\angle BCD+\angle CDE=540°-120°-130°-150°=140°$
$\angle CPD=180°-\frac{\angle BCD+\angle CDE}{2}$
$=180°-\frac{140°}{2}=110°$

16 ③ 현의 길이는 중심각의 크기에 정비례하지 않는다.

17 ③ 부채꼴의 중심각의 크기와 현의 길이는 정비례하지 않는다.
$\therefore \overline{CE}\neq2\overline{AB}$

18 $\overline{OA}=\overline{AB}=\overline{OB}$이므로 $\angle AOB=60°$
$\overset{\frown}{AB}:\overset{\frown}{CD}=60°:90°$, $16\pi:\overset{\frown}{CD}=2:3$
$\therefore \overset{\frown}{CD}=24\pi$(cm)

19 한 원에서 중심각과 호의 길이는 정비례하므로
$x:(x+30°)=4\text{ cm}:8\text{ cm}$ $\therefore x=30°$
마찬가지로
$4\text{ cm}:y=30°:90°$ $\therefore y=12\text{ cm}$

20 $\overline{AD}/\!/\overline{OC}$이므로
$\angle COB=\angle DAO=30°$ (동위각)
$\overline{OA}=\overline{OD}$이므로 $\angle ADO=\angle DAO=30°$
$\therefore \angle AOD=180°-30°-30°=120°$
$\overset{\frown}{AD}:\overset{\frown}{BC}=120°:30°=4:1$이므로
$\overset{\frown}{AD}:5\pi=4:1$
$\therefore \overset{\frown}{AD}=20\pi\text{ cm}$

21 원 O의 반지름의 길이가 3 cm이므로, 색칠한 부분의 넓이는 원 O의 넓이에서 지름이 각각 2 cm, 4 cm인 원의 넓이를 빼어 구한다.
즉, $\pi\times3^2-\pi\times1^2-\pi\times2^2=9\pi-\pi-4\pi=4\pi(\text{cm}^2)$

22 $\overline{OD}=\overline{OC}$이므로 $\angle ODC=\angle OCD=30°$
$\overline{AB}/\!/\overline{DC}$이므로 $\angle DOA=\angle ODC=30°$ (엇각)
원의 둘레의 길이를 l이라 할 때, 중심각의 크기와 호의 길이는 정비례하므로
$l:5\text{ cm}=360°:30°$ $\therefore l=60\text{ cm}$

23 $(2\pi\times6)+(2\pi\times4)\times2+(2\pi\times2)\times2$
$=12\pi+16\pi+8\pi=36\pi(\text{cm})$

24 색칠한 부분의 넓이는
$\pi\times6^2\times\frac{1}{2}+\pi\times\left(\frac{5}{2}\right)^2\times\frac{1}{2}+\frac{1}{2}\times12\times5-\pi\times\left(\frac{13}{2}\right)^2\times\frac{1}{2}$
$=18\pi+\frac{25}{8}\pi+30-\frac{169}{8}\pi=30(\text{cm}^2)$

25 $l=2\pi\times6\times\frac{300°}{360°}=10\pi(\text{cm})$
$S=\pi\times6^2\times\frac{300°}{360°}=30\pi(\text{cm}^2)$

26 부채꼴의 호의 길이를 l이라 하면
$\frac{1}{2}\times6\times l=9\pi$ $\therefore l=3\pi\text{ cm}$

Ⅲ. 입체도형

8 다면체 본문 pp. 70~77

기본 체크

01 (1) 5개, 6개, 9개 (2) 4개, 4개, 6개
(3) 6개, 8개, 12개 (4) 6개, 6개, 10개

02 (1) 정육면체 (2) 정십이면체
(3) 정사면체, 정팔면체, 정이십면체

대표 예제

01 곡면과 평면으로 둘러 싸여 있는 것으로 다면체가 아닌 것은 [③, ⑤]
다면체의 면의 개수를 각각 구해보면
① 6개, [② 6개, ④ 12개, ⑥ 6개]
따라서 면의 개수가 가장 많은 다면체는 [④]이다.

02 (1) n각뿔대의 모서리의 개수는 $3n$, 면의 개수는 $n+2$이므로
$3n-(n+2)=22$
$\therefore n=$ [12]
따라서 각뿔대의 밑면의 모양은 [십이각형]이다.
(2) n각뿔대의 꼭짓점의 개수는 $2n$이므로
(꼭짓점의 개수)$=2\times$ [12] $=$ [24]

03 모든 면이 합동이고 한 꼭짓점에 모이는 면의 개수가 같은 다면체는 [정다면체]이다.
또, 면의 모양이 정삼각형인 것은 [정사면체, 정팔면체, 정이십면체]이고, 이 중 한 꼭짓점에 모이는 면의 개수가 4개인 것은 [정팔면체]이다.

04 정십이면체의 꼭짓점은 20개, 모서리는 [30]개, 면은 [12]개이므로
$v-e+f=20-$ [30] $+$ [12] $=$ [2]

어떤 교과서에나 나오는 문제 출제율 100% 기본기 쌓기

01 ①, ③ 02 ④ 03 ② 04 칠각기둥
05 (1) ○ (2) × (3) ○ (4) × 06 ②, ④
07 (1) 정육면체 (2) 점 F, 점 H (3) 면 KDGJ
(4) 6개, 8개, 12개 08 ④ 09 ③

01 다면체는 다각형인 면으로만 둘러싸인 입체도형이고, ② 원기둥, ④ 원뿔, ⑤ 구는 곡면과 평면으로 둘러싸여 있다.

02 면의 개수를 구하면
① 6개, ② 6개, ③ 7개, ④ 5개, ⑤ 6개

03 모서리의 개수를 구하면
① 12개, ② 10개, ③ 18개, ④ 14개, ⑤ 24개

04 각기둥은 두 밑면이 합동인 정다각형이고, 옆면은 직사각형인 다면체이다. 따라서 밑면이 칠각형이므로 칠각기둥이다.

05 (2) 육각뿔대의 옆면은 사다리꼴
(4) 사각기둥의 옆면은 직사각형, 사각뿔대의 옆면은 사다리꼴

06 삼각형 : ①, ③, ⑤
사각형 : ②
오각형 : ④

07 주어진 전개도로 만들어지는 정다면체는 정육면체이다.

08 꼭짓점 A와 E, 꼭짓점 B와 D가 겹치므로 $\overline{AC}$와 $\overline{DF}$(또는 $\overline{BF}$)가 꼬인 위치에 있는 모서리이다.

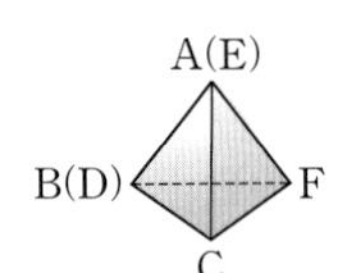

09 정육면체의 면의 개수는 6개이므로 꼭짓점의 개수가 6개인 정다면체를 구하면 정팔면체이다.

시험에 꼭 나오는 문제 기출 베스트 컬렉션

01 ① 02 ① 03 (1) 8개, 12개, 18개 (2) 사다리꼴, 육각형 (3) 육각뿔대 04 ③, ④ 05 ② 06 ③ 07 ④ 08 28 09 구각뿔대 10 ⑤ 11 (1) ○ (2) ○ (3) × (4) × 12 ② 13 ② 14 (1) 정사면체 (2) 점 E (3) 점 D (4) 모서리 EF

01 다각형인 면으로만 둘러싸인 입체도형은 ㉠, ㉢, ㉤뿐이다. 나머지는 둘러싸인 면 중에 곡면이 있다.

02 ① 사각기둥의 꼭짓점의 개수는 8개이다.

04 면의 개수에 따라 다면체를 분류하면
① 오면체, ② 칠면체, ③ 팔면체, ④ 팔면체, ⑤ 십면체

05 ② 육각뿔대의 두 밑면은 서로 평행하지만 합동이 아니다.

06 주어진 입체도형의 면의 개수는 9개이고
선택지의 도형의 면의 개수를 각각 구하면
① 7개, ② 6개, ③ 9개, ④ 11개, ⑤ 12개

07 꼭짓점의 개수를 구하면
① $3\times2=6$(개) ② $5+1=6$(개)
③ $3\times2=6$(개) ④ $4\times2=8$(개)
⑤ 6개

08 면의 개수가 10개인 각뿔은 구각뿔이다.
따라서 모서리의 개수는 $x=9\times2=18$
꼭짓점의 개수는 $y=9+1=10$
$\therefore x+y=18+10=28$

09 각뿔대의 밑면은 2개이고 서로 평행하며 서로 합동이 아니다.
따라서 구하는 입체도형은 구각뿔대이다.

10 ⑤ 오각뿔의 모서리는 10개, 오각기둥의 모서리는 15개이므로
$10:15=2:3$이다.

11 (3) 정다면체의 종류는 5가지뿐이다.
(4) 정다면체의 한 면이 될 수 있는 다각형은 정삼각형, 정사각형, 정오각형이다.

12 ① 정다면체는 5가지뿐이다.
③ 정팔면체의 모서리는 12개이다.
④ 정육면체의 각 꼭짓점에 모이는 면의 개수는 3개로 같다.
⑤ 한 꼭짓점에 모인 모서리의 개수가 4개인 것은 정팔면체이다.

13 ② 다음 그림과 같이 색칠한 부분이 겹치므로 정육면체를 만들 수 없다.

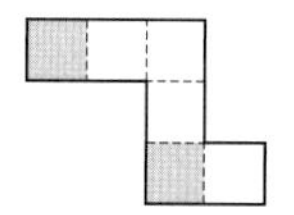

14 주어진 전개도로 만들어지는 정다면체는 정사면체이다.

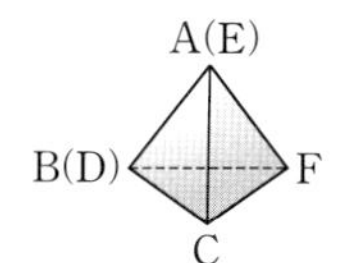

9 회전체

본문 pp. 78~85

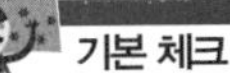

기본 체크

01 (1) ○ (2) × (3) ○ (4) ×

02 (1) ○ (2) × (3) ○ (4) × (5) ○ (6) ○

대표 예제

01 원기둥을 평면으로 자를 때 자르는 위치와 방향에 따라 여러 가지 모양의 단면이 생긴다.

보기와 같은 단면이 생기도록 하는 평면의 위치와 방향은 오른쪽 그림과 같다.

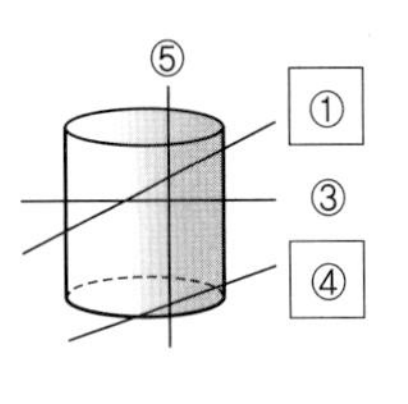

따라서 단면의 모양이 아닌 것은 ② 이다.

02 단면의 모양은 밑변이 12 cm, 높이가 8 cm인 이등변삼각형이므로

넓이는 $\frac{1}{2}\times \boxed{12} \times \boxed{8} = \boxed{48}\,(\text{cm}^2)$

03 주어진 평면도형을 직선 l을 축으로 하여 1회전시킬 때 생기는 입체도형은 구 이다.

이를 평면으로 자르면 어떻게 자르는가에 관계없이 단면은 항상 원이다.

또, 단면의 넓이가 최대가 되게 하려면 구 의 중심을 지나는 평면으로 잘라야 한다.

따라서 구하는 단면의 넓이는 $\pi\times\boxed{4}^2=\boxed{16\pi}\,(\text{cm}^2)$

어떤 교과서에나 나오는 문제

출제율 100% 기본기 쌓기

01 ①, ④, ⑤, ⑥ 02 풀이 참조 03 ④

04 (1) 이등변삼각형 (2) 사다리꼴 (3) 원

05 $x=8$, $y=5$ 06 풀이 참조 07 8π cm

01 회전체 : ①, ④, ⑤, ⑥

회전체가 아닌 것 : ②, ③

02 (1) 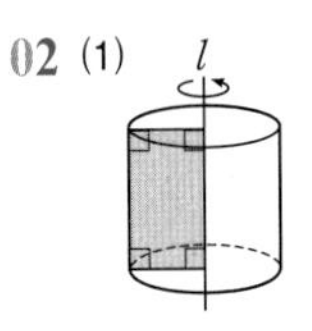 (2) 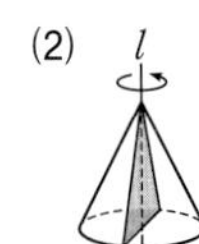 (3) 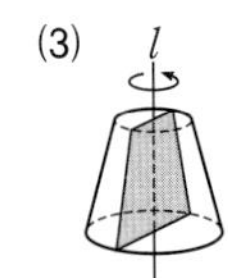 (4) 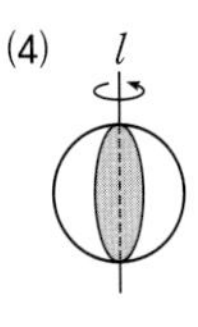

03 회전시킨 평면도형은 그림과 같이 구한다.

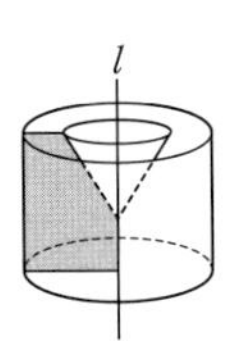

04 회전체의 겨냥도를 그려 보고 회전축을 포함하는 평면으로 자를 때 생기는 단면을 그려 보면 다음과 같다.

(1) 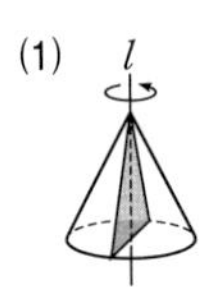 (2) 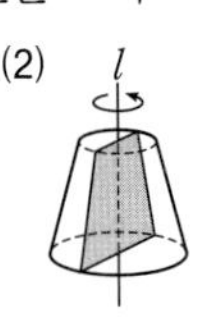 (3) 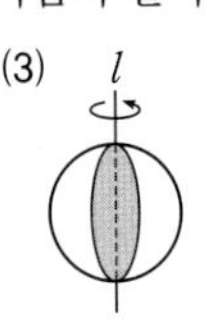

05 주어진 전개도로 원뿔을 만들면 원뿔의 모선의 길이는 전개도에서 옆면인 부채꼴의 반지름의 길이 8 cm이고, 밑면의 반지름의 길이는 전개도에서 원의 반지름의 길이 5 cm임을 알 수 있다.

06 (1) 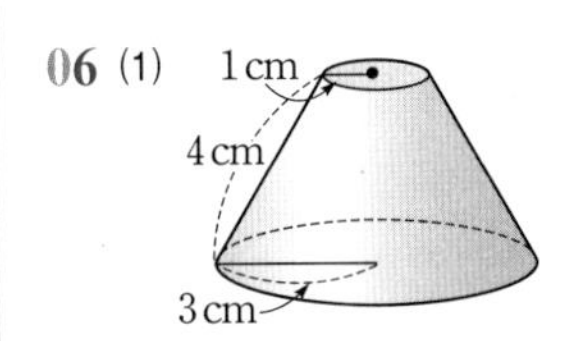

(2) 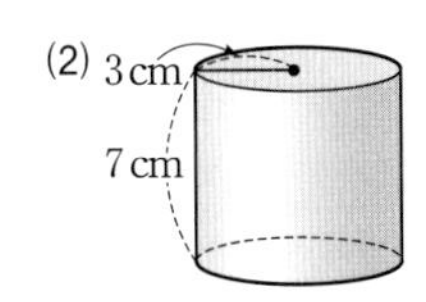

07 옆면인 부채꼴의 호의 길이는 밑면인 원의 둘레의 길이와 같으므로 부채꼴의 호의 길이는 $2\pi\times4=8\pi\,(\text{cm})$

시험에 꼭 나오는 문제

기출 베스트 컬렉션

01 ①, ③	02 ⑤	03 ③	04 ②	05 ⑤
06 ③	07 ③	08 ④	09 ①	
10 ③, ⑤	11 25π cm^2		12 ②	13 ③
14 168π cm^2				

01 한 직선을 축으로 평면도형을 한 바퀴 회전시킬 때 생기는 입체도형은 원뿔, 원기둥, 원뿔대, 구 등이 있다.

①, ③ : 회전체

②, ④ : 다면체

⑤ : 평면도형

02 ① 원뿔대, ② 원뿔, ③ 구, ④ 도넛 모양의 회전체

⑤ 한 직선을 축으로 평면도형을 회전시켜 생기는 입체도형이 아니다.

03 ① 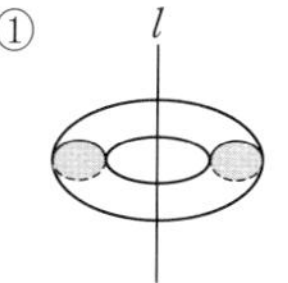 ② 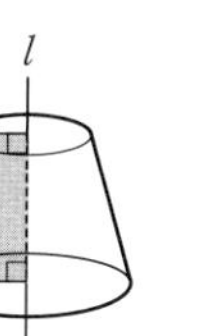 ③ 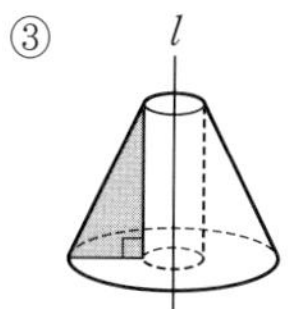

④ ⑤ 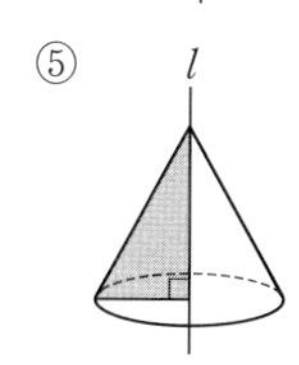

04 직사각형의 한 변을 회전축으로 1회전시킨 회전체는 원기둥이다.

06 ① 원뿔 — 이등변삼각형 ② 원기둥 — 직사각형
④ 반구 — 반원 ⑤ 원뿔대 — 사다리꼴

07 원뿔대를 평면으로 자를 때 자르는 위치와 방향에 따라 여러 가지 모양의 단면이 생긴다.
보기와 같은 단면이 생기도록 하는 평면의 위치와 방향은 오른쪽 그림과 같다.

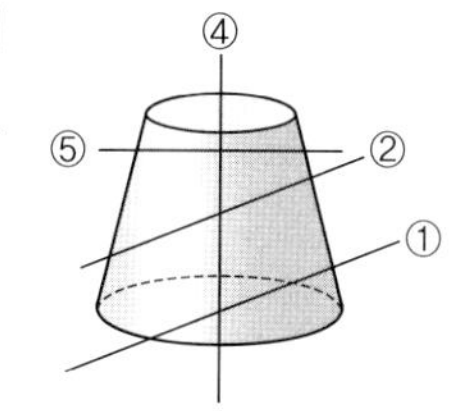

08 ④ 회전체를 회전축에 수직인 평면으로 자를 때 생기는 단면은 원이지만 꼭 합동은 아니다.

09 ① 원뿔대의 두 개의 밑면은 서로 평행하지만 합동은 아니다.

10 ③ 구의 회전축은 무수히 많다.
⑤ 구를 회전축에 수직인 평면으로 자를 때 단면의 모양은 항상 원이지만 합동은 아니다.

11 회전축에 수직인 평면으로 자를 때의 단면은 원이고, 반지름이 5 cm이므로 넓이를 구하면
$\pi\times5^2=25\pi(\mathrm{cm}^2)$

12 회전축을 포함한 평면으로 자를 때 생기는 단면은 이등변삼각형이고 밑변의 길이가 6 cm, 높이가 4 cm이므로 넓이를 구하면
$\frac{1}{2}\times6\times4=12(\mathrm{cm}^2)$

13 ① 원기둥의 전개도
③ 원뿔대의 전개도

14 (밑면의 둘레의 길이)$=2\pi\times7=14\pi$이므로
옆면의 넓이는 $14\pi\times12=168\pi(\mathrm{cm}^2)$

10 기둥의 겉넓이와 부피

본문 pp. 86~93

기본 체크

01 (1) $9\pi\ \mathrm{cm}^2$ (2) $30\pi\ \mathrm{cm}^2$ (3) $48\pi\ \mathrm{cm}^2$
02 (1) $6\ \mathrm{cm}^2$ (2) $6\ \mathrm{cm}$ (3) $36\ \mathrm{cm}^3$

대표 예제

01 (1) 다음 그림과 같은 전개도를 그릴 수 있다.

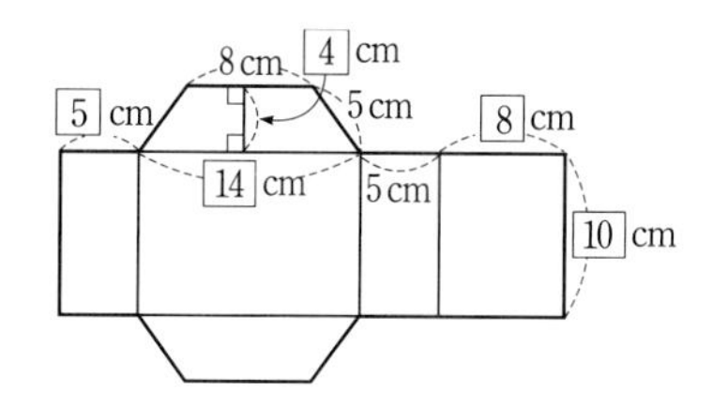

(2) $\frac{8+14}{2}\times\boxed{4}=\boxed{44}(\mathrm{cm}^2)$
(3) $(5+\boxed{14}+5+8)\times\boxed{10}=\boxed{320}(\mathrm{cm}^2)$
(4) $\boxed{44}\times2+\boxed{320}=\boxed{408}(\mathrm{cm}^2)$

02 (1) 다음 그림과 같은 전개도를 그릴 수 있다.

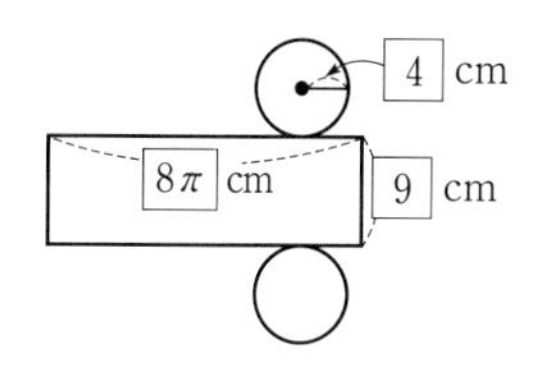

(2) $\pi\times\boxed{4}^2=\boxed{16\pi}(\mathrm{cm}^2)$
(3) $(2\pi\times\boxed{4})\times\boxed{9}=\boxed{72\pi}(\mathrm{cm}^2)$
(4) $\boxed{16\pi}\times2+\boxed{72\pi}=\boxed{104\pi}(\mathrm{cm}^2)$

03 (1) $3\times\boxed{3}=\boxed{9}(\mathrm{cm}^2)$
(2) $\boxed{9}\times5=\boxed{45}(\mathrm{cm}^3)$

04 (1) $\pi\times\boxed{2}^2=\boxed{4\pi}(\mathrm{cm}^2)$
(2) $\boxed{4\pi}\times3=\boxed{12\pi}(\mathrm{cm}^3)$

어떤 교과서에나 나오는 문제 — 출제율 100% 기본기 쌓기

01 72 cm^2 **02** 24 cm^2 **03** 48 cm^2 **04** $90\pi\text{ cm}^2$
05 12 cm^3 **06** 440 cm^3 **07** $200\pi\text{ cm}^3$
08 $600\pi\text{ cm}^3$

01 (밑넓이)$=\frac{1}{2}\times3\times4=6(\text{cm}^2)$,
(옆넓이)$=(3+4+5)\times5=60(\text{cm}^2)$이므로
(겉넓이)$=6\times2+60=72(\text{cm}^2)$

02 (밑넓이)$=2\times2=4(\text{cm}^2)$,
(옆넓이)$=(2+2+2+2)\times2=16(\text{cm}^2)$이므로
(겉넓이)$=4\times2+16=24(\text{cm}^2)$

03 (밑넓이)$=\pi\times3^2=9\pi(\text{cm}^2)$,
(옆넓이)$=(2\pi\times3)\times5=30\pi(\text{cm}^2)$이므로
(겉넓이)$=9\pi\times2+30\pi=48\pi(\text{cm}^2)$

04 (밑넓이)$=\pi\times5^2=25\pi(\text{cm}^2)$,
(옆넓이)$=(2\pi\times5)\times4=40\pi(\text{cm}^2)$이므로
(겉넓이)$=25\pi\times2+40\pi=90\pi(\text{cm}^2)$

05 (밑넓이)$=\frac{1}{2}\times2\times3=3(\text{cm}^2)$이고,
높이가 4 cm이므로
(부피)$=3\times4=12(\text{cm}^3)$

06 (밑넓이)$=\left(\frac{1}{2}\times10\times3\right)+\left(\frac{6+10}{2}\times5\right)=55(\text{cm}^2)$이고,
높이가 8 cm이므로
(부피)$=55\times8=440(\text{cm}^3)$

07 (밑넓이)$=\pi\times5^2=25\pi(\text{cm}^2)$이고,
높이가 8 cm이므로
(부피)$=25\pi\times8=200\pi(\text{cm}^3)$

08 (밑넓이)$=\pi\times10^2=100\pi(\text{cm}^2)$이고,
높이가 6 cm이므로
(부피)$=100\pi\times6=600\pi(\text{cm}^3)$

시험에 꼭 나오는 문제 — 기출 베스트 컬렉션

01 (1) 24 cm^2 (2) 120 cm^2 (3) 168 cm^2
02 94 cm^2 **03** ⑤ **04** ②
05 (1) $25\pi\text{ cm}^2$ (2) $100\pi\text{ cm}^2$ (3) $150\pi\text{ cm}^2$
06 $60\pi\text{ cm}^2$ **07** $56\pi\text{ cm}^2$ **08** ④ **09** ①
10 630 cm^3 **11** ② **12** 160 cm^3 **13** ①
14 ③ **15** $396\pi\text{ cm}^3$ **16** $490\pi\text{ cm}^3$

01 (1) $\frac{1}{2}\times6\times8=24(\text{cm}^2)$
(2) $(6+8+10)\times5=120(\text{cm}^2)$
(3) $24\times2+120=168(\text{cm}^2)$

02 $(3\times4)\times2+(3+4+3+4)\times5$
$=24+70=94(\text{cm}^2)$

03 $\left(\frac{5+11}{2}\times4\right)\times2+(5+5+5+11)\times10$
$=64+260=324(\text{cm}^2)$

04 $(3\times4)\times2+(3+4+3+4)\times h=108$이므로
$24+14h=108$
$14h=84$
$\therefore h=6\text{ cm}$

05 (1) $\pi\times5^2=25\pi(\text{cm}^2)$
(2) $(2\pi\times5)\times10=100\pi(\text{cm}^2)$
(3) $25\pi\times2+100\pi=150\pi(\text{cm}^2)$

06 $(\pi\times3^2)\times2+(2\pi\times3)\times7$
$=18\pi+42\pi=60\pi(\text{cm}^2)$

07 $(\pi\times4^2)\times2+(2\pi\times4)\times3$
$=32\pi+24\pi=56\pi(\text{cm}^2)$

08 (밑넓이)$=\pi\times5^2=25\pi(\text{cm}^2)$,
(옆넓이)$=10\pi\times7=70\pi(\text{cm}^2)$이므로
(겉넓이)$=25\pi\times2+70\pi=120\pi(\text{cm}^2)$

09 (밑넓이)$=\pi\times3^2=9\pi(\text{cm}^2)$,
(옆넓이)$=2\pi\times3\times h=6\pi h(\text{cm}^2)$이므로
겉넓이를 구하면
$18\pi+6\pi h=54\pi$

$6\pi h=36\pi$

$\therefore h=6$

10 $9\times7\times10=630(\text{cm}^3)$

11 (밑넓이)$=\frac{1}{2}\times8\times2+\frac{4+8}{2}\times3=8+18=26(\text{cm}^2)$

따라서 (부피)$=26\times10=260(\text{cm}^3)$

12 큰 정사각기둥에서 작은 정사각기둥의 부피를 뺀다.

즉, $5\times5\times10-3\times3\times10=250-90=160(\text{cm}^3)$

13 $\pi\times r^2\times6=150\pi$이므로

$r^2=25$

$\therefore r=5$

14 큰 원기둥의 부피에서 작은 원기둥의 부피를 뺀다.

$\pi\times6^2\times8-\pi\times4^2\times8=288\pi-128\pi=160\pi(\text{cm}^3)$

15 주어진 회전체는 밑면의 반지름의 길이가 6 cm, 높이가 11 cm인 원기둥이므로 부피를 구하면

$\pi\times6^2\times11=396\pi(\text{cm}^3)$

16 주어진 도형은 밑면의 반지름의 길이가 7 cm, 높이가 10 cm인 원기둥이므로 부피를 구하면

$\pi\times7^2\times10=490\pi(\text{cm}^3)$

11 뿔과 구의 겉넓이와 부피

본문 pp. 94~103

기본 체크

01 (1) 25 cm² (2) 40 cm² (3) 65 cm²

02 (1) 9π cm² (2) 15π cm² (3) 24π cm² (4) 4 cm (5) 12π cm³

03 (1) 144π cm² (2) 288π cm³

대표 예제

01 (1) 다음 그림과 같은 전개도를 그릴 수 있다.

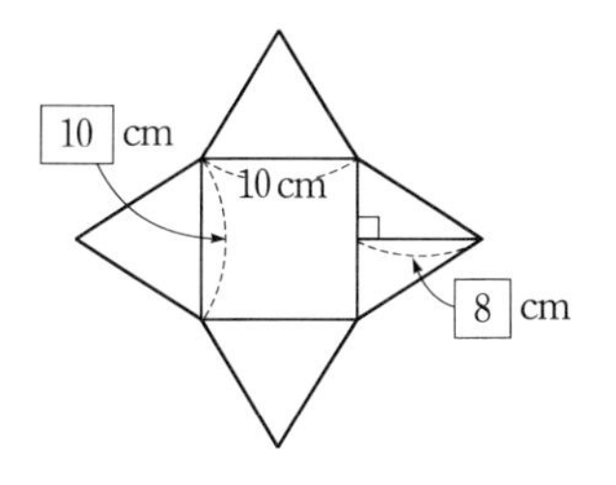

(2) $10\times\boxed{10}=\boxed{100}(\text{cm}^2)$

(3) $\left(\frac{1}{2}\times10\times\boxed{8}\right)\times\boxed{4}=\boxed{160}(\text{cm}^2)$

(4) $\boxed{100}+\boxed{160}=\boxed{260}(\text{cm}^2)$

02 (1) 다음 그림과 같은 전개도를 그릴 수 있다.

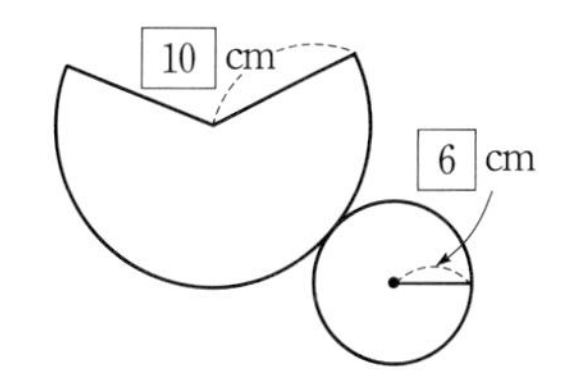

(2) $\pi\times\boxed{6}^2=\boxed{36\pi}(\text{cm}^2)$

(3) $\pi\times6\times\boxed{10}=\boxed{60\pi}(\text{cm}^2)$

(4) $\boxed{36\pi}+\boxed{60\pi}=\boxed{96\pi}(\text{cm}^2)$

(5) $\frac{1}{3}\times\boxed{36\pi}\times8=\boxed{96\pi}(\text{cm}^3)$

03 (1) $\left(4\pi\times\boxed{5}^2\right)\times\frac{3}{4}+\left(\pi\times\boxed{5}^2\times\frac{180^\circ}{360^\circ}\right)\times2=\boxed{100\pi}(\text{cm}^2)$

(2) 반지름의 길이가 5 cm인 구의 부피의 $\frac{3}{4}$이므로

$\left(\frac{4}{3}\times\pi\times\boxed{5}^3\right)\times\frac{3}{4}=\boxed{125\pi}(\text{cm}^3)$

어떤 교과서에나 나오는 문제 출제율 100% 기본기 쌓기

01 192 cm^2 02 $65\pi\text{ cm}^2$ 03 56 cm^3 04 $108\pi\text{ cm}^3$
05 $90\pi\text{ cm}^2$ 06 $84\pi\text{ cm}^3$ 07 $36\pi\text{ cm}^2$ 08 $36\pi\text{ cm}^3$
09 $153\pi\text{ cm}^2$ 10 252 cm^3

01 (밑넓이)$=8\times8=64(\text{cm}^2)$,
(옆넓이)$=\left(\frac{1}{2}\times8\times8\right)\times4=128(\text{cm}^2)$이므로
(겉넓이)$=64+128=192(\text{cm}^2)$

02 (밑넓이)$=\pi\times5^2=25\pi(\text{cm}^2)$,
옆면의 부채꼴의 호의 길이는 $2\pi\times5=10\pi(\text{cm})$이므로
(옆넓이)$=\frac{1}{2}\times8\times10\pi=40\pi(\text{cm}^2)$
$\therefore$ (겉넓이)$=25\pi+40\pi=65\pi(\text{cm}^2)$

03 (밑넓이)$=\frac{1}{2}\times7\times6=21(\text{cm}^2)$이고, 높이가 8 cm이므로
(부피)$=\frac{1}{3}\times21\times8=56(\text{cm}^3)$

04 $\frac{1}{3}\times\pi\times6^2\times9=108\pi(\text{cm}^3)$

05 회전체는 원뿔대이므로
(밑넓이)$=\pi\times3^2+\pi\times6^2=45\pi(\text{cm}^2)$
(옆넓이)$=\frac{1}{2}\times10\times12\pi-\frac{1}{2}\times5\times6\pi$
$=60\pi-15\pi=45\pi(\text{cm}^2)$
따라서 (겉넓이)$=45\pi+45\pi=90\pi(\text{cm}^2)$

06 큰 원뿔의 부피에서 위에 잘려지는 원뿔의 부피를 뺀다.
$\frac{1}{3}\times\pi\times6^2\times8-\frac{1}{3}\times\pi\times3^2\times4$
$=96\pi-12\pi=84\pi(\text{cm}^3)$

07 $4\pi\times3^2=36\pi(\text{cm}^2)$

08 $\frac{4}{3}\times\pi\times3^3=36\pi(\text{cm}^3)$

09 구의 겉넓이의 $\frac{7}{8}$에 중심각의 크기가 $90°$인 부채꼴 3개의 넓이를 더하여 구한다.
$(4\pi\times6^2)\times\frac{7}{8}+\left(\pi\times6^2\times\frac{1}{4}\right)\times3$
$=126\pi+27\pi=153\pi(\text{cm}^2)$

10 구의 부피의 $\frac{7}{8}$을 구한다.
$\left(\frac{4}{3}\times\pi\times6^3\right)\times\frac{7}{8}=252\pi(\text{cm}^3)$

시험에 꼭 나오는 문제 기출 베스트 컬렉션

01 ③ 02 ② 03 $75\pi\text{ cm}^2$ 04 ④
05 178 cm^2 06 ④ 07 196 cm^3 08 ①
09 20 cm^3 10 84 cm^3 11 16 cm^3 12 $\frac{112}{3}\pi\text{ cm}^3$
13 ② 14 $105\pi\text{ cm}^3$ 15 $64\pi\text{ cm}^2$ 16 $27\pi\text{ cm}^2$
17 ④ 18 ② 19 $972\pi\text{ cm}^3$ 20 ④
21 $30\pi\text{ cm}^3$ 22 $\frac{16}{3}\pi\text{ cm}^3$ 23 25분

01 $(6\times6)+\left(\frac{1}{2}\times6\times8\right)\times4=132(\text{cm}^2)$

02 $4\times4+\left(\frac{1}{2}\times4\times h\right)\times4=88$
$\therefore h=9\text{ cm}$

03 밑넓이는 $\pi\times5^2=25\pi(\text{cm}^2)$이고
옆면의 부채꼴의 호의 길이는
$2\pi\times5=10\pi(\text{cm})$이므로
옆넓이는 $\frac{1}{2}\times10\times10\pi=50\pi(\text{cm}^2)$
따라서 겉넓이는 $50\pi+25\pi=75\pi(\text{cm}^2)$

04 $(\pi\times4^2)+\frac{1}{2}\times7\times(2\pi\times4)=16\pi+28\pi=44\pi(\text{cm}^2)$

05 $7\times7+3\times3+\left(\frac{3+7}{2}\times6\right)\times4=49+9+120=178(\text{cm}^2)$

06 $\frac{1}{2}\times4\times6\pi+6\pi\times6+\pi\times3^2=12\pi+36\pi+9\pi=57\pi(\text{cm}^2)$

07 $\frac{1}{3}\times(7\times7)\times12=196(\text{cm}^3)$

08 $\frac{1}{3}\times\left(\frac{1}{2}\times6\times6\right)\times4=24(\text{cm}^3)$

09 $\frac{1}{3}\times(3\times4)\times5=20(\text{cm}^3)$

10 $\frac{1}{3}\times\left(\frac{1}{2}\times7\times8\right)\times9=84(\text{cm}^3)$

11 $\frac{1}{3}\times\left(\frac{1}{2}\times6\times4\right)\times4=16(\text{cm}^3)$

12 (밑넓이)$=\pi\times4^2=16\pi(\text{cm}^2)$이고, 높이가 7 cm이므로

$(\text{부피})=\frac{1}{3}\times16\pi\times7=\frac{112}{3}\pi(\text{cm}^3)$

13 $\frac{1}{3}\times\pi\times4^2\times h=48$이므로
$h=9$

14 회전체는 원뿔대이므로 큰 원뿔에서 작은 원뿔의 부피를 빼서 구한다.
$\frac{1}{3}\times\pi\times6^2\times10-\frac{1}{3}\times\pi\times3^2\times5=120\pi-15\pi=105\pi(\text{cm}^3)$

15 $4\pi\times4^2=64\pi(\text{cm}^2)$

16 구의 겉넓이의 $\frac{1}{2}$에 원의 넓이를 더하여 구한다.
$(4\pi\times3^2)\times\frac{1}{2}+\pi\times3^2=18\pi+9\pi=27\pi(\text{cm}^2)$

17 단면은 원이므로 $25\pi=\pi\times5^2$에서 반지름의 길이는 5 cm이다.
따라서 구의 겉넓이를 구하면
$4\pi\times5^2=100\pi(\text{cm}^2)$

18 $(4\pi\times4^2)\times\frac{7}{8}+\left(\frac{1}{4}\times\pi\times4^2\right)\times3=56\pi+12\pi=68\pi(\text{cm}^2)$

19 반지름의 길이가 9 cm이므로 구의 부피를 구하면
$\frac{4}{3}\times\pi\times9^3=972\pi(\text{cm}^3)$

20 구의 반지름을 r cm라 하면
$4\pi r^2=256\pi \quad \therefore r=8$
따라서 부피를 구하면
$\frac{4}{3}\times\pi\times8^3=\frac{2048}{3}\pi(\text{cm}^3)$

21 회전체는 반구와 원뿔을 포개어 놓은 모양의 입체도형이다.
따라서 부피를 구하면
$\left(\frac{4}{3}\times\pi\times3^3\right)\times\frac{1}{2}+\left(\frac{1}{3}\times\pi\times3^2\times4\right)=18\pi+12\pi=30\pi(\text{cm}^3)$

22 구의 반지름의 길이를 r cm라 하면
$\frac{4}{3}\pi r^3=\frac{32}{3}\pi \quad \therefore r=2$
따라서 원뿔의 부피는 $\frac{1}{3}\times\pi\times2^2\times4=\frac{16}{3}\pi(\text{cm}^3)$

23 $(\text{원뿔의 부피})=\frac{1}{3}\times\pi\times5^2\times12=100\pi(\text{cm}^3)$
1분에 4π cm^{3}씩 물을 넣으므로 100π cm^{3}의 양을 다 채우는 데 걸리는 시간을 구하면
$100\pi\div4\pi=25(\text{분})$
따라서 빈 통을 가득 채우는 데 걸리는 시간은 25분이다.

단원종합문제

본문 pp. 104~107

01 ③	02 ②	03 ②	04 33	05 ④
06 ③	07 ②	08 ④	09 ④	10 120°
11 (1) 원뿔대 (2) 50 cm^2			12 ③	13 ⑤
14 ②	15 ①	16 ⑤	17 ④	
18 16π cm^2		19 ②	20 ③	21 ②
22 210 cm^3		23 84π cm^2		24 ①

01 ③ 각뿔대의 두 밑면은 모양은 같으나 크기가 다르므로 합동이 아니다.

02 모서리의 개수가 21개인 각기둥은 칠각기둥이다.
따라서 $x=9$, $y=14$이므로
$x+y=23$

03 n각뿔의 꼭짓점의 개수와 면의 개수는 $n+1$로 같다.

04 육각뿔의 모서리의 개수는 12개, 칠각뿔대의 모서리의 개수는 21개이므로
$x=12$, $y=21$
$\therefore x+y=12+21=33$

05 ④ 두 밑면은 평행하지만 각기둥이 아니라 각뿔대이다.

06 ③ 정팔면체 ─ 정삼각형 ─ 4개

07 꼭짓점의 개수가 정팔면체의 면의 개수와 같이 8개인 정다면체는 정육면체이다.

08 ④ 다면체 중 면이 8개인 것은 ㉤, ㉥이다.
㉡은 면이 7개인 칠면체이다.

09 선분 AB와 꼬인 위치에 있는 선분은 $\overline{JC}$, $\overline{JD}$, $\overline{ED}$, $\overline{EG}$로 4개이다.

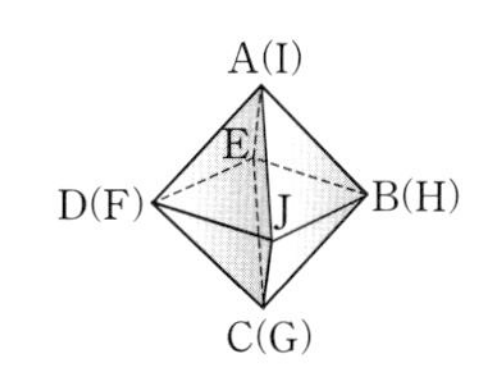

10 옆면인 부채꼴의 호의 길이와 밑면인 원의 둘레의 길이가 같다.
부채꼴의 중심각의 크기를 x라 하면
$2\pi\times9\times\frac{x}{360°}=2\pi\times3$
$\therefore x=120°$

11 (1) 회전체는 원뿔대이다.
(2) 회전축을 포함한 평면으로 자른 단면은 밑변의 길이가 14 cm, 윗변의 길이가 6 cm, 높이가 5 cm인 사다리꼴이다.

따라서 $\frac{6+14}{2}\times5=50(\text{cm}^2)$

12 ③ 회전체를 회전축에 수직인 평면으로 자르면 그 단면은 항상 원이지만 합동이 아닐 수 있다.

13 (밑넓이)$=9\times6-\frac{1}{2}\times4\times3=48(\text{cm}^2)$,
(옆넓이)$=(9+6+6+5+2)\times10=280(\text{cm}^2)$이므로
(겉넓이)$=48\times2+280=376(\text{cm}^2)$

14 옆면의 가로의 길이는 밑면의 둘레의 길이와 같으므로 $2\pi\times4=8\pi(\text{cm})$, 높이가 10 cm이므로 옆면의 넓이를 구하면
$8\pi\times10=80\pi(\text{cm}^2)$

15 (밑넓이)$=\pi\times6^2\times\frac{60°}{360°}=6\pi(\text{cm}^2)$,
(옆넓이)$=\left(2\pi\times6\times\frac{60°}{360°}\right)\times8+(6\times8)\times2$
$=16\pi+96(\text{cm}^2)$이므로
(겉넓이)$=6\pi\times2+(16\pi+96)=28\pi+96(\text{cm}^2)$

16 $(\pi\times7^2-\pi\times5^2)\times2+(2\pi\times7\times12)+(2\pi\times5\times12)$
$=48\pi+168\pi+120\pi=336\pi(\text{cm}^2)$

17 (밑넓이)$=5\times6-\frac{1}{2}\times(5-3)\times(6-4)=28(\text{cm}^2)$
(부피)$=28\times10=280(\text{cm}^3)$

18 원뿔이 1회전할 때의 거리는 $2\pi\times2=4\pi(\text{cm})$이므로 원 O의 둘레의 길이는 12π cm이다.
원 O의 반지름을 r cm라고 하면
$2\pi r=12\pi \quad \therefore r=6$
따라서 원뿔의 모선의 길이는 6 cm이다.
(원뿔의 겉넓이)$=(\pi\times2^2)+\left(\frac{1}{2}\times6\times4\pi\right)=16\pi(\text{cm}^2)$

19 오른쪽과 같은 모양의 입체도형이므로

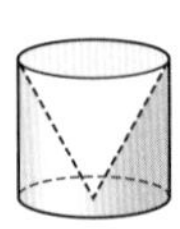

$(\pi\times6^2)+(2\pi\times6\times8)+\left(\frac{1}{2}\times10\times2\pi\times6\right)$
$=36\pi+96\pi+60\pi=192\pi(\text{cm}^2)$

20 피라미드의 높이를 h라고 하면
$\frac{1}{3}\times7\times7\times h=147$이므로
$h=9$ m

21 오른쪽과 같은 입체도형이므로 겉넓이는 원뿔의 겉넓이와 원기둥의 옆넓이의 합을 구하면 된다.

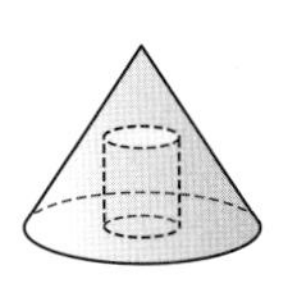

$\pi\times4^2+\frac{1}{2}\times8\times(2\pi\times4)+(2\pi\times1)\times3$
$=16\pi+32\pi+6\pi=54\pi(\text{cm}^2)$

22 사각기둥의 부피에서 삼각뿔의 부피를 뺀다.
$7\times4\times9-\frac{1}{3}\times\left(\frac{1}{2}\times7\times4\right)\times9$
$=252-42=210(\text{cm}^3)$

23 $\frac{1}{2}\times(4\pi\times5^2)+\frac{1}{2}\times(4\pi\times3^2)+(\pi\times5^2-\pi\times3^2)$
$=50\pi+18\pi+16\pi=84\pi(\text{cm}^2)$

24 원기둥의 밑면의 반지름의 길이를 r라고 하면
원기둥의 부피는
$\pi r^2\times4r=108\pi$, $4\pi r^3=108\pi$
$r^3=27 \quad \therefore r=3$ cm
따라서 구의 부피는
$\frac{4}{3}\times\pi\times3^3=36\pi(\text{cm}^3)$

Ⅳ. 자료의 정리와 해석

12 줄기와 잎 그림, 도수분포표 본문 pp. 108~115

기본 체크

01 (1) 1, 2, 3, 4, 7 (2) 20명

02 (1) 5 (2) 10점 (3) 2
(4) 50점 이상 60점 미만 (5) 85점

대표 예제

01 (1) 가장 작은 값은 [0]이고, 가장 큰 값은 [30]이므로 줄기를 [0, 1, 2, 3]으로 정하고 다음과 같이 줄기와 잎 그림을 그린다.

(단, 3|0은 30회를 나타낸다.)

줄기	잎
0	0 2 3 5 5 8
[1]	1 [1 2 6 7 7 9]
[2]	0 [7]
3	0

(2) (1)의 줄기와 잎 그림에서 잎이 가장 많은 줄기는 [1]이다.

(3) 줄기가 2인 잎이 [2]개, 줄기가 3인 잎이 [1]개이므로 턱걸이 기록이 20회 이상인 학생의 수는 [3]명이다.

02 $A=30-(1+4+11+8+2)=$[4]

03 자기 주도적 학습 시간이 75분인 학생은 [60]분 이상 [90]분 미만인 계급에 속한다.

04 자기 주도적 학습 시간이 120분 이상 150분 미만인 학생이 $A=$[4]명이고 전체 학생 수가 30명이므로 백분율은

$\frac{[6]}{30}\times 100=$[20](%)이다.

어떤 교과서에나 나오는 문제 출제율 100% 기본기 쌓기

01 174 cm 02 12명 03 155 cm 04 (1) 50 (2) 95
05 풀이 참조 06 0분 이상 20분 미만
07 50분 08 9명 09 20%

01 줄기와 잎 그림에서 변량이 가장 큰 것이 174이므로 키가 가장 큰 학생의 키는 174 cm이다.

02 줄기가 16인 잎이 8개, 줄기가 17인 잎이 4개이므로 키가 160 cm 이상인 학생은 $8+4=12$(명)이다.

03 변량이 작은 쪽에서 10번째인 것은 155이므로 10번 학생의 키는 155 cm이다.

05

점수(점)	도수(명)	
50^이상^ ~ 60^미만^	//	2
60 ~ 70	///	3
70 ~ 80	卌	5
80 ~ 90	卌//	7
90 ~100	///	3
합계	20	

06 도수가 가장 작은 계급은 도수가 1인 0분 이상 20분 미만인 계급이다.

07 도수가 가장 큰 계급은 도수가 7인 40분 이상 60분 미만인 계급이므로

계급값은 $\frac{40+60}{2}=50$(분)

08 인터넷 검색 시간이 60분 이상 80분 미만인 학생의 수가 5명, 80분 이상 100분 미만인 학생의 수가 4명이므로 인터넷 검색 시간이 60분 이상인 학생의 수는 총 9명이다.

09 인터넷 검색 시간이 40분 미만인 학생은 $1+3=4$(명)이므로 전체의 $\frac{4}{20}\times 100=20$(%)이다.

시험에 꼭 나오는 문제 기출 베스트 컬렉션

01 (1) 남학생 (2) 1 (3) 13명 **02** 12 **03** ④
04 2.5시간 **05** 12.5시간 **06** 8명 **07** ③
08 ② **09** ④ **10** ③ **11** ④ **12** 25명
13 $A=3$ **14** ㄱ, ㄴ

01 (3) 수학 수행평가 점수가 10점 이상인 남학생은 $4+3=7$(명), 여학생은 $5+1=6$(명)이므로 수학 수행평가 점수가 10점 이상인 학생은 모두 13명이다.

02 $A=40-(6+14+7+1)=40-28=12$

03 ④ 빨리 치는 순서로 3번째인 학생이 속한 계급은 300타 이상 400타 미만이므로 이 계급의 도수는 7이다.

04 도수가 2인 계급은 0시간 이상 5시간 미만이고 이 계급의 계급값은
$\frac{0+5}{2}=2.5$(시간)

05 도수가 가장 큰 계급은 10시간 이상 15시간 미만으로 모두 7명이다. 이 계급의 계급값은
$\frac{10+15}{2}=12.5$(시간)

06 봉사활동 시간이 0시간 이상 5시간 미만인 학생의 수가 2명,
5시간 이상 10시간 미만인 학생의 수가 6명이므로
봉사활동 시간이 10시간 미만인 학생의 수는 총 8명이다.

07 $A=40-(2+5+13+6+3)=40-29=11$
도수가 가장 큰 계급은 30회 이상 40회 미만이고
이 계급의 계급값은 $a=35$
도수가 가장 작은 계급은 0회 이상 10회 미만이고
이 계급의 계급값은 $b=5$
$\therefore a-b=35-5=30$

08 $a=35-\frac{10}{2}=30$, $b=35+\frac{10}{2}=40$
$\therefore a+b=30+40=70$

[다른 풀이]
$(\text{계급값})=\frac{(\text{계급의 양 끝값의 합})}{2}$이므로
$35=\frac{a+b}{2}$ $\therefore a+b=70$

09 $A=40-(6+13+7)=14$
$(\text{백분율})=\frac{14}{40}=35(\%)$

10 전체 학생의 수를 x명이라고 하면
$\frac{32}{x}\times100=20$
$20x=3200$
$\therefore x=160$

11 건우가 속한 계급은 3건 이상 6건 미만이고 이 계급의 도수를 A라고 하면
$A=160-(22+28+32+42)=36$(명)
$\therefore (\text{백분율})=\frac{36}{160}\times100=22.5(\%)$

12 키가 160 cm 미만인 학생의 수가 $1+2=3$(명)이므로
전체 학생의 수를 x명이라고 하면
$\frac{3}{x}\times100=12$, $12x=300$
$\therefore x=25$

13 $A=20-(4+6+5+2)=3$

14 ㄴ. 도수가 가장 큰 계급은 7초 이상 8초 미만이다. 이 계급의 계급값은 $\frac{7+8}{2}=7.5$(초)
ㄷ. 달리기 기록이 9초 이상인 학생은 $3+2=5$(명)이다.
$\therefore (\text{백분율})=\frac{5}{20}=25(\%)$
따라서 옳은 것은 ㄱ, ㄴ이다.

13 히스토그램과 도수분포다각형

본문 pp. 116~123

기본 체크

01 (1) 5개 (2) 10점 (3) 9명 (4) 50점 이상 60점 미만 (5) 25명 (6) 85점

02 (1) 6개 (2) 5점 (3) 10명 (4) 60점 이상 65점 미만 (5) 34명 (6) 75점

대표 예제

01 각 계급의 도수를 세로로 하는 직사각형을 그린다.

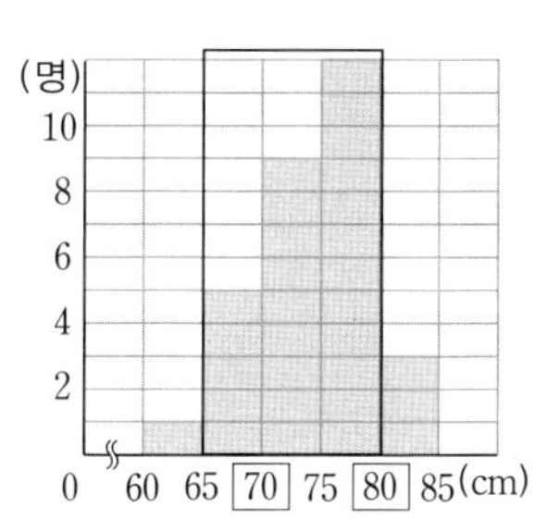

02 희수네 반 전체 학생 수는 모든 계급의 도수의 합인

4+ 8 + 9 +6+ 5 = 32 (명)이다.

03 미술 실기 성적이 35점 이상인 학생 수는

6+ 5 = 11 (명)이다.

어떤 교과서에나 나오는 문제

출제율 100% 기본기 쌓기

01 풀이 참조	02 40명	03 400	04 ④
05 풀이 참조	06 9명	07 300	08 40 %

01

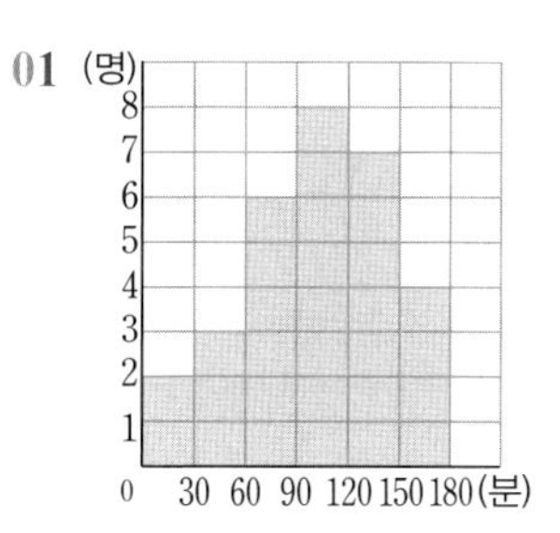

02 히스토그램에서 세로가 각 계급의 도수이므로

(전체 학생의 수) $=2+5+9+12+8+4=40$(명)

03 (직사각형의 넓이의 합)

={(각 계급의 크기)×(그 계급의 도수)}의 합

=(계급의 크기)×(도수의 합)

∴ (직사각형의 넓이의 합) $=10\times40=400$

04 각 직사각형의 넓이는 각 계급의 도수에 정비례하므로 넓이가 가장 큰 직사각형의 도수는 12이고 90점 이상 100점 미만인 직사각형의 도수는 4이다.

따라서 넓이의 비는 12 : 4, 즉 3 : 1이다.

05

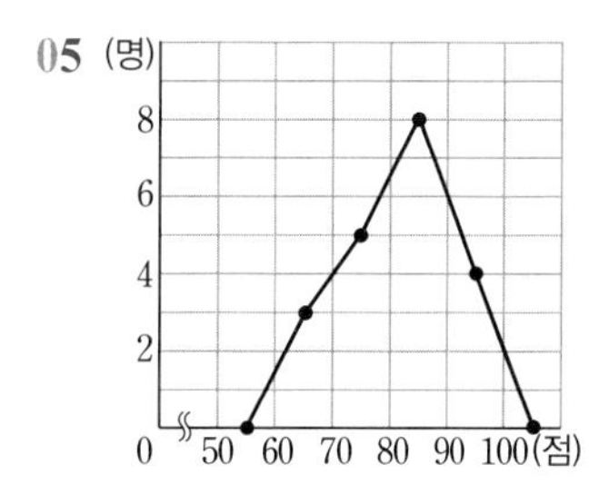

06 수학 성적이 80점 이상 90점 미만인 학생의 수는 7명이고, 90점 이상 100점 미만인 학생의 수가 2명이므로

(80점 이상인 학생의 수) $=7+2=9$(명)

07 (도수분포다각형의 넓이)

=(히스토그램의 넓이)

=(계급의 크기)×(도수의 합)

$=10\times(5+7+9+7+2)=300$

08 전체 학생의 수는 30명이고, 수학 성적이 70점 미만인 학생은 12명이므로

70점 미만인 학생은 전체의 $\frac{12}{30}\times100=40$(%)이다.

시험에 꼭 나오는 문제 기출 베스트 컬렉션

01 ⑤	**02** $A=8$, $B=36$		**03** 360	**04** 40명
05 85점	**06** ⑤	**07** 72	**08** 6배	**09** 7명
10 ③	**11** 195 cm	**12** 350	**13** 40 %	**14** 85점
15 ①				

01 ① 계급의 크기는 $50-40=10$이다.
② 전체 학생의 수는 $2+6+12+9+8+3=40$(명)이다.
③ 도수가 가장 큰 계급의 도수는 12명이다.
④ 도수가 가장 작은 계급의 계급값은 $\frac{40+50}{2}=45$(점)이다.
⑤ 영어 성적이 80점 이상 90점 미만인 학생의 수가 8명이므로 $\frac{8}{40}\times100=20(\%)$이다.

02 $A=8$, $B=2+8+14+10+2=36$

03 (직사각형의 넓이의 합)
$=\{$(각 계급의 크기)$\times$(그 계급의 도수)$\}$의 합
$=$(계급의 크기)$\times$(도수의 합)
$\therefore$ (직사각형의 넓이의 합)$=10\times36=360$

04 (전체 학생의 수)$=2+4+10+12+9+3=40$(명)

05 수학 성적이 5번째로 좋은 학생이 속한 계급은 80점 이상 90점 미만이므로 계급값은 $\frac{80+90}{2}=85$(점)이다.

06 수학 성적이 80점 이상인 학생의 수가 12명이므로 $\frac{12}{40}\times100=30(\%)$이다.

07 (직사각형의 넓이의 합)
$=\{$(각 계급의 크기)$\times$(그 계급의 도수)$\}$의 합
$=$(계급의 크기)$\times$(도수의 합)
$\therefore$ (직사각형의 넓이의 합)$=2\times(2+12+8+5+6+3)$
$=72$

08 2회 이상 4회 미만인 계급의 도수가 12회로 가장 크고, 0회 이상 2회 미만인 계급의 도수가 2회로 가장 작다.
또, 직사각형의 넓이는 도수에 정비례하므로 $12\div2=6$에서 도수가 가장 큰 계급의 직사각형의 넓이는 도수가 가장 작은 계급의 직사각형의 넓이의 6배이다.

09 (60분 이상 90분 미만인 학생의 수)
$=35-(5+7+8+5+3)=7$(명)

10 ① 계급의 개수는 5개이다.
② 계급의 크기는 10 cm이다.
④ 도수가 가장 큰 계급의 계급값은 185 cm이다.
⑤ 도수가 가장 작은 계급의 계급값은 165 cm이다.

11 멀리뛰기 기록이 상위 10등인 학생이 속한 계급은 190 cm 이상 200 cm 미만이므로
계급값은 $\frac{190+200}{2}=195$(cm)이다.

12 (도수분포다각형의 넓이)
$=$(도수의 총합)$\times$(계급의 크기)
$=(6+9+10+7+3)\times10$
$=35\times10=350$

13 (전체 학생의 수)$=6+9+10+7+3=35$(명)이고, 성적이 좋은 쪽에서 14번째인 학생은 상위 $\frac{14}{35}\times100=40(\%)$이다.

14 성적이 좋은 순으로 5번째가 속한 계급은 80점 이상 90점 미만이므로 계급값은 $\frac{80+90}{2}=85$(점)이다.

15 동일한 자료에 대한 히스토그램과 도수분포다각형의 넓이는 같다.

14 상대도수와 그 그래프 본문 pp. 124~131

기본 체크

01 0.25, 0.2, 0.3, 0.15, 0.1, 1

02

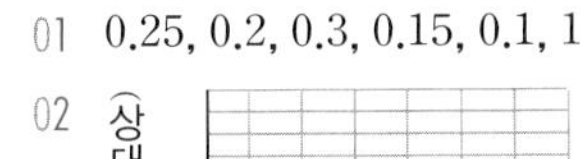
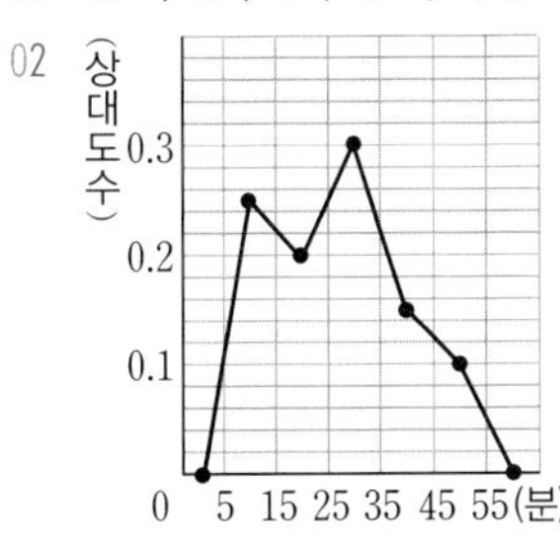

대표 예제

01 (1) $\frac{6}{50}=$ 0.12

(2) $\frac{9}{50}=$ 0.18

(3) $\frac{12}{50}=$ 0.24

02 (1) $\frac{12}{40}=$ 0.3

(2) $40\times0.25=$ 10

(3) $40-(8+12+$ 10 $+6)=$ 4

(4) $\frac{4}{40}=$ 0.1

(5) (상대도수의 총합)= 1

03 상대도수는 그 계급의 도수에 정비례하므로 70점 이상 80점 미만의 상대도수가 0.35 로 상대도수가 가장 크고, 이때의 학생의 수는 $40\times$ 0.35 = 14 (명)이다.

04 80점 이상 90점 미만인 계급의 상대도수가 0.1 ,
90점 이상 100점 미만인 계급의 상대도수가 0.05 이다.
따라서 80점 이상인 계급의 상대도수의 합이 0.15 이므로
0.15 $\times100=$ 15 (%)

어떤 교과서에나 나오는 문제 출제율 100% 기본기 쌓기

01 ② 02 6명 03 0.2 04 풀이 참조
05 0.05 06 풀이 참조 07 200명 08 52명

01 $E=(\text{전체 도수})=\frac{6}{0.12}=50$

$A=0.28\times50=14$

$B=\frac{18}{50}=0.36$

$C=50-(6+14+18+10)=2$

$D=\frac{2}{50}=0.04$

02 $(\text{전체 학생의 수})=\frac{2}{0.05}=40$

15000원 이상 20000원 미만인 계급의 상대도수가 0.15이므로 이 계급의 도수는 $0.15\times40=6$(명)이다.

03 $(\text{전체 도수})=\frac{(\text{그 계급의 도수})}{(\text{상대도수})}=\frac{6}{0.12}=50$이므로

$(\text{도수가 10인 계급의 상대도수})=\frac{10}{50}=0.2$

[다른 풀이]
도수와 상대도수는 정비례하므로
$6:0.12=10:x$
$6x=1.2$
$\therefore x=0.2$

04

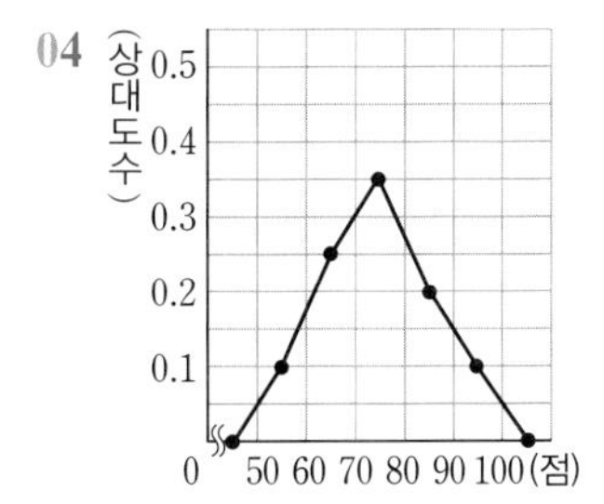

05 $x+4x+5x+0.35+3x=1$
$13x=0.65$
$\therefore x=0.05$

06 $x=0.05$이므로 상대도수의 분포표를 완성하면

성적(점)	상대도수
50이상 ~ 60미만	0.05
60 ~ 70	0.2
70 ~ 80	0.25
80 ~ 90	0.35
90 ~100	0.15
합계	1

따라서 상대도수의 그래프를 그리면 다음과 같다.

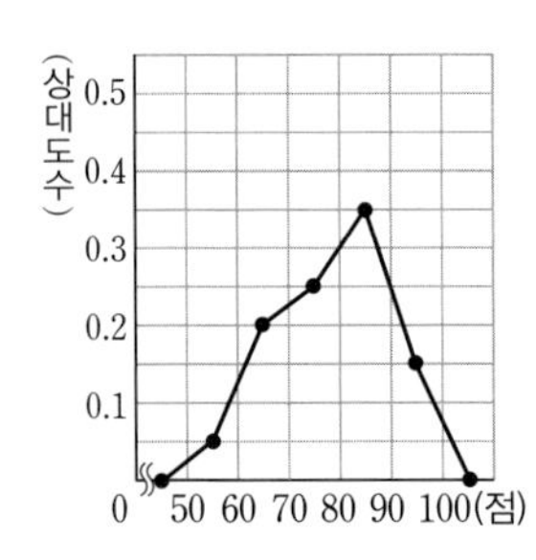

07 상대도수가 0.1로 가장 낮은 계급 50점 이상 60점 미만의 도수가 20명이므로 전체 학생의 수를 x명이라고 하면

$\frac{20}{x}=0.1 \quad \therefore x=200$

08 (70점 미만의 상대도수)=0.1+0.16=0.26이므로
70점 미만인 학생의 수를 x명이라고 하면

$\frac{x}{200}=0.26 \quad \therefore x=52$

시험에 꼭 나오는 문제 기출 베스트 컬렉션

01 ③	**02** ③	**03** ③	**04** 25명	**05** 0.16
06 75점	**07** ④	**08** 16명	**09** 10명	**10** ③
11 150명	**12** ③	**13** ②	**14** A학교	
15 B학교, 21명				

01 $D=\frac{3}{0.15}=20$

$A=0.4\times20=8$

$B=20-(3+8+7)=2$

$C=\frac{2}{20}=0.1$

$E=1$

02 $D=\frac{2}{0.08}=25$

$A=25\times0.4=10$

$B=25\times0.2=5$

$C=\frac{1}{25}=0.04$

③ 6번째로 기록이 좋은 학생이 속한 계급은 30 m 이상 40 m 미만이고 이 계급의 계급값은 35 m이다.

03 (전체 도수)$=\frac{(\text{그 계급의 도수})}{(\text{상대도수})}=\frac{108}{0.12}=900$(명)

04 (전체 학생의 수)$=\frac{1}{0.04}=25$(명)

05 (영아가 속한 계급의 도수)=25−(1+2+10+8)=4(명)이고
이 계급의 상대도수는 $\frac{4}{25}=0.16$이다.

06 각 계급의 도수를 차례로 구하면 6, 8, 12, 10, 4이므로 수학 성적이 15등인 학생이 속하는 계급은 70점 이상 80점 미만이다.
이 계급의 계급값은

$\frac{70+80}{2}=75$(점)

07 ④ 상대도수는 백분율이 아니다.
$0.1\times100=10(\%)$

08 3시간 이상 4시간 미만 공부하는 학생의 상대도수는 0.4이고 전체 학생의 수가 40명이므로 이 계급에 속한 학생의 수는
$0.4\times40=16$(명)이다.

09 공부를 많이 하는 순으로 10번째인 가은이가 속한 계급은 4시간 이상 5시간 미만이고 상대도수가 0.25이므로
그 계급의 도수는 $0.25\times40=10$(명)이다.

10 (4시간 이상 공부하는 학생의 상대도수)
=(4시간 이상 5시간 미만인 계급의 상대도수)
+(5시간 이상 6시간 미만인 계급의 상대도수)
=0.25+0.05=0.3
따라서 30 %이다.

11 (60점 이상 70점 미만인 계급의 상대도수)
=1−(0.16+0.32+0.24+0.08)=0.2
∴ (전체 학생의 수)$=\frac{30}{0.2}=150$(명)

12 80점 이상 90점 미만의 상대도수가 0.35로 가장 크다.
따라서 (전체 학생의 수)$=\frac{14}{0.35}=40$(명)

13 90점 이상 100점 미만인 계급의 상대도수가 0.2이므로
$0.2\times40=8$(명)이다.

14 A학교의 그래프가 대체로 오른쪽으로 치우쳐 있으므로 A학교 학생들의 성적이 더 좋다고 말할 수 있다.

15 상대도수의 차가 가장 큰 계급은 75점 이상 80점 미만이다.
A학교의 상대도수는 0.1이고 총 도수가 50명이므로
$0.1\times50=5$(명)
B학교의 상대도수는 0.26이고 총 도수가 100명이므로
$0.26\times100=26$(명)이다.
따라서 B학교가 21명이 더 많다.

단원종합문제

본문 pp. 132~135

01 (1) 25명 (2) 14명 (3) 5명 **02** ⑤ **03** ②
04 5분 **05** ① **06** 40 % **07** $A=5$, $B=10$
08 ⑤ **09** 65점 **10** 155 **11** ③ **12** 8개
13 75점 **14** ① **15** 0.3 **16** 40명 **17** 17명
18 ② **19** 0.35 **20** 20분 **21** 0.19
22 55쪽 **23** 5명

01 (1) 전체 학생의 수는 잎의 개수와 같으므로
$6+8+5+4+2=25$(명)이다.
(2) 줄기가 6인 잎이 6개, 줄기가 7인 잎이 8개이므로 수학 성적이 80점 미만인 학생은 $6+8=14$(명)이다.
(3) 줄기가 9인 잎 중 1보다 큰 것이 3개, 줄기가 10인 잎이 2개이므로 구하는 학생의 수는 $3+2=5$(명)이다.

02 가장 작은 변량은 230 mm, 가장 큰 변량은 285 mm이고 계급의 크기는 10 mm이므로 도수분포표를 완성하면 다음과 같다.

계급(mm)	도수(명)
230이상 ~ 240미만	1
240 ~ 250	2
250 ~ 260	3
260 ~ 270	5
270 ~ 280	6
280 ~ 290	3
합계	20

⑤ 신발의 크기가 270 mm 이상인 학생은
270 mm 이상 280 mm 미만인 학생이 6명, 280 mm 이상 290 mm 미만인 학생이 3명이다.
따라서 $6+3=9$(명)이다.

03 (2분 이상 4분 미만의 도수) $=40-(6+7+4+10)=13$이므로 도수가 가장 큰 계급은 2분 이상 4분 미만이고
(계급값) $=\dfrac{2+4}{2}=3$(분)이다.

04 통화량이 20번째로 많은 학생이 속하는 계급은 4분 이상 6분 미만이므로
(계급값) $=\dfrac{4+6}{2}=5$(분)

05 $a=20-\dfrac{8}{2}=16$, $b=20+\dfrac{8}{2}=24$
계급의 범위는 16 이상 24 미만이다.

06 전체 학생의 수가 30명이고 60 kg 이상 70 kg 미만인 학생의 수가 12명이므로
(60 kg 이상 70 kg 미만의 백분율) $=\dfrac{12}{30}\times100=40(\%)$

07 60점 미만인 학생은 $40\times0.35=14$(명)이므로
$A=14-9=5$
$B=40-(5+9+11+4+1)=10$

08 도수가 11인 60점 이상 70점 미만인 계급의 계급값은
$a=\dfrac{60+70}{2}=65$(점)
도수가 1인 90점 이상 100점 미만인 계급의 계급값은
$b=\dfrac{90+100}{2}=95$(점)
$\therefore a+b=65+95=160$

09 수학 성적이 17등인 학생이 속하는 계급은 60점 이상 70점 미만이다. 이 계급의 계급값은
$\dfrac{60+70}{2}=65$(점)

10 (도수분포다각형의 넓이)
$=$(도수의 총합)$\times$(계급의 크기)
$=(5+9+8+6+3)\times(10-5)$
$=31\times5=155$

11 ① $1+6+7+8+5+3+2=32$(명)
② 16권 이상 20권 미만인 계급의 도수가 8명으로 가장 많다.
③ 12권 미만으로 대출한 학생의 수는 $1+6=7$(명)이다.
④ (가)와 (나)의 넓이는 같다.
⑤ $\dfrac{5+3}{32}\times100=25(\%)$

12 계급값이 20000원인 계급은 15000원 이상 25000원 미만이고, 도수의 총합이 30이므로
$30-(4+10+6+2)=8$(개)

13 수학 성적이 20등인 학생이 속하는 계급은 70점 이상 80점 미만이다. 이 계급의 계급값은
$\dfrac{70+80}{2}=75$(점)

14 ① 1반과 2반의 총 도수가 같지 않으므로 도수분포다각형의 넓이는 같지 않다.

15 상대도수의 총합은 1이므로
$A=1-(0.025+0.1+0.25+0.15+0.125+0.05)$
$=0.3$

16 210초 이상 240초 미만인 계급의 상대도수가 0.05이고 도수가 2이므로

(전체 학생의 수) $=\frac{2}{0.05}=40$(명)

17 120초 미만의 상대도수의 합은 0.425이므로
$0.425\times40=17$(명)이다.

18 상대도수를 구하면

성적(점)	1반		2반	
	도수	상대도수	도수	상대도수
30이상 ~ 40미만	1	0.03125	2	0.05
40 ~ 50	3	0.09375	4	0.1
50 ~ 60	4	0.125	5	0.125
60 ~ 70	6	0.1875	8	0.2
70 ~ 80	9	0.28125	9	0.225
80 ~ 90	7	0.21875	9	0.225
90 ~ 100	2	0.0625	3	0.075
합계	32		40	

이므로 상대도수가 같은 계급은 50점 이상 60점 미만으로 계급값은 55점이다.

19 $A=1-(0.1+0.25+0.25+0.05)=0.35$

20 각 계급의 도수를 차례로 구하면 4, 14, 10, 10, 2이므로 등교 시간이 7번째로 적게 걸리는 학생이 속한 계급은 15분 이상 25분 미만이다. 이 계급의 계급값은
$\frac{15+25}{2}=20$(분)이다.

21 상대도수는 그 계급의 도수에 정비례하므로 상대도수가 가장 큰 계급이 도수도 가장 크다.
남학생 중 상대도수가 가장 큰 계급이 40쪽 이상 45쪽 미만이므로 $a=0.24$
또, 여학생 중 상대도수가 가장 작은 계급이 25쪽 이상 30쪽 미만이므로 $b=0.05$
따라서 $a-b=0.19$

22 60쪽 이상을 푼 남학생은 $0.04\times100=4$(명)이고, 55쪽 이상을 푼 남학생은 $(0.04+0.09)\times100=13$(명)이므로 12번째로 많이 푼 학생은 최소 55쪽 이상 풀었다.

23 남학생과 여학생 수의 차가 가장 큰 계급은 상대도수의 차가 가장 큰 계급인 45쪽 이상 50쪽 미만이다.
이 계급에 속하는 남학생은 $0.11\times100=11$(명),
여학생은 $0.16\times100=16$(명)
따라서 구하는 도수의 차는 $16-11=5$(명)이다.

Mathematics
교과서
노트
중학 수학 1 (하)

08 다면체

구분	번호	○/×
어떤 교과서에나 나오는 문제	1	
	2	
	3	
	4	
	5	
	6	
	7	
	8	
	9	
시험에 꼭 나오는 문제	1	
	2	
	3	
	4	
	5	
	6	
	7	
	8	
	9	
	10	
	11	
	12	
	13	
	14	

09 회전체

구분	번호	○/×
어떤 교과서에나 나오는 문제	1	
	2	
	3	
	4	
	5	
	6	
	7	
시험에 꼭 나오는 문제	1	
	2	
	3	
	4	
	5	
	6	
	7	
	8	
	9	
	10	
	11	
	12	
	13	
	14	

10 기둥의 겉넓이와 부피

구분	번호	○/×
어떤 교과서에나 나오는 문제	1	
	2	
	3	
	4	
	5	
	6	
	7	
	8	
시험에 꼭 나오는 문제	1	
	2	
	3	
	4	
	5	
	6	
	7	
	8	
	9	
	10	
	11	
	12	
	13	
	14	
	15	
	16	

11 뿔과 구의 겉넓이와 부피

구분	번호	○/×
어떤 교과서에나 나오는 문제	1	
	2	
	3	
	4	
	5	
	6	
	7	
	8	
	9	
	10	
시험에 꼭 나오는 문제	1	
	2	
	3	
	4	
	5	
	6	
	7	
	8	
	9	
	10	
	11	
	12	
	13	
	14	
	15	
	16	
	17	
	18	
	19	
	20	
	21	
	22	
	23	

12 줄기와 잎 그림, 도수분포표

구분	번호	○/×
어떤 교과서에나 나오는 문제	1	
	2	
	3	
	4	
	5	
	6	
	7	
	8	
	9	
시험에 꼭 나오는 문제	1	
	2	
	3	
	4	
	5	
	6	
	7	
	8	
	9	
	10	
	11	
	12	
	13	
	14	

13 히스토그램과 도수분포다각형

구분	번호	○/×
어떤 교과서에나 나오는 문제	1	
	2	
	3	
	4	
	5	
	6	
	7	
	8	
시험에 꼭 나오는 문제	1	
	2	
	3	
	4	
	5	
	6	
	7	
	8	
	9	
	10	
	11	
	12	
	13	
	14	
	15	

14 상대도수와 그 그래프

구분	번호	○/×
어떤 교과서에나 나오는 문제	1	
	2	
	3	
	4	
	5	
	6	
	7	
	8	
시험에 꼭 나오는 문제	1	
	2	
	3	
	4	
	5	
	6	
	7	
	8	
	9	
	10	
	11	
	12	
	13	
	14	
	15